양자물리학과 주역

인류 공존의 원리,
환존(環存)의 가치를 담다.

易理와 量子物理의 중화론 연구보고서

이산 박규선
철학박사
wowland7@daum.net

양자물리학과 주역

인류 공존의 원리,
환존(環存)의 가치를 담다.

이산 박규선
철학박사

양자물리학과 주역

발　행 | 2024년 6월 10일
저　자 | 이산 박규선
펴낸이 | 한건희
펴낸곳 | 주식회사 부크크
출판사등록 | 2014.07.15.(제2014-16호)
주　소 | 서울특별시 금천구 가산디지털1로 119 SK트윈타워 A동 305호
전　화 | 1670-8316
이메일 | info@bookk.co.kr

ISBN | 979-11-410-8875-0

www.bookk.co.kr

목 차

표목차

그림목차

-표기 방법-

한자로 표기되는 것이 오히려 이해하기 쉽고, 반복적으로 사용되는 용어는 상황에 따라 한자, 한글, 그리고 한글(한자)를 병기하였다.

-易, 역, 역(易)	-天, 천, 천(天)
-陽, 양, 양(陽)	-地, 지, 지(地)
-陰, 음, 음(陰)	-人, 인, 인(人)
-理, 리, 리(理)	-乾, 건, 건(乾)
-氣, 기, 기(氣)	-坤, 곤, 곤(坤)
-象, 상, 상(象)	-神, 신, 신(神)
-數, 수, 수(數)	-中和, 중화, 중화(中和)
-物, 물, 물(物)	-易理, 역리. 역리(易理)
-形, 형, 형(形)	-物理, 물리, 물리(物理)
-道, 도, 도(道)	-器物, 기물, 기물(器物)
-中, 중, 중(中)	-人中, 인중, 인중(人中)
-場, 장, 장(場)	-空, 공, 공(空)
-器, 기, 기(器)	-時, 시, 시(時)
-有, 유, 유(有)	-卦象, 괘상, 괘상(卦象)
-無, 무, 무(無)	-物象, 물상, 물상(物象)

-괘효(卦爻)의 명칭-

　삼천양지(參天兩地, 양3음2)의 원리로써 양효는 3이 되고, 乾☰이 9가 되므로 양효를 구(九)라고 표시하고, 음효는 2가 되고, 坤☷이 6이 되므로 음효는 육(六)이라 표시한다. 괘효는 아래로부터 위로 향한다.

양효의 순서	명칭	음효의 순서	명칭
6효 ▬	上九	6효 ▬ ▬	上六
5효 ▬	九五	5효 ▬ ▬	六五
4효 ▬	九四	4효 ▬ ▬	六四
3효 ▬	九三	3효 ▬ ▬	六三
2효 ▬	九二	2효 ▬ ▬	六二
초양 ▬	初九	초음 ▬ ▬	初六

화수미제(火水未濟),　　수화기제(水火旣濟)

▬ 上九	▬ 上六
▬ ▬ 六五	▬ 九五
▬ 九四	▬ ▬ 六四
▬ 九三	▬ ▬ 六三
▬ ▬ 六二	▬ 九二
▬ 初九	▬ 初九

　처음 시작하는 초효를 초(初)라 하고, 맨 위의 6효는 상(上)이라 표시하는 것은 처음과 끝을 표시하기 위함이다.

머리말

세상이 급변하고 있다. 중세를 지나 산업혁명이 일어나면서 부터 기존의 삶의 방식과 가치 철학은 중세와는 완전히 다른 세상이 되었다. 지금은 컴퓨터와 인터넷으로 상징되는 정보혁명이 일어난 지 불과 얼마 되지 않아 AI로 대표되는 또 다른 세상이 눈 앞에 펼쳐지고 있다.

인간이라는 종족을 대치하는 새로운 AI 신인류가 눈앞에 다가서고 있다. 현 인류가 호모 사피엔스(Homo Sapiens)라면 AI가 장착된 인간, 또는 AI 신인류를 우리는 무엇이라 정의해야 할까? 지금 추세로 보면, 호모 사피엔스 현 인류는 인공지능 알고리즘 시스템으로 방대한 데이터가 장착된 호모 데우스 (Homo Deus)로 넘어간다는 유발 하라리(Yuval Noah Harari) 의 이론이 이미 현실화되는 것 같다. 기존의 가치관과 윤리, 철학, 종교 등이 무용해지고 전혀 새로운 가치관으로 무장하지 않으면 적응하기 어려운 세상이 되어가고 있다.

일반적인 상식으로 볼 때 도저히 납득하기 어려운 문명이 세상 도처에서 일어나고 있다. 일부일처가 무너지고 새로운 가족 형태가 곳곳에서 실험되고 있으며, 기존의 종교와 철학은 새로운 세상의 가치를 담기에는 이미 낡은 그릇이 되어버렸다.

양자물리학은 만물의 기저를 탐구함으로써 이미 종교적 영역에 접근하고 있으며, 동양 철학적 용어에 기대지 않고서는 그 이치를 설명하기 어렵다. 종교와 과학의 경계가 모호해지고 있다. 존재의 의미가 정립되지 않으면 살아갈 수 없는 이성적 존재로서의 인간은 과학만으로 살아갈 수 있는 존재가 아니다. 인간은 생로병사라는 시공간적 한계에 갇혀 존재의 의미를 끊임없이 모색하며 존재한다.

지금까지 세상을 지탱하고 있던 선악(善惡)의 정의는 과연 영원한 것인가? 선악은 정이(程頤)의 말처럼 만물에 선재(先在)하며 통어하는 절대적 가치를 지녔는가? 아니면 상호공존을 위한 구성원들 간 상호합의의 산물인가?

본서는 선악이란 절대적 지향점이 아니라 생존하기 위한 필요수단으로서 구성원 간 최적의 생존조건을 위해 상호합의된 결과물이라 말하고 있다. 음과 양은 각각 홀로 존재할 수 없으며, 음양은 서로 대립하면서도 서로를 의존하며 존재한다. 양이 없으면 음도 존재할 수 없다. 양이 아무리 선한 가치를 지니고 있어도 대립인자인 음이 없으면 양 또한 존재할 수가 없다. 양과 음 대신에 선과 악을 대치해도 논리는 똑같다.

선을 장악한 정치나 종교 권력은 때로 상대를 제압하는 도구 수단으로 선의 가치를 활용한다. 상대를 죽이고 제압하는 도구로서 정당화시키는 수단으로 사용되기도 한다. 절대적 가치를 지닌 선악은 정말 존재하는가? 아니면 상호공존을 위한 합의된 시의적절한 '윤리적 장치'에 불과한가? 이는 앞으로 문명과 문화가 새로운 변화를 일으키며 중화적 양태를 만들어갈 때 최적의 생존 조건을 위한 가치를 세우기 위해 수많은 논쟁을 필요로 할 것이다.

닐스 보어(Niels Bohr)는 "독립된 물질적 입자들이란 추상물로서 그들의 속성은 다른 체계들과의 상호작용을 통해서만 정의될 수 있고 관찰될 수 있다."라고 말한다. 송대의 장재(張載)는 "만물이란 서로 의존하는 데에서 그 존재와 본성을 얻는 것이지, 그 자체로서는 아무것도 아니다."라고 말하고 있다.

양자물리학적 관점에서 볼 때 사물 간 상호관계를 맺고 있는 연결망이 끊어져 버리면 개체들은 사라진다. 개별적 존재는 타자와 고리(環환)로 연결되어 삼감상통(相感相通)하면서 존재하는 상호의존관계에 있다. 나의 존재는 우주적 관계망 속에서 서로 연결된 타자의 존재를 전제로 성립한다. 상호공존은 나의 생존을 위한 필수 불가결한 전제조건이다. 홀로 고립되어 존재할 수 있는 이치를 가진 사물이란 없으며, 모든 사물과 사건들은 무한히 복잡한 방식으로 서로 작용을 주고받으며 상호공존한다.

만물만상은 상호 간에 고리로 연결된 관계망 속에서 상호연결성으로 존재한다. 그러므로 만물의 존재 원리는 '독존(獨存)'이 아니라 서로 연결되어 상호의존하며 공존하는 '환존(環存)'이라 할 수 있다. 표면상 상반된 성질을 가진 사물은 서로 부딪히면서도 교감하며 새로운 형태의 변화, 즉 중화를 이뤄가는데 협력함으로써 내부적으로 상호의존관계를 맺고 있는 것이다.

카를로 로벨리(Carlo Rovelli)는 그의 저서 『모든 순간의 물리학』에서 루프양자중력이론을 통해 '환(環)'의 의미를 다음처럼 설명하고 있다.

> '루프양자중력이론(Loop Quantum Gravity)'은 수학적 형식으로 이러한 공간원자와 원자들 간의 진화를 정의하는 방정식을 설명합니다. '루프(loop)', 즉 '고리(環)'라고 부르는 이유는 모든 원자가 고립되어있는 것이 아니라 다른 비슷한 것들과 고리로 연결되어 공간의 흐름을 이어주는 관계 네트워크를 형성하기 때문입니다.

서로를 연결하는 원리인 환(環)은 우주에 존재하는 모든 사물들이 그물 같은 관계망으로 연결되어 사물 간의 상호작용, 상호의존, 상호관계를 구성하는 공존시스템이라 할 수 있다. 사물 개체는 독존(獨存)이 아니라 관계망 속에서 상호연결됨으로써 타자를 필수적인 구성요소로 인정하고 서로 의존하며, 끊임없는 상호작용을 통하여 자신의 존재를 보장받는다. 상대와의 공존을 통해 자신의 존재가 확인되는 것이다.

본서는 서로서로 고리(環)를 이루어 연결됨으로써 유기적 일체로서 전일성으로 존재하는 상호관계성의 원리를 '환존(環存)'이라 정의한다. 만물만상(萬物萬象)은 상호관계성으로 연결된 동일체이며, 타자가 없으면 나도 존재할 수 없는 유기적 물리체이다.

이 생태학적 유기체의 생존원리인 환존(環存)이 새로운 세상을 만들어가는 새로운 가치, 독존(獨存)을 대신하는 새로운 개념으로 사용되기를 소망한다. 상호관계성을 의미하는 환존은 만물이 공존하는 존재 원리로서 생멸지문(生滅之問)이며, 천지인이 공동참여하여 돕는 '자발적 우주 네트워크시스템(參贊天地之化育)'이라 할 수 있다.

켄 윌버(Ken Wilber)는 "양극(兩極)이 실은 하나(一)였다는 사실을 알게 될 때, 불화는 조화로 녹아들고, 투쟁은 춤이 되며, 오랜 숙적은 연인이 된다. 그렇게 되면 우리는 우주의 절반이 아니라 우주의 모든 것과 친구가 된 자리에 있게 된다."라고 대립과 화해의 논리를 인문학적 관점으로 표현하고 있다.

『장자』가 "천지는 나와 함께 나란히 태어났고 만물도 나와 하나가 된다."라고 했듯이, 우주 삼라만상이 하나(一)에서 비롯된 형제라는 사실을 아는 것, 너와 나는 상호작용을 통해 서로 그물망처럼 연결된 관계망 속에 존재하는 동일체이면서 외양은 서로 다른 양면의 모습일 뿐이라는 사실을 자각하는 것, 그것이 곧 평화와 공존의 첫걸음이라 할 수 있다.

카를로 로벨리가 "무지에 만족하고 이해하지 못하는 것을 무한이라 부르면서 앎을 다른 곳에 위임해버리는 사람처럼 무지한 사람은 없다."라고 했듯이, 우리는 이성적 존재로서 변화에 적응하며 끊임없이 질문을 던지면서 존재를 탐구해야 한다.

양자물리학이 창조의 근원을 들여다 보고 AI가 신인류로 등장하는 작금의 시대에, 만물의 화생과 순환원리를 품은 『주역』이 수학이 없었던 시대의 서법(筮法)의 수와 고문 해석에 집착한다면 "역은 천지와 똑같다(易與天地準)."라고 선언한 공자가 가슴을 칠 일이다.

천지인의 이치를 품은 『주역』이 막연히 추상적이고 형이상적인 담론에 머물것이 아니라, 과학과 수학의 지식을 접목하여 AI가 침범하기 어려운 정신적인 영역과 동시에 현실 문제를 다룰 수 있어야 할 것이다.

본서가 나오기까지 논문 지도와 담론을 통해 방향을 제시해 준 동방문화대학원대학교 철산 최정준 교수님에게 감사드리며, 어려운 가운데 묵묵히 옆을 지켜준 아내 정미남님에게 진심으로 고마움을 전하고 싶다.

본서가 철학의 영역인 『주역』과 과학의 영역인 양자물리의 접점이 되어 새로운 시대의 새로운 가치를 창출하는 마중물이 되기를 소망한다.

이산 박규선
2024년 6월

핵심 개요

본서는 "역(易)은 천지자연과 똑 같다(易與天地準)."라는 『주역』의 명제를 전제로 사물을 본떠 만든 괘(卦)로써 물상을 이해하고, 기(氣)로 통칭되는 음양의 대립과 대대라는 상호작용에 관하여 탐구하였다. 그리고 괘(卦)와 물(物)과 수(數)의 상관관계를 기(氣)와 장(場, Quantum Field)이라는 현대물리학적 관점에서 살펴보고, 역학의 중화론적 관점에서 현대적 상호공존의 논리를 모색하고자 하였다.

음양의 대립(對立)과 대대(對待)를 통한 다양한 상호작용이 만들어내는 중화는 괘의 생성원리를 다루는 역학에서 가장 중요한 화두라 할 수 있다. 현대물리학에서도 만물의 근원에는 음양의 대칭성이 존재하며, 상호작용을 통해 만물만상이 생성하고 있음을 밝히고 있다. 현대물리학의 장(Quantum Field)의 개념은 동양철학의 기(energy)에 대한 설명과 유사하다. 기(氣)와 장(場)은 철학과 과학이 소통을 위해 만나는 접점이라 할 수 있다. 양자물리학으로서의 장은 기의 철학적 의미에 기대어 전 우주를 그물망으로 연결한다. 그러므로 물리학적 장을 이해하기 위해서는 철학적 기의 설명이 함께 수반되어야 그 확장성을 더욱 쉽게 이해할 수가 있다. 본 연구는 물상과 이를 표상한 괘상의 상호관계성을 추상적인 서법(筮法)의 수가 아닌 현대

수학의 수리를 통해 그 접점을 모색하고, 인문적 관점에서의 중화를 탐구하였다.

음양의 대소·장단·강약이라는 미묘한 차이에 의해 생성되는 다양한 음양의 편재는 다양한 양태의 상호작용을 일으키며 다양한 중화를 세움으로써 서로 다른 특성(identity)을 가진 만물만상을 형성한다. 본서는 상반된 성질인 음양의 중화생성과정을 통해 괘(卦)와 물(物)의 상관관계를 살펴보고 다양성 간의 상호공존 논리를 모색하였다.

입자는 자갈처럼 구분되어 뭉쳐있는 것이 아니라 입자이면서 동시에 파장으로 상호연결되어 하나(一)로써 존재하는 유기적 일체의 생명을 의미한다. 음효와 양효도 각각 홀로는 존재할 수 없으며 어떤 의미도 부여될 수 없지만, 상호작용을 통해 세 개의 효가 일체가 되어 하나의 괘를 세울 때 비로소 사물의 극성을 나타낸다. 이는 천지가 하나된 인(人), 음양이 하나된 중(中)을 이룰 때 비로소 우주는 일체 생명(一)이라는 인문·철학적 의미를 갖게 된다는 것을 의미한다. 이것은 우주를 "분리된 부분들의 집합체라기보다 통합된 전체로 보는 전일적 세계관(holistic worldview), 또는 생태학적 세계관(ecological worldview)"이라고 정의할 수 있다. 양중음(陽中陰)으로 구성된 원자가 상호작용함으로써 분자라는 변화를 만들어내듯이, 천인지(天人地) 삼효로 이루어진 소성괘는 상하로 중첩되어 상호작용을 함으로써 만물의 변화를 표상해 낸다.

음양은 서로 대립하면서도 상호의존하며 새로운 변화를 낳는 주체이다. 즉 음양은 대립인자로서 서로를 의존하면서도 상충하며 균형과 조화라는 합일 과정을 겪으며 중화라는 제3의 변화를 창출한다. 그러므로 대립하는 상대가 없으면 나도 존재할 수가 없고, 그러므로 나의 존재는 곧 대립자의 존재를 필수적 전제조건으로 성립된다. 개체의 생존은 상대방의 생존을 전제로 하는 것이며, 무리의 생존은 대립하는 또 다른 무리의 생존을 전제로 성립되는 것이니, 그러므로 대립과 대대, 상충과 조화는 물리적으로도 인문적으로도 상호공존을 위한 우주의 근원적인 존재 원리라 할 수 있다.

『중용』1장에서는 "중화에 이르면 천지가 제자리를 잡고 만물이 (그 안에서) 길러진다(致中和 天地位焉 萬物育焉)."라고 하여 치중화(致中和)를 우주 만물의 최고 덕목으로 삼았으며, 『주역』「계사전상」7장에서는 "천지가 자리를 잡으면 역이 그 중화를 실행한다(天地設立 而易行乎其中矣)."라고 하여 음양이기(陰陽二氣)의 대립과 상호작용은 궁극적으로 중화를 지향하고 있음을 밝히고 있다. 팔괘가 형성되는 과정도 결국은 하늘(天)과 땅(地)과 만물(人)이 형성되는 과정을 표상한 것으로서, 역이란 팔괘를 상·하로 중첩하여 천지인 만물의 상호작용을 드러낸 것에 불과한 것이다. 그러므로 상수학이든 의리학이든, 또는 현대물리학이든 근본적으로 음양이기의 상호작용성이 낳는 중화를 벗어나지 않는다고 할 수 있다.

제 I 장
서론

1. 연구 목적
2. 목차별 개요

I. 서론

1. 연구 목적

본서는 음양의 대립과 상호작용을 통한 중화를 연구 목적으로 삼고, 괘상(卦象)과 물상(物象) 그리고 이를 뒷받침하는 수리적 논리성의 상관관계를 탐구하였다. 동양 철학적 기(氣)와 현대물리학적 장(場, Quantum Field)의 상관성, 괘효의 대립과 상호작용, 괘(卦)와 물(物), 괘(卦)와 수(數)의 상관관계를 통해 '역(易)'과 '양자물리학'의 상통하는 접점을 모색하였으며, 음양의 대립과 화해를 통한 중화생성론적 관점에서 다양성 간의 상호공존 논리를 모색하였다.

만물을 구성하는 기본적 요소인 음양은 서로 다투면서도 서로를 멸하지 않고, 대립자를 필수적 상대자로 인정하고 상호의 존하면서 대립과 화해라는 일련의 과정을 통해 새로운 변화를 창출한다. 이러한 한번 음하면 한번 양하는 일음일양지위도(一陰一陽之謂道)의 관점에서 음양, 괘상, 물상, 그리고 수의 대립과 상호작용으로 중화(中和)가 생성되는 과정을 살펴보고, 다양한 중화가 만들어내는 물리적 다양성과 인문적 다양성을 통

해 우주적 조화인 대화(大和)에 이르는 과정의 논리를 탐구하
였다.

시공간에 갇혀 생사의 한계를 넘지 못하는 인간이 광대무변
한 우주의 삼라만상을 이해하기 위해서는 복잡다단함을 간략하
게 범주화하는 것이 필요하다. 사물에 대한 범주화와 정의가 이
루어지면, 사물을 대하는 관점의 논리적 정형화가 가능해진다.
즉, 사물에 대한 시각은 사물을 대하는 인간의 태도를 규정함으
로써 인간의 존재 이유와 목적, 만물에 대한 관점 등 존재에 대
한 인문학적 논리를 형성하게 한다.

> 역은 (천하 만물을) 간략하게 범주화함으로써 천하의 이치
> 를 얻는다. 천하의 이치를 얻어 중화를 세운다.[1]

『주역』은 인간의 지각을 넘어서는 무한무량한 우주의 만물만
상을 단순하게 8개의 괘상으로 범주화함으로써 간략하게 개념
화시킨 부호를 통해서 복잡다단한 우주 만물의 이치를 통찰하
는 인문과학 철학서이다.

광대무변한 우주를 이해하는 기본방식은 복잡한 구성을 간단
하게 범주화시키는 데 있다. 복희팔괘도는 우주 만물을 여덟 개
의 물성(物性)으로 나누고 이를 부호화시켜 논리를 부여함으로
써 만물을 한눈에 이해할 수 있도록 하고 있다. 즉, '하늘(1天

---

1) 『周易』, 「繫辭傳上」 第1章, "易簡而天下之理得矣, 天下之理得而
   成位乎其中矣."

≡), 못(2澤≡≡), 불(3火≡≡), 우레(4震≡≡), 바람(5風≡≡), 물(6水≡≡), 산(7山≡≡), 땅(8地≡≡)' 등으로 만물의 극성을 범주화하고, 1에서 8 까지 생성 순서대로 수를 부여하여 물성 간의 작용과 수리적 이치 를 드러낼 수 있도록 하였다. 괘는 음(--)과 양(—)이라는 두 개의 기호를 사용하여 세 번을 거듭함으로써 삼획을 이루는데, 전통적으 로 괘의 생성과정은 가일배법(加一倍法)이라는 이진법 논리를 갖 춘 「복희팔괘차서도」의 생성원리를 활용하여 설명하고 있다. 본 논 문은 서법(筮法)으로서 기우(奇偶)의 수가 아닌 수리적 논리성을 갖춘 가일배법, 즉 라이프니츠의 이진법 수리로써 음양의 대립과 상호작용을 통한 중화의 과정을 논고한다.

우주의 시원과 만물의 궁극적 존재에 대한 인문철학적 질문 은 현대물리학인 양자역학에서도 여전히 동시 진행 중이다. 만 물을 범주화한 팔괘가 천인지 삼효(天人地 三爻)로 구성되듯 이, 양자역학에서도 분자 물질을 구성하는 원자(atom)는 양의 성질인 양성자와 음의 성질이 전자, 그리고 양성자와 함께 핵을 이루는 중성자로 이루어진다. 이것을 상으로 치환하면 천인지 삼재(天人地 三才)로 구성된 괘상으로 표상된다. 그리고 원자 와 원자가 상호작용함으로써 형성하는 물질은 천인지 3효가 상 하로 중첩되어 6효로써 상호작용하는 64괘로 표상할 수 있다. 미시영역의 '양성자(陽), 중성자(中), 전자(陰)'로 구성된 원자 들의 상호작용은 거시영역에서 각각의 사물로 개체화되어 물상 으로 드러난다. 즉, 물질의 생성을 위한 원자 상호 간의 작용은 사물을 그대로 본떠 표상한 괘상의 상호 간의 작용에도 그대로 드러나는 것이다.

　현대물리학적 관점에서 극미의 세계를 들여다보면 기본적으로 양의 성질을 띤 양성자(+)와 중성자(0)가 원자핵을 이루고 있고 그 주위를 음의 성질인 전자(-)가 불규칙하게 돌고 있는 형태를 띠고 있으며, 입자이면서 동시에 파동이라는 불확정성 원리가 바탕을 이루고 있음을 밝히고 있다. 기본체론자(氣本體論者)인 송대(宋代)의 장재(張載)는 "기는 대립된 양체(음양)가 하나로 통일되어있는 일물(一物)로서, 하나로 통일되어있기에 신묘한 것이며, 대립된 양체를 지니고 있으므로 변화하게 된다."[2]라는 말로써 만물을 낳는 음양의 신묘한 이치를 설명하고 있다. 그리고 "천지의 기는 비록 흩어지고 모이고 공격하고 빼앗음이 백 가지 길이나 (무수히 많은 양상을 가지고 있으나), 그 이치는 순하여 어긋나지 않는다."[3]라고 함으로써, 하나(一)에서 비롯되어 다양한 형질을 갖추게 되지만, 그 이치는 결국 하나에서 시작된 음양이기를 벗어나지 않는다고 하였다. 음양의 상호작용이 만들어내는 각각의 중화는 물리적으로 무수한 양태를 만들어내고, 인문적으로는 다양한 가치-윤리적 장치-를 지니지만, 근본적으로 동체이면의 대립적 양체인 음양을 벗어

---

2) 張載, 『正蒙』, 「參兩」, "一物兩體氣化, 一故神兩故化."
3) 張載, 『正蒙』, 「太和」, "天地之氣, 雖聚散攻取百塗, 然其爲理也, 順而不妄."

나지 않는다는 것이다. 중화가 함유하는 다양한 윤리적 장치란, 철학, 종교, 도덕, 선악, 윤리, 법률, 관습 …… 등 상호작용을 통하여 생성해내는 공동체의 생존을 위한 사회적 합의를 의미하며, 더 크게는 도(道), 리(理), 중(中) 등 인문철학적 가치를 의미한다.

역은 물상을 그대로 본떠 만든 것이니, 물상과 괘상은 근원적으로 이치를 함께 공유한다고 할 수 있다. 그러므로 만물의 상호작용과 변화를 알고 싶다면, 괘상의 상호작용과 변화를 통해 그 의미와 길흉을 분석할 수가 있다. 하늘을 표상한 乾(陽)과 땅을 표상한 坤(陰)이 상호작용하면서 64괘의 변화를 통해 만물의 변화를 그려내는 것이므로, 공자(孔子)는 이것을 "건(乾)·곤(坤)은 역의 문이니, 건은 양물(陽物)이고 곤은 음물(陰物)이다. 음양이 합하여 덕이 되고, 강유(剛柔)가 형체를 이룬다. 역으로써 천지의 법칙을 체득하여 신명한 덕에 통달하니,"[4]라고 정의하고 있다. 또한 "하늘☰과 땅☷이 자리를 정함에 산☶과 못☱이 기운을 통하며, 우레☳와 바람☴이 서로 부딪히니, 물☵과 불☲이 서로 해치지 아니하며 팔괘가 서로 섞인다."[5]라고 하여, 물상을 본뜬 괘상의 변화를 통하여 음양의 상호작용에 의한 변화의 이치를 해석하고 있다.

본서에서 다루고자 하는 중화론은 괘상과 물상, 그리고 이들

---

4) 『周易』, 「繫辭傳下」 第6章, "子曰, 乾坤其易之門邪, 乾陽物也, 坤陰物也, 陰陽合德, 而剛柔有體, 以體天地之撰, 以通神明之德."
5) 『周易』, 「說卦傳」 第3章, "天地定位, 山澤通氣, 雷風相薄, 水火不相射, 八卦相錯."

의 바탕을 이루고 있는 수에 대한 수리적 논리성이다. 그리고 이러한 괘(卦)와 물(物)과 수(數)의 상관성을 통해 대립과 통일이라는 음양이기의 상호작용이 중화에 이르는 과정에서 생성되는 물리적 다양성과 인문적 다양성을 탐구하고자 하였다.

『중용』은 "중화에 이르면 천지가 제자리를 잡고 만물이 (그 안에서) 길러진다."[6]라고 하여, 치중화(致中和)를 우주 만물의 최고 덕목으로 삼았으며, 『주역』도 "천지가 자리를 잡으면 역이 그 중화를 실행한다."[7]라고 하여, 음양이기의 대립과 상호작용은 궁극적으로 중화를 지향하고 있음을 밝히고 있다. 팔괘가 형성되는 과정도 결국은 하늘(天)과 땅(地)과 만물(人)이 형성되는 과정을 표상한 것으로서, 『주역』이란 팔괘를 상·하괘로 중첩하여 천지인 만물의 상호작용을 드러낸 것에 불과한 것이다. 결국 상수학이든 의리학이든, 또는 현대물리학이든 근본적으로 음양이기의 상호작용성이 낳는 중화를 벗어나지 않는다고 할 수 있다.

"홀로 고립되어 존재하는 이치를 가진 사물은 없다."[8]라는 장재(張載)의 말처럼, 양자 물리학적 관점에서 보면 '우주에는 음이든 양이든 홀로 존재할 수 있는 이치란 없다'는 것을 알 수 있다. 개체의 존재는 필수적으로 상대적 존재를 전제로 한다. 이는 만물이란 완전한 상호 그물망 속에서 서로 유기적으로 연결되

---

6) 『中庸』第1章, "致中和, 天地位焉, 萬物育焉."

7) 『周易』, 「繫辭傳上」第7章, "天地設立, 而易行乎其中矣."

8) 張載, 『正蒙』「動物」, "物無孤立之理."

어 상호의존하며 전일성으로 존재하고 있음을 의미한다. 그러므로 대립과 화해, 모순과 조화는 물리적으로도 인문적으로도 상호 공존을 위한 우주의 근원적인 존재 원리라 할 수 있다. 본 논고는 상반된 대립인자인 음과 양이 서로 대립하고 화해하는 일련의 상호작용을 통해 중화를 이루어 가는 과정에서 발생하는 물리적이고 인문적인 상호공존의 논리를 탐구하였다.

필자는 "역은 천지와 똑같다.[9]"라는 명제 아래, "역은 만물과 세상의 모든 법칙을 포괄하고 있으며[10]", "천지의 조화를 개괄하되 지나치지 않고[11]", "그 지혜는 만물에 두루 미치고 그 도가 천하를 구제한다."[12]라는 『주역』의 지혜를 주춧돌 삼아 괘(卦)와 물(物), 그리고 이들의 논리적 바탕이 되는 수(數)와의 상관성을 통해 음양의 상호작용이 중화를 이뤄가는 과정을 논고함으로써 인간을 비롯한 만물이 서로 의존하며 상호공존하는 논리를 도출하고자 하였다.

---

9) 『周易』, 「繫辭傳上」 第4章, "易與天地準."
10) 『周易』, 「繫辭傳上」 第4章, "彌綸天地之道."
11) 『周易』, 「繫辭傳上」 第4章, "範圍天地之化而不過."
12) 『周易』, 「繫辭傳上」 第4章, "知周乎萬物而道濟天下."

2. 목차별 개요

Ⅰ. '서론'에서는 본 연구의 배경과 목적을 다루었다. 본서의 목적은 괘(卦)와 물(物)과 수(數)를 체계적으로 분석하여 그 안에 본질적으로 음양의 중화적 성격이 내재하고 있음을 밝히는 데 있다. 괘와 물과 수의 상관관계를 역학적 차원의 기(음양)와 물리학적 차원의 장(Quantum Field)의 개념을 통합하여 논리를 전개하였다. 그리고 이를 토대로 자연과 인간이 상호의존적 관계에 있음을 밝히고 상호공존의 논리를 탐구하였다.

Ⅱ. '역(易)과 우주론'에서는 '역의 음양론'과 '역의 우주론'으로 나누어 설명하였다. 본격적인 논리를 전개하기 위한 관련 역학 이론을 살펴보았다.

1. '역의 음양론'에서는 상반된 대립인자인 음양의 대립과 상호작용을 통하여 중화를 지향하는 음양이기의 이론적 배경을 설명하였다. 음양의 창조성과 사상적 발전과정, 그리고 대립과 상호작용성, 음양의 시각화를 통한 사물의 괘상화 등 음양의 중화론을 전개하기 위한 이론적 논리를 제시하였다.

2. '역의 우주론'에서는 『역전』의 음양관과 상수역의 비조라 할 수 있는 맹희(孟喜)의 괘기설(卦氣說)과 경방(京房)의 음양이기

설, 그리고 상수학을 배척하고 노장사상을 역에 도입한 왕필(王弼)의 의리역에 관한 음양의 사상적 이론을 논술하였다. 그리고 이기논쟁으로 음양의 우주론이 사상적으로 확장되는 시기인 송대의 수학파인 소옹(邵雍), 그리고 리학파의 정이(程頤), 기학파의 장재(張載)로 대표되는 송명이학(宋明理學)에 대해 다루었다.

Ⅲ. '역리(易理)와 물리(物理)의 중화론적 공통성'에서는 "역은 천지와 똑같다."[13]라는 『역전』을 근거로 괘상과 물상의 공통성을 다루었다. 동양 철학적 개념인 기와 양자 물리학적 개념인 장(Quantum Field)의 유사성에 기초하여 중화의 조화물인 기물(器物)의 물리적 중화와 인문적 중화를 통해 역리와 물리의 중화론적 공통성을 고찰하였다.

Ⅳ. '역학적 상수체계와 중화론'에서는 중화론을 괘(卦)와 물(物), 그리고 수(數)라는 세 영역으로 분류하여 설명하였다.

1. '역리(易理)와 괘효(卦爻)에 내재된 중화론적 성격'에서는 괘상의 대립과 상호작용을 논술하였다. 만물의 시원인 태극, 괘의 기본요소인 음효(--)와 양효(-), 그리고 물상을 표상한 괘효의 대립과 상호작용을 다룬다. 물상이 상반된 성질의 음효와 양효로 구성되어 하나의 괘체를 이루듯이 천지의 모든 것은

---

13) 『周易』, 「繫辭傳上」 第4章, "易與天地準."

대립적 상호관계성으로 연결됨으로써 유기적 총체를 이루어 하나(一)로 존재한다. 상반된 대립인자인 음양이 대립과 상호작용을 통해 만물의 극성인 팔괘를 생하고, 팔괘는 대립과 상호작용을 통해 64괘라는 만물만상의 다양한 작용을 드러내듯이, 우주 삼라만상은 그물망처럼 상호관계성으로 연결되어 상호의존하면서 다양한 양태의 중화를 이루며 존재하고 있음을 설명하였다.

2. '물상의 중화론'에서는 괘(卦)와 물(物)의 공통성을 논술하였다. 사물의 근원인 원자(atom)와 사물을 표상한 괘와의 상관성을 다룬다. 양자물리학의 미시적 관점에서 보면 양성자와 중성자로 구성된 원자핵은 양전하를 띠고, 핵 주위를 불규칙하게 도는 전자는 음전하를 띠고 있으며, 전하를 띠지 않는 중성자는 조절자의 임무를 수행한다. 양성자(+)와 전자(-) 전하량은 서로 같으며, 이것은 한번 음하면 한번 양하는 음양의 평등한 관계를 나타낸다(一陰一陽之謂道). 이는 만상(萬象)의 근원인 원자가 근본적으로 음양의 대칭성으로 이루어져 있음을 나타낸다. 본 논문에서는 양성자는 天(陽), 중성자는 人(中), 전자는 地(陰)로 치환하여 물상을 천인지(天人地)로 구성된 괘상으로 전화함으로써 "역은 천지와 똑같다."[14]라는 『역전』의 논지에 근거, 괘(卦)와 물(物)의 인문적 일치화를 시도하였다.

---

14)『周易』,「繫辭傳上」 第4章, "易與天地準."

3. '역수(易數)의 중화론'에서는 괘(卦)와 수(數)의 공통성을 논술하였다. 본 연구는 물상과 이를 표상한 괘상의 공통관계를 추상적인 서법(筮法)의 수가 아닌 현대 수학의 수리화 작업을 통해 역학과 과학 간의 접점을 모색하고, 인문적 관점에서의 중화를 연구하고자 함에 있다. 괘상의 수리화 작업을 통해 형이상학적이고 추상적인 서법적 관념에서 벗어나 보다 과학적이고 인본주의적인 관점에서 역학과 과학의 접점을 탐구하였다. 복희팔괘도는 가일배법(이진법)이라는 일분위이(一分爲二) 수리적 원리로서 양의 관점에서 생성된 천역(天易)임을 소옹(邵雍)은 밝히고 있다. 『역전』은 한번 음하면 한번 양하는 일음일양(一陰一陽)의 평등성을 일음일양지위도(一陰一陽之謂道)라 정의한다. 이러한 논리는 괘상을 양의 관점과 동시에 음의 관점에서도 바라볼 수 있는 논거를 제공해준다. 그리고 음양의 중화생성론적 관점에서는 양의 관점과 음의 관점이 상호 합일된 중(中)의 관점으로 만물을 바라볼 수 있음을 제시한다. 음양의 중화론에 수리화를 시도함으로써 음양의 평등성에 기초한 역수(易數)는 중화론으로 귀결이 됨을 밝혔으며, 중도의 관점으로 괘상을 이해하고 물상과의 과학적 일치화를 연구하였다.

Ⅴ. '역학 중화론의 현대적 의의'에서는 우주의 모든 사물과 사건들은 '상호관계의 완전한 그물망' 속에서 상호의존하며 존재하기 때문에 상호작용은 서로 간에 영향을 미칠 수밖에 없음

을 논술하였다. "세상에는 홀로 고립되어 존재하는 이치를 가진 사물은 없다."15)라는 장재의 말처럼 대립적인 것은 상호의 존적이며 상호관계성으로 존재한다. 음양의 대립과 상호작용은 중화를 낳고, 중화는 또 다른 중화와 상호작용을 통해 더 큰 중화를 이루며 궁극적 지향점인 대화(大和)를 지향한다.16) 본 장에서는 만물의 기저에 있는 대립인자로서의 음양이 대립과 상호작용을 통해 대화를 지향하면서 드러내는 물리적 다양성과 인문적 다양성을 바탕으로 생존을 위한 상호공존의 논리를 모색하였다.

Ⅵ. '맺음말'에서는 음양의 중화론을 개괄하고, 인류와 문명의 존속을 위한 상호공존 논리를 '대립과 통일성'이라는 사물의 근원적인 음양의 속성을 통해 찾아보고 그 가능성을 타진하였다.

---

15) 張載, 『正蒙』 「動物」, "物無孤立之理."
16) 『周易』, 重天乾 「象傳」, "保合大和, 乃利貞."

제Ⅱ장
음양과 우주론

1. 역의 음양론

　1) 자연에 대한 관념

　2) 음과 양 두 기운의 활동

　3) 음양 개념의 사상적 변천

　4) 음양의 대립과 상호작용

　5) 음양의 수리

2. 역의 우주론

　1) 『역전』의 음양관

　2) 괘의 상수화

　3) 의리역학

　4) 리(理)와 기(氣)와 수(數)의 우주론

Ⅱ. 음양과 우주론

1. 역(易)의 음양론

1) 자연에 대한 관념

지구상의 인류는 거친 자연환경 속에서 대립과 화해, 상충과 적응이라는 중화의 과정을 거쳐 균형과 조화를 이루며 존속해 왔다. 천문지리에 대한 견식이 부족한 고대인에게 있어서 자연 이란 생존을 위해 극복해야 할 대상이었다. 때로는 투쟁하면서 때로는 순응할 수밖에 없는 미지의 세계는 두려움과 경외를 동 시에 함유한 대상이기도 했다. 또한 이동 수단의 불편으로 인하 여 주거지가 제한될 수밖에 없는 지역적 한계성은 무리(群)마 다 자연을 대하는 다양한 방식의 원인이 되었으며, 각자가 처한 서로 다른 지역적 환경은 자신만의 생존방식에 유리한 다양한 문화와 생활방식을 만들어내고 발전시키는 동인이 되었다. 즉, 만물의 변화는 자연관을 변화시키고 자연관은 인간의 철학과 종교 등 생존을 위한 제반 윤리적 시스템을 변화시킨다. 태양이 지구를 도는 것이 아니라 지구가 태양을 돈다는 사실에 대한 자각, 신의 창조가 아니라 환경의 변화에 따라 생존에 최적화되도록 진화되어왔다는 진화론 등의 학설은 인간의 철학적 존재 이유는 물론 종교와 사상, 그리고 과학 등에 이전과는 완전히 다른 혁신적 사고의 계기를 불러왔다.

"인간의 삶과 관련된 문제들에 대한 접근 방식과 해결방안은 두말할 것도 없이 그들이 처한 자연환경과 사회적 환경, 그리고 문화적 전통 및 역사적 상황에 따라 서로 다를 수밖에 없다."[1] 각자가 위치한 역사적 문화적 상황 속에서 자연을 어떻게 바라보고 해석하고 극복해가는가에 따라 각기 생활방식이나 생존을 위한 윤리적 장치들이 형성된다. 여기에서 '윤리적 장치'라 함은 자연환경을 극복해가는 과정에서 자연스럽게 형성된 생존방식에 유리한 중화적 시스템, 즉 구성원들 간의 상호합의 과정을 거쳐 형성된 가치관이나 윤리, 도덕, 종교, 철학, 법, 규칙, 문화, 정치, 경제 등 무리(群)를 규정하는 정체성(identity)을 의미한다.[2]

자연의 일부인 인간은 자연의 변화에 적응하며 살아갈 수밖에 없는 운명이지만, 단순히 변화의 흐름에 순응하며 살아가는 식물이나 동물과는 달리 이성적이고 철학적이며 또한 사회적이다. 인간은 자연에 대한 과학적 지식을 축적함으로써 이를 근거로 논리적이고 철학적인 사고를 통해 자연관을 정립한다. 이렇

---

1) 김학권, 「주역에서의 生生과 太和」, 『유교사상연구』 제20권, 한국 유교학회, 2004, p.387.
2) 박규선·최정준, 「음양의 대립과 통일에 관한 인문학적 고찰」, 『동양문화연구』 제36권, 동양문화연구원, 2022. p.91.

게 정립된 자연관은 자연과 어떤 방식으로 교감하고 상호작용하며 생존해 나갈지에 대한 철학적 관점과 신념을 제공해준다. 각자가 터전을 잡아 생활하고 있는 자연에 대한 개념을 어떻게 정립하고 상호관계를 설정하느냐에 따라 철학적 자연관이 달라지는 것이며, 그럼으로써 자연변화에 대한 대응 방식이나 생존방식, 사회집단 간 상호공존을 위한 철학적 논리 등이 지역마다 다양화되는 것이다.

광대무변한 우주 속, 만물만상 중 하나에 불과한 인간이 어떻게 무한무량한 우주를 인식하고 끊임없이 변화해가는 자연을 범주화하며 개념을 정의할 것인가?

우주와 자연을 이해하고 시의적절하게 변화에 대응하기 위해서는 예측불허의 자연을 단순하게 개념화할 필요성이 요구된다. 『주역』의 팔괘는 인간이 자연과 공존을 모색하는 역사적 과정에서 성인이 자연의 물상을 앙관부찰(仰觀俯察)하여 범주화한 일종의 부호체계라 할 수 있다. 『주역』은 광대무변한 우주 만물을 이해하기 위한 인간의 부단한 노력의 산물이다. 사물의 기저에서 작용하는 상반된 성질의 음양은 음효(--)와 양효(一)로 시각화되고, 대립과 상호작용을 통하여 중화를 이룸으로써 우주 만물을 표상하는 8개의 괘상으로 범주화된다. 즉, 만물만상은 天(☰), 地(☷), 火(☲), 水(☵), 雷(☳), 風☴), 山(☶), 澤(☱) 등 팔괘로 단순 개념화되고, 이를 통해 만물의 작용과 변화를 해석한다. 괘를 상하로 중첩시켜 64괘를 형성하고, 중정

응비(中正應比)의 원리를 따라 상괘와 하괘가 상호작용을 일으
킴으로써 음양이기가 펼쳐내는 괘상은 384개의 효들이 서로
다른 소리를 내며 이합집산하면서도 지휘봉 아래 일사불란하게
움직이는 교향악단처럼 균형과 조화를 이룬다. "역은 천지의
조화를 범위하여 지나치지 않으면서도, 만물을 곡진히 이루어
하나라도 빠트리지 않는 것"[3]이다.

괘의 내부를 보면 384효로 이루어진 64개의 괘상은 자연의
변화와 인사(人事)의 잡란함을 표상하고 있지만, 그 기저에는
근원적으로 음양이기라는 대립자의 상호작용이 자리하고 있음
을 알 수 있다. 우주 삼라만상을 표상하는 64괘는 음양이기가
상호작용을 통해 발현된 모습을 표상한 것이다. 이것은 이기
(二氣)의 상호작용이 중화를 이룸으로써 팔괘를 형성하고, 팔
괘의 상호작용은 64개의 괘상을 통해 중화를 표상해 낸 것으로
이해할 수 있다. 즉, 상반된 성질의 대립자인 음양이기가 상호
작용을 통해 64괘를 만들어가는 과정은 곧 중화를 이루어 가는
과정이라고 할 수 있는 것이다.

사물은 미시영역의 '양성자(陽), 중성자(中), 전자(陰)'로 구
성된 원자들의 상호작용으로 거시영역에서 각각 리(理)·상
(象)·수(數)를 담은 기물(器物)로 개체화되어 드러난다. 마찬
가지로 사물을 본뜬 괘상도 음효(--)와 양효(—)의 상호작용을

---

3) 『周易』, 「繫辭傳上」 第4章, "範圍天地之化而不過, 曲萬物而不
遺."

통해 중화를 이룸으로써 자신의 상을 드러낸다. 이것을 『주역』은 "一陰一陽之謂道"라고 명쾌하게 정의를 내리고 있다. 즉, "우주의 모든 변화는 우주를 구성하는 음양이기의 상반된 성질이 있기 때문이며, 이것이 사물을 변화시키는 내재적 원인이 되는 것이다."[4] 자연의 법칙들은 사물들의 외부에 있는 힘이 아니라, 그 안에 내장된 운동의 조화를 표현하는 것이라 할 수 있다.

현대물리학 이론에 따르면, 우주는 독립된 개체들의 모임이 아니라 개체들이 전일적 관계성으로 연결된 그물망에서 서로 연결됨으로써 상호의존하며 하나로 통합되어 전체를 이루고 있는 동일체라 할 수 있다. 장재(張載)는 이것을 "홀로 고립되어 존재하는 이치를 가진 사물이란 없다."[5]라고 하여 '상호관계성'을 사물의 존재 원리로 규정하고 있다. 즉, 만물은 대립하면서도 상대가 없으면 나도 존재할 수 없는 상호의존성을 기본 원리로 한다. 그러므로 내가 생존하기 위해서는 상대와의 공존은 필수적이라 할 수 있겠다.

본서를 통해 "역은 천지와 똑같다. 그러므로 능히 천지의 도를 다스릴 수 있다."[6]라는 『주역』의 기본명제를 전제로 음양이라는 상반된 양면의 상호작용으로 균형과 조화를 이루어 가는 괘상

---

4) 김대수, 「張載의 有的 세계관에 입각한 氣一元論」, 『철학논총』 제73집, 새한철학회, 2013, p.368.
5) 張載, 『正蒙』 「動物」, "物無孤立之理."
6) 『周易』, 「繫辭傳上」 第4章, "易與天地準, 故能彌綸天地之道."

과 물상의 상관관계를 살펴보고, 사물 기저에 내재한 '대립과 통일'이라는 상호작용의 원리를 토대로 만물이 상호공존하는 인문적 논리를 도출하고자 한다.

2) 음과 양 두 기운의 활동

무극(無極)에서 태극(太極)이 일어나 기의 역동적인 작용을 통해 내재하고 있던 천지인이라는 정보(DNA)를 시공에 펼쳐낸 것을 우리는 우주 삼라만상이라 부른다. 무극은 기의 작용이 없는 적연부동한 태허(太虛)이지만, 천지인(理)이라는 정보를 품고 있으니 공무(空無)가 아닌 묘유(妙有)로서 태극의 본원이라 할 수 있다. 무극은 음양이 미분된 상태로서 상호작용을 멈춘 상태, 즉 음양이 잠든 상태를 말하고, 태극은 상반된 양면성의 음양이 깨어 서로 대립하며 상호작용하는 상태를 의미한다. 태극이란 기 그 자체이며, 이는 곧 음양의 동정(動靜)을 의미한다. 무극은 절대없음(空無)이 아닌 묘한 있음, 즉 진공즉묘유(眞空卽妙有)라 할 수 있다. 바로 여기에 현대물리학이 동양신비주의의 허(虛)에 가까운 유사점이 있다. 동양의 허와 같이 '물리적 진공'은 단순히 아무것도 없는 상태가 아니라 소립자 세계의 모든 형태를 지닐 가능성을 가지고 있는 것으로서 소위 불경에서 말하는 색즉시공 공즉시색(色卽是空 空卽是色)의 의미와 유사하다. 그러므로 진공(眞空)이란 진실로 생성과 소멸의 끝없는 리듬으로 고동치는 '살아있는 허(虛)'라 할 수 있다.[1]

---

1) 프리초프 카프라, 김용정·이성범 공역, 『현대물리학과 동양사상』, 범양사, 2017, p.290.

기의 작용은 홀로가 아닌 대상과 서로 상대하고 있을 때 일어난다. 기는 음양으로 이루어져 있으며, 음양은 서로 대립하는 관계에 있다. 서로 대립하면서 충돌하고 화해하는 일련의 동작을 통해 상호작용하며 내재하고 있는 천지인이라는 형질을 표출해낸다. 대립은 상반된 성질을 가진 양면의 동일체를 규정하는 필수 개념으로서 대립하는 이기(二氣)의 상호작용을 통해 그 존재성을 드러낸다. 양이든 음이든 서로 상대가 없으면 나도 존재할 수 없는 상호관계성으로 연결이 되어있는 것이니, 그러므로 음양이라는 대립자는 필수적 상호의존성을 그 본성으로 갖추고 있다고 할 수 있다. 「계사전」에서는 이러한 음양의 작용을 "한 번 음하면 한 번 양하는 것이 도"[2]라고 대등한 관계로 정의하고 있으며, "강유(剛柔)가 서로 밀고 당기면서 변화를 만들어 낸다."[3]라고 하여 우주 만물의 창조원리는 음양이 진퇴를 거듭하며 상호작용을 통해 변화를 생성하는 과정이라 말하고 있다. 천지 만물의 창조 근원에는 음양이라는 초대칭이 자리하고 있으며, 이 음양의 대립과 상호작용에 의해 천지인이 생화하며 생장수장(生長收藏)의 이치를 순환하고 있는 것이라 할 수 있다.

역은 기본적으로 음양이라는 두 가지 요소로 구성되어 있다. 『주역』 64괘를 구성하는 2가지 요소는 음(--)과 양(—)이라는 두 가지 부호이다. 이 두 가지 형태의 부호가 64괘 384효를 구

---

2) 『周易』, 「繫辭傳上」 第5章, "一陰一陽之謂道."
3) 『周易』, 「繫辭傳上」 第2章, "剛柔相推以生變化."

성한다. 음과 양은 우주 삼라만상을 표상하는 근원적인 지기(至氣)로서, 성질이 상반되는 이 두 가지 부호를 사용하여 만물을 창조하는 동력을 표상한다. 양자물리학이 발견한 물질의 근원인 원자(atom)는 양의 성질인 원자핵과 음의 성질인 전자로 구성되어 있다. 이는 "역은 천지와 똑같다."[4]라는 「계사전」의 정의와 그 맥을 같이 한다. 즉, 음(--)과 양(—)은 만물을 표상하여 괘를 구성하는 기본적인 요소이며, 양의 성질인

<그림 1> 음양

원자핵(陽)과 그 주위를 불규칙하고 불확정적으로 움직이는 음의 성질을 가진 전자(陰)는 물(物)을 구성하는 가장 기본적인 요소가 된다. 「계사전」에 "역은 천지와 같으니, 그러므로 천지의 도를 두루 다스릴 수 있다."[5]고 하였으니, 역은 천지의 법칙에 준거하여 만들어졌음을 설명하고 있다. 즉, 물상과 천지 만물의 형상은 서로 일치하는 것이다. 그러므로 주역은 인간의 시각과 지적 능력으로 감당하기 어려운 광대무변한 천지 만물을 이해하기 위하여 그 작용원리를 팔괘로 단순하게 범주화하여 도식화한 부호라 할 수 있다. 이처럼 음양은 물리적 현상은 물론 우리가 존재하는 우주 삼라만상과 인사만사를 이해하는 철학의 기본적인 개념이라 할 수 있

---

4) 『周易』, 「繫辭傳上」 第4章, "易與天地準."
5) 『周易』, 「繫辭傳上」 第4章, "易與天地準, 故能彌綸天地之道."

다.

　음양은 동양철학과 현대물리학에서 가장 기본이 되는 개념이지만, 시대의 흐름에 따라 형이하학적인 물리적 개념에서 형이상학적인 철학적 개념으로 그 의미가 점차 진보해 왔다. 본 논고는 음양의 사상적 변천 과정을 전문적으로 다루고자 함이 아니라 현대에 이르기까지 누적된 『주역』과 과학의 이론적인 성과를 토대로 음양의 대립(對立)과 대대(對待), 그리고 상호작용, 그 작용이 일으키는 중화의 생성에 관하여 역학적 관점에서의 기와 양자 물리학적 관점에서의 장(Ouantum Field)의 상관성을 분석하여 부분적인 중화를 거쳐 우주적 대화(大和)6)에 이르는 과정을 통해 상호공존의 논리를 탐색한다.

---

6)『周易』, 重天乾「象傳」, "保合大和, 乃利貞."

3) 음양 개념의 사상적 변천

지금은 누구나 『주역』에서 음양을 기본적 요소로 설명하고 있지만, 처음부터 음양의 개념이 『주역』의 괘상과 괘·효사의 해석에 도입되었던 것은 아니다. 『역경』에는 그 어디에도 음양이란 용어가 없다. "『역경』에서 음양이란 개념은 거의 철학적 의미를 지니지 못했다. 아예 양(陽)이란 글자조차 등장하지 않으며, 중부(中孚䷼)괘 구이효사(九二爻辭)에 음(陰)이란 글자가 그늘이란 뜻으로 쓰인 용례가 보일 뿐이다. 따라서 『역경』에는 철학적 개념으로서의 음양이란 존재하지 않는다."[1]

『역경』에서 쓰인 강유(剛柔)의 구상적 의미는 후세에 나온 『역전』에서 음양(陰陽)이라는 보다 넓은 의미의 추상적 개념으로 대체되어 만물의 생성과 변화를 설명하게 된다. 그러므로 음양이라는 철학적 개념은 비록 언급되고 있지는 않지만, 그 의미는 이미 『역경』 안에 내재하고 있는 것이며, 후세의 학자들에 의해 그 뜻이 발굴된 것으로 이해할 수 있다.

초기 원시 음양의 관념은 햇빛의 유무, 즉 양지와 음지, 기후의 한난 등, 자연계의 현상을 지칭하는 단순한 개념이었다. 춘추시대에 이르러 음양의 개념으로 지진 현상을 기록한 『국어』에서 기초적인 철학적 사고가 나타나기 시작하고, 『춘추좌전』에서는 음

---

1) 신철순, 「周易의 음양사상 연구」, 원광대학교대학원 박사학위논문, 2012, p.60.

양을 육기(六氣) 중의 두 기운으로 파악하게 된다. 이로써 음(陰)·양(陽)은 풍(風)·우(雨)·회(晦)·명(明) 등 다른 기운에 비해 강한 추상성으로 좀 더 넓은 의미를 포괄하게 됨으로써 점차 자연을 설명하는 대표적 개념으로 자리하는 계기가 된다.

> 하늘에는 육기(六氣)가 있어 내려와서 오미(五味)가 되고, 퍼져서 오색(五色)이 되고 드러나서 오성(五聲)이 된다. 이것이 질서를 잃으면 육질(六疾)이 된다. 六氣는 陰·陽·風·雨·晦·明인데 이것이 나뉘어 사시(四時)가 되고 질서를 갖추면 오절(五節)이 된다. 지나치면 재앙이 된다.[2]

음양은 단순히 햇빛의 유무를 판단하는 의미에서 육기 중의 요소로 편입되고, 다른 요소에 비해 폭넓은 의미의 확장성으로 인하여 점차 자연의 생성과 변화를 설명하는 대표적인 개념으로 진보한다. 서주 말 유왕의 시기, 백양보(伯陽甫)는 지진이 발생했을 때 단순히 자연의 기후를 설명하는 개념을 넘어 대립하는 기로서의 음양의 이치로 지진의 원인에 대한 해석을 시도하고 있다.

> 유왕 2년, 서주의 세 천(川)에서 지진이 났다. 백양보가 말했다. 주(周)는 망할 것이다. 무릇 천지의 기운은 그 질서를 잃지 않는 법이니, 만약 그 질서를 잃는다면 그로 인

---

[2] 『春秋左傳』傳文, 「召公 元年」, "天有六氣, 降生五味, 發爲五色, 徵爲五聲. 淫生六疾. 六氣曰陰陽風雨晦明也, 分爲四時, 序爲五節. 過卽爲菑."

해 백성은 혼란에 빠질 것이다. 양이 잠복하여 밖으로 나오
지 못하고, 음기가 압박하여 양기가 위로 올라가지 못하게
되면 이에 지진이 일어난다. 지금 세 강에서 지진이 발생한
것은 양기가 당연히 있어야 할 자리를 잃고 음기에 막혀서
위로 오르지 못하기 때문이다. 양기가 자리를 잃고 음기의
아래에 있게 되면 근원이 막히게 되니, 근원이 막히면 나라는
망하게 되는 것이다.3)

위 내용을 보면, 지진은 대지 내부에서 음양이라는 두 가지의 대립
된 기운의 상호 불협조로 인하여 발생한 것으로 이해하고 있음을 알
수 있다. 여기에서 "음양은 차갑고 따뜻한 두 기를 지칭하는 것으로
차가운 기는 음기가 되고 따뜻한 기는 양기가 되는데, 음기가 양기를
압박하기 때문에 지진이 있게 된 것으로 여겼다."4) 따뜻한 기운인 야
기는 위로 향하고 차가운 기운인 음기는 아래로 향하는 자연스러운
자연현상을 음양의 범주로 판단하는 철학적 사고로의 전환이 점차 일
어남을 알 수 있다.

"유가의 대표적인 인물인 공자에서부터 맹자에 이르기까지 모두가
음양설을 강론하지 않았다. 『논어』에는 음양의 용어가 없다. 그리고
전국시대 중기의 대표적인 유가 인물이 맹자인데 『맹자』에도 음양의
용어가 없다. 유가의 전적인 『중용』은 공자의 손자인 자사(子思)의

---

3) 『國語』 卷一 「周語上」, "幽王二年, 西周三川皆震. 伯陽甫曰. 周
將亡矣. 夫天地之氣不失其序, 若過其序民亂之也. 陽伏而不能出,
陰迫而不能蒸, 於是有地震. 今三川實震, 是陽失其所而塡陰也. 陽
失而在陰, 原必塞 原塞國必亡."
4) 朱伯崑, 김학권 외4 공역, 『역학철학사1』, 소명출판, 2012, p.101.

작품이라고 하는데, 그 가운데에도 음양설은 없다. 이것은 전국 중기 이전에 노나라 유학자들은 결코 음양을 하나의 범주로 삼아 사물의 성질과 변화를 해석하지 않았음을 의미한다."5)

강유(剛柔)와 음양(陰陽)은 『역경』에 없다. 『역경』을 해석하는 「단전」, 「소상전」, 「계사전」, 「문언전」, 「설괘전」, 「잡괘전」 등에서 강유의 개념이 괘효의 분석 도구로 사용되었을 뿐이며, 「계사전」을 기준으로 이전에는 강유가, 이후에는 음양이 더 많이 사용되었다.6) 이것은 강유와 음양은 『역경』을 해석하기 위한 도구로서 추후에 도입된 개념이라는 것을 알 수 있으며, 강유에서 음양으로의 전환은 『역경』의 해석에 있어 형이하학적 관념에서 형이상학적 관념으로의 철학적 개념이 전환되고 있는 과도기에 있었음을 가리킨다.

---

5) 朱伯崑, 김학권 외4 공역, 『역학철학사1』, 소명출판, 2012, p.104.
6) 최영진, 「주역사상의 철학적 연구」, 성균관대학교대학원 박사학위 논문, 1989, p.28, "「繫辭」를 중심으로 하여, 剛柔는 「繫辭」이전의 문헌에 약78%, 陰陽은 약 17%를, 「繫辭」이후는 剛柔가 22%, 음양이 85%를 차지한다. 이러한 빈도수에서 剛柔·陰陽이 혼용되면서 剛柔로부터 陰陽으로 전개되었다는 사실을 알 수 있다. (……) 구체적인 각 괘사와 효사를 설명하는 「象」과 「小象」에 剛柔가 집중되고, 『周易』 일반의 이론체계와 역학 사상을 기술하는 「繫辭」에 음양이 집중된 것(50%)도 이 같은 이유와 무관하지 않다."
   신철순, 「周易의 음양사상 연구」, 원광대학교대학원 박사학위 논문, 2012, p.70. "剛柔라는 말은 「象傳」에 93회, 「小象」에 14회, 「繫辭」에 15회, 「文言」에 5회, 「說卦」에 5회, 「雜卦」에 6회가 보이지만 「大象」에는 단 한 번도 보이질 않는다."

공자, 맹자, 자사는 음양을 다루지 않았지만, 『순자』에 이르러 음양의 개념이 거론되기 시작한다.[7] "음양 개념에서의 질료적 성격이 탈각되면서 질적인 변화가 일어나는 계기는 전국 말기의 『역전』, 특히 「계사전」의 성립이다. (--)와 (—)으로 표상된 이원적 개념을 대표하는 용어로 음양이 채택되면서 범주적 의미로 변용된다."[8] 전국시대 『노자』, 제자학에서 다루는 음양의 개념과 (--, —)으로 부호화된 「계사전」의 음양이 상승작용을 일으키며 『역경』 해석의 도구로서 음양이 일반화되기 시작한다. 음양의 개념이 만물의 생성과 순환과정에 사용된다는 것은 자연을 해석하는 데 음양이 추상적 개념으로의 확장성이 강하다는 것을 의미하며, 이는 『주역』철학과 현대물리학에 이르는 과정에서 코페르니쿠스적인 사상적 전개와 의미의 확장을 가져오게 된다. 즉, 강유와 음양 사이에는 구상과 추상, 고정과 순환의 차이가 있는데, '강유로부터 음양으로의 전개'는 『주역』의 해석이 보다 추상적이고 이론적인 방향으로 전개되어감을 의미하는 것이다.[9]

---

7) 『荀子』, 「禮論」, "天地合而萬物生, 陰陽接而變化起, 性僞合而天下治." 하늘과 땅이 합쳐져서 만물이 생하고, 음양이 교접하여 변화가 일어나며, 性과 人僞가 합쳐져서 천하가 다스려진다.
8) 최영진, 「주역사상의 철학적 연구」, 성균관대학교대학원 박사학위 논문, 1989, p27.
9) 최영진, 「주역사상의 철학적 연구」, 성균관대학교대학원 박사학위 논문, 1989, p28.

괘효의 해석에 있어 강유는 괘효 간의 상호관계와 작용을 중정응비(中正應比)의 논리로 다룬다. 강유는 형이하학적인 개념으로서 질적인 성질을 설명한다. 그러므로 상하괘의 관계에서 서로 마주 보는 초효(初爻)와 사효(四爻), 이효(二爻)와 오효(五爻), 삼효(三爻)와 상효(上爻) 간에 강유가 서로 응하거나 불응하는 관계를 통해 효의 길흉·득실을 분석한다. 즉, 강강(剛剛), 유유(柔柔)의 관계는 불응으로 흉이고, 강유(剛柔) 관계는 서로 응하는 관계로서 길로 판단한다. 「계사전」에서는 질적인 강유의 개념을 형이상학적인 기의 작용, 즉 음양의 대립과 상호작용을 통해 『역경』을 해석하고 있다. 즉, '강유에서 음양으로의 전개 과정'은 음양을 통해서 『역경』의 해석을 보다 고차원적이고 추상적인 철학적 개념으로 우주 만물의 생성과 순환, 생장·성쇠의 이치를 설명하고 있다는 것을 의미한다.

강유는 괘효 간의 상호관계를 설명하지만, 음양은 괘효의 상호관계를 해석하는 강유의 역할을 수행하면서 동시에 괘상이 표상하는 물상의 개념까지도 포괄하는 광의의 역학 사상을 구성한다. 이는 「설괘전」에서 음양을 천도(天道)에, 강유를 지도(地道)에 배속시킨 것에서 드러난다.[10] 천도에 배속된 음양은 기의 작용에 따른 형이상학적인 추상성이 강화되고, 지도에 배속된 강유는 형이하학적인 질적 성질을 드러낸다. 즉, 강유의

---

10) 『周易』, 「說卦傳」 第2章, "立天之道曰陰與陽, 立地之道曰柔與剛."

개념은 괘상의 범위 안에서 괘의 상호작용을 나타내지만, 음양은 괘의 상호작용은 물론 괘가 표상하는 우주 만물의 생성과 순환의 이치를 보다 철학적으로 설명할 수 있는 도구가 된다. 괘 안에서의 강유의 응과 불응의 관계는 음양의 대립과 대대 관념으로서의 추상적 의미로 괘의 밖으로까지 우주 만물의 생성과 순환의 과학적 의미로 확장해 가는 것이다. 그리고 기수(양)와 우수(음)로 표현되는 음양의 상수화는 수리의 받침 없이는 성립될 수 없는 현대물리학과의 접점을 이룰 수 있는 계기가 된다.

음양을 우주의 생성과 변화의 원리로 해석하려는 시도는 전국 시기에 이르러 『노자』에서 본격적으로 나타난다. 도가의 창시자인 노자(老子)는 춘추 시기의 음양설을 발전시켜 음양을 철학의 범주로 삼아 천지 만물의 성질을 해석하였다.

> 도는 하나(一)를 낳고, 하나는 둘(二)을 낳고, 둘은 셋(三)을 낳고, 셋은 만물을 낳는다. 만물은 음을 지고 양을 안으며, 충기(沖氣)로써 조화를 이룬다.[11]

도(道)는 무극(無)을 의미하고, 하나(一)는 태극(有)을 의미한다. 태극(一)이 음양(二)을 낳으니 음양은 天地人(DNA)을 낳고, 天地人(三)은 우주 삼라만상을 펼쳐낸다. 여기에서 음양

---

11) 『老子』, 第42章, "道生一, 一生二, 二生三, 三生萬物, 萬物負陰而抱陽, 沖氣以爲和."

(二)은 태극(一)이 내장하고 있는 천지인(三)이라는 씨앗 (DNA)를 화생하는 상호작용원리를 의미한다.

충기(沖氣)는 음과 양이 상호교감을 통해 생한 조화의 기운 (中)으로서 만물을 낳는 기운이다. 충기는 음양이 상호작용하는 중도의 자리이며, 천기와 지기가 교합하여 생한 기물(人)이 된다. 그러므로 충기란 만물을 낳는 지기(至氣)로 적연부동하지만 역동적인 창조 에너지로 가득한 태허, 즉 진공즉묘유(眞空卽妙有)의 의미라 할 수 있다.

"『노자』가 보건대, 도는 우주 만물 최고의 본원이다. 도가 낳은 '하나(一)'는 음과 양으로 나눠지 않은 혼돈의 세계이다. '둘(二)'은 천지이자 음양이다. '둘이 셋을 낳는다'는 말은 천지가 교류하여 합하고 음과 양의 두 가지 기가 서로 뒤섞여 충기, 즉 중화의 기를 생성하는 것을 가리킨다. '셋이 만물을 낳는다'는 말은 바로 중화지기(中和之氣)가 다양한 경로를 통해 세상에 만물을 형성하는 것이다. 그러므로 만물에는 음과 양이 있고 만물은 모두 음과 양의 조화인 것이다. 음과 양은 일종의 추상적 원동력으로서, 만물로 하여금 물질이 되게 하며 또한 만 가지로 나뉠 수 있는 일종의 근원이 되는 것이다."[12]

『노자』에 이르러 음양은 우주 삼라만상을 창조하는 고차원의 인문·철학적 반열에 올라선다. 『노자』 이후 도가를 대표하는 『장자』는 "역은 음양으로써 말한다."[13]라고 하였는데 이는 전국 시기의 역

---

12) 朱伯崑, 김학권 외4 공역, 『역철학사7』, 소명출판, 2012, p.123.

을 바라보는 도가의 전형적인 관점이라 할 수 있다. 『관자』에서 "만물은 음양 양자가 서로를 낳으며 제삼자를 형성한다."[14]라는 말은 바로 음양을 범주로 삼아 만물의 생성과 변화를 설명하는 도가 사상이 녹아 있는 표현이라 할 수 있다.

> 역에는 태극이 있으니, 태극이 양의를 낳고, 양의는 사상을 낳고, 사상은 팔괘를 낳는다.[15]

음양의 관념체계가 『주역』에서는 괘와 효를 나타내는 음(--) 양(一)의 부호로 상징화된다.[16] 『노자』와 『주역』 간에 음양의 관념에 대한 표현의 차이는 음양을 표상하는 수단으로서 부호가 있고 없음이다. --와 一는 음과 양이라는 서로 다른 기운을 시각화한 부호로서 서로 대립하는 상반된 모습을 보여준다. 여기에서 대립이란 서로 상대의 존재가 필수적인 의존적 요소임을 의미하는 것이며, 이는 곧 대대의 특징으로 나타난다.

『노자』의 하나(一)와 같은 의미인 태극은 양의, 즉 음양(二)을 낳고 음양은 사상(四)을 낳고, 사상은 팔괘(八)를 낳으니 이는 '1-2-4-8'이라는 이진법적 수리체계로 진보하여 만물이 진

---

13) 『莊子』, 「天下」, "詩以道志, 書以道事, 禮以道行, 樂以道和, 易以道陰陽, 春秋道名分."
14) 『管子』, 「樞言」, "凡萬物陰陽兩生而參視."
15) 『周易』, 「繫辭傳上」 第11章, "易有太極, 太極生兩儀, 兩儀生四象, 四象生八卦."
16) 신철순, 「주역의 음양사상 연구」, 원광대학교대학원 박사학위논문, 2012, p.53.

화해가는 수리적 복잡성을 표현한다. 태극(一)은 계속하여 16-32-64 …로 끝없이 입자 분열을 거듭하여 더는 쪼개어질 수 없는 파동의 단계로 진입하면 결국 우주는 하나(一)라는 총체적 단일체로 다시 환원된다. 태극이 아무리 내부 분열을 거듭하여도 결국은 태극이라는 전체로서의 하나(一)는 변하지 않는 것이다. 이것은 현대물리학의 '에너지 보존의 법칙'과 일맥상통한다.

소옹(邵雍)은 「관물외편」에서 이것을 다음처럼 설명하고 있다.

> 태극이 나뉘면 양의가 세워진다. 양은 아래로 음과 교류하고 음은 위에서 양과 교류하여 사상이 생겨난다. 양이 음과 교류하고 음이 양과 교류하여 하늘의 사상을 낳는다. 강은 유와 교류하고 유는 강과 교류하여 땅의 사상을 낳는다. 여기에서 팔괘가 형성되고, 팔괘가 서로 어울린 다음에 만물이 생겨났다. 이런 까닭에 1이 나뉘어 2가 되고, 2가 나뉘어 4가 되고, 4가 나뉘어 8이 되고, 8이 나뉘어 16이 되고, 16이 나뉘어 32가 되고, 32가 나뉘어 64가 되니, 그러므로 말하기를 음양으로 나뉘고 강유가 교대로 사용된 까닭에 역은 여섯 자리를 갖추고서 하나의 문장을 이룬다. 십(十)이 나뉘어 백(百)이 되고, 백이 나뉘어 천(千)이 되고, 천이 나뉘어 만(萬)이 된다. 마치 뿌리에 줄기가 나고, 줄기에 가지가 나며, 가지에 잎이 나는 것처럼, 커질수록 그 수는 더욱 적어지고 세밀할수록 그 수는 더욱 많아지니, 이것을 합하면 하나(一)가 되고 펼치면 만(萬) 가지가 된다.[17]

---

17) 邵雍, 『欽定四庫全書』, 「皇極經世書」 卷13, 觀物外篇上, "太極

즉, 1이 10이라는 완성으로 나아가 완료되는 순간 10은 다시 1이 되는 것이다. 분열이 극에 달하면 다시 하나로 통합되는 것이니 '부분과 전체'는 결국 그 본질에 있어서는 동일한 것으로 일즉다 다즉일(一卽多 多卽一)의 개념이며, 일중다 다중일(一中多 多中一)의 의미가 된다.

춘추 말기 범려(范蠡)가 "천도는 밝게 드러내는 것이니 해와 달로써 그 뜻을 드러낸다. 밝을 때는 나아가고 어두울 때는 은둔한다. 양이 극점에 이르면 곧 전화하여 음을 이루고, 음이 극점에 이르면 곧 전화하여 양이 된다. 해는 졌다가 다시 떠오르고, 달은 가득 찼다가 다시 기울게 된다."[18]라고 한 것은 완전한 음양의 철학적 개념이라기보다는 천문학적인 기후적 관념에서 전화되는 과도기적인 개념이라 할 수 있다. 이것이 『역경』을 거쳐 전국시대의 『역전』에 이르러 우주의 생성과 만물의 순환원리를 설명하는 철학적인 음양의 개념으로 그 의미가 대체되는 것이다. 대표적으로 『순자』는 "천지가 합함에 만물이 생

既分, 兩儀立矣. 陽下交于陰, 陰上交于陽, 四象生矣. 陽交于陰, 陰交于陽而生天之四象. 剛交于柔, 柔交于剛而生地之四象, 于是八卦成矣. 八卦相錯, 然後萬物生焉. 是故一分爲二, 二分爲四, 四分爲八, 八分爲十六, 十六分爲三十二, 三十二分爲六十四. 故曰陰分陽, 迭用剛柔, 故易六位而成章也. 十分爲百, 百分爲千, 千分爲萬, 猶根之有幹, 幹之有枝, 枝之有葉, 愈大則愈少, 愈細則愈繁, 合之斯爲一, 衍之斯爲萬."

18) 『國語』, 「越語下」, "天道皇皇, 日月以爲常, 明者以爲法, 微子則是行, 陽至而陰, 陰至而陽, 日困而環, 月盈而匡."

겨나고, 음양이 교제함에 변화가 일게 된다."19)라고 하여 음양을 범주로 삼아 사물의 변화를 설명하였고, 『관자』는 "만물은 음양 양자가 서로를 낳으며 제삼자를 형성한다."20)라고 하여 만물의 화생을 음양의 대립과 상호작용의 원리로 설명하였다. 이는 「계사전」의 "一陰一陽之謂道"로 대변되는 음양의 작용원리를 보다 고차원적인 철학적 개념으로 끌어올린 것으로서, 천문학적인 기후 관념에서 만물의 창조원리로 보다 구체적인 과학적 개념으로의 접근을 이룬 것으로 이해할 수 있다.

상고시대에는 천문지리와 인문에 대한 지식의 부족으로 인하여 세상을 이해하는 방법은 천신이나 귀신에게 점을 쳐서 길흉화복의 답을 구하는 것 외에는 달리 방도가 없었다고 할 수 있다. 은대(殷代)의 거북점이란 거북의 배 껍질과 짐승의 뼈에 구멍을 내어 불에 구운 다음 그 주위에 나타나는 갈라진 무늬를 복(卜)이라 부르고, 이 복조(卜兆)의 형상에 의거하여 인간사의 길흉을 판단하는 방법을 가리킨다.21) 주대(周代)에 이르러 여전히 거북점이 유행하였으나 또한 시초수(蓍草數)의 변화를 셈하여 팔괘의 상을 구하고, 이에 바탕으로 길흉을 판단하는 시초점이 유행하였다.

은대의 거북점은 자연의 상에서 조짐을 읽어 길흉을 판단한

---

19) 『荀子』, 「禮論」, "天地合而萬物生, 陰陽接而變化起."
20) 『管子』, 「樞言」, "凡萬物陰陽兩生而參視."
21) 朱伯崑, 김학권 외4 공역, 『역학철학사1』, 소명출판, 2012, p.40.

다는 점에서 신본적(神本的)이라고 한다면, 주대의 시초점은 자연에서 구한 시초를 이용하여 시초 변화의 수를 셈하는 인위적인 추산을 통해 괘상을 얻은 후 논리적인 추론을 거쳐 길흉의 판단을 구한다는 점에서 인본적(人本的)이라 할 수 있다. 왕부지(王夫之)는 시초점에 대해서 시초 변화의 수를 셈하여 괘상을 얻는다는 것은 '사람의 꾀함(人謀인모)'이고, 시초를 임의로 무심히 나누는 데서 많고 적음이 나오는 것은 무심에서 나온 신묘함의 결과이니 이는 '귀신의 꾀함(鬼謀귀모)'이라 하였으나[22], 거북점에 관하여는 "거북점에서 조짐을 살피는 것에는 단지 '귀신의 꾀함'만 있을 뿐 '사람의 꾀함'은 없다."[23]라고 설명하고 있다.

거북점에서 시초점으로의 변화과정은 단지 하늘의 뜻을 수용하는 수동적인 원시사회의 모습에서 자연물에 인위적인 가공을 통해 그 변화를 추산함으로써 스스로 길흉을 판단하는 인본주의적 사회로의 사상적인 진보가 이뤄지는 과정이라 할 수 있다. 즉, 시초점에는 수리적 요소가 개입함으로써 인위적인 사람의 도모함(人謀)이 있고, 또한 스스로 논리적 추론을 거쳐 길흉을 판단하므로 인본주의적 사고가 잠재되어 있다고 할 수 있다. 그

---

22) 王夫之,『周易內傳』,「繫辭傳」, "大衍五十而用四十有九 分二挂
  一 歸奇 過揲 審七八九六之變 以求肖平理 人謀也 分而爲二 多寡
  成于無心 不測之神 鬼謀也."
23) 王夫之,『周易內傳』,「繫辭傳」, "若龜之見兆 但有鬼謀 而无人
  謀."

러므로 거북점과 달리 『주역』의 서법(筮法)은 수의 추산과 괘상의 분석, 즉 인간의 사유능력을 중시하기 때문에 이후에 『주역』으로부터 철학적 체계를 도출할 수 있었던 반면, 거북점은 시종 미신의 단계에만 머물러 있어 점차 사람들에게 버림을 받게 된다.[24]

즉, 단순히 자연현상에 불과했던 음양에 대한 형이하학적 관념은 점차 철학적 개념을 획득하면서 인간의 사유 범위는 괘상을 통해 시공간을 우주적으로 확장할 수 있는 도구를 얻게 되었다고 할 수 있다. 상고시대에 미지의 영역에 대한 판단은 천신이나 귀신에 의지하는 신본적 성격의 거북점을 통해 이루어졌으나(鬼謀), 주대에 이르러서는 시초점이라는 수의 변화를 셈하는 인위적 추산을 통해 괘상을 얻음으로써 길흉의 판단은 인본적 성격으로 전환되기 시작한다(人謀). 이것은 자연에 대한 지식과 지혜가 축적됨에 따라 상을 판단하는 거북점을 넘어선, 수의 추산과 괘상의 추리적 분석 등 향상된 사유능력의 진전을 이룬 결과라 할 수 있다. 이는 거북점(象)에서 시초점(數)으로, 천도(天道)에서 인도(人道)로, 추상에서 구상으로, 비과학적에서 과학적으로, 귀모(鬼模)에서 인모(人模)로 인간의 지혜가 점차 진전해가는 추세에 부합하여 사상적 진보가 이루어지고 있음을 말해준다.

---

24) 朱伯崑, 김학권 외4 공역, 『역학철학사1』, 소명출판, 2012, p.48.

4) 음양의 대립과 상호작용

"한 번은 음이 되고 한 번은 양이 되는 것이 도"[1]라는 것은 성질이 다른 두 기운이 서로 동등하게 상호작용하는 것을 의미한다. 음과 양은 서로 대립되는 상반된 성질이지만 서로에게 없어서는 안되는 필수 불가결한 존재로서, 음 홀로 작용할 수 없고 양 혼자서도 작용할 수가 없다. 즉, 상대의 존재는 내가 존재하기 위한 필수적 전제조건으로서, 음양의 대립은 자연스럽게 상호의존적 관계를 통해 음양의 통일로 이어진다.

선천역인 『복희팔괘도』는 양의 관점에서 바라본 천역(天易)이다. 이것은 라이프니츠가 『복희팔괘차서도』의 생성과정을 가일배법이라는 2진법 수리체계로 설명한 것에서도 알 수 있다. 즉, 라이프니츠가 『복희팔괘도』의 생성과정에서 음을 0으로 설정하고 양을 1로 설정함으로써 위에서부터 아래로 이진법 체계로 계산한 것에서 복희역이 양의 관점에서 세워진 것임을 유추할 수 있다. 만일 "一陰一陽之謂道"의 관점에서 음과 양이 고저·귀천없이 동등하다면 『주역』 연구자로서는 양을 0으로 놓고 음을 -1로 보는 반대의 관점도 필요하다고 할 수 있을 것이다. 이 부분은 별도의 항목에서 다룬다.

음양의 대립(對立)은 서로를 필수 불가결한 존재로 보는 상호의존적 관계로서 또한 대대(對待)가 된다. 즉, 음양은 상호대립하면서도 서로에게 없어서는 안 되는 필수적 존재로서 상호

---

1) 『周易』, 「繫辭傳上」 第5章, "一陰一陽之謂道."

의존하는 관계에 있다. 음양의 대립은 서로 밀고 당기며 충돌하는 과정을 통해 상호교감하며 균형과 조화를 지향해 간다. 이 대립의 과정에서 생기는 균형과 조화를 중화라고 하며, 이는 만물의 생성원리가 된다. 중(中)은 음(陰)과 양(陽)의 관계성에서 규정되어 지는 것이며[2], 음양의 상호작용으로 중화를 생성하는 과정, 그리고 중화의 인문적 개념은 『주역』의 괘상과 현대물리학의 물상 간의 상관관계를 연구하는 본서의 주요 논제가 된다.

「계사전」은 "강유가 서로 밀고 당기며 변화를 만들어낸다."[3]라고 하여 음과 양이 상호작용을 통해 만물의 변화를 생성해 간다고 하였으며, 『순자』는 "천지가 합해야 만물이 생하고, 음양이 교접해야 변화가 일어난다."[4]고 하였다. 또한 『장자』는 "음양은 각각 천지에서 생겨나 음은 아래로 양은 위로 향하다가 그 중간에서 만나 조화의 상태에 다다른다. 이렇게 해서 만물이 생겨난다."[5]라고 하였으니 음양의 대립은 상호작용을 통하여 필연적으로 조화(中)를 지향한다는 것을 의미한다. 즉, '음양의 대립(對立)과 대대(對待)는 만물의 창조행위에 참여하는 상호작용의 원리'라고 정의할 수 있다.

---

2) 최영진, 「주역사상의 철학적 연구」, 성균관대학교대학원 박사학위
   논문, 1989, p.7.
3) 『周易』, 「繫辭傳上」 第2章, "剛柔相推而生變化."
4) 『荀子』, 「禮論」, "天地合而萬物生, 陰陽接而變化起."
5) 『莊子』, 「田子方」, "至陰肅肅, 至陽赫赫, 肅肅出於天, 赫赫發於地, 兩者
   交通成和而物生焉."

5) 음양의 수리(數理)

팔괘(八卦)는 음(--)과 양(一)이라는 두 개의 부호로 이루어져 있다. 즉, "음양의 관념체계가 『주역』에서는 괘(卦)와 효(爻)를 나타내는 음과 양의 부호로 시각화된다."[1] 이 음양의 부호가 삼변(三變)하여 중첩됨으로써 3개의 효로 이루어진 팔괘를 형성하는데 이것이 복희팔괘이다. 복희씨(伏羲氏)가 天·地·人(物)의 변화를 관찰하여 팔괘를 그린 시대는 문자가 없어 노끈을 맺어 일을 기록하던 전설의 시대라 할 수 있으므로, 이때에는 상(象)은 있었으나 사(辭)가 없었다. 이후 주대에 이르러 문왕이 여덟 개의 괘를 중첩함으로써 『역경』의 64괘를 세우고, 괘(卦)마다 사(辭)를 달아 인사(人事)를 다룸으로써 천도(天道)에서 인도(人道)로 본격적인 전환이 이루어지기 시작한다.

天은 1이고 地가 2이며, 天은 3이고 地가 4이며, 天이 5이고 地가 6이며, 天이 7이고 地가 8이며, 天이 9이고 地가 10이니,[2]

이것은 「계사전」에서 천지지수(天地之數)를 표현한 것인데,

---

1) 신철순, 「주역의 음양사상 연구」, 원광대학교대학원 박사학위논문, 2012, p.53.
2) 『周易』, 「繫辭傳上」 第9章, "天一地二天三地四天五地六天七地八天九地十."

천지 만물을 표상하는 역은 근본적으로 양의 기수(奇數)와 음의 우수(偶數)로 표현할 수 있음을 의미한다. 음효(--)는 짝수(偶), 양효(-)는 홀수(寄)로 표상함으로써 역의 해석은 보다 추상적 논리성을 갖추게 된다. 상을 수로 표현해냈다는 것은 거북점(象)에서 시초점(數)으로, 천도에서 인도로, 구상(具象)에서 추상(抽象)으로, 비과학적에서 과학적으로 인간의 지혜가 점차 진전해가는 추세에 부합하여 사상적 진보가 이루어지고 있음을 말해준다.

음양의 이치를 설명하는 수단으로 음효(--)와 양효(-)를 사용하는데, 「설괘전」에서는 '하늘에서 셋을 취하고 땅에서 둘을 취해서 숫자에 의지하였다'라고 하여 3(-)과 2(--)의 수로도 음양을 표상하게 됨으로써 괘상은 기우지수(奇偶之數)로 표현이 가능해졌다. 또 '하늘(陽)에서 세 수를 취함으로써 1.3.5.가 되고, 땅(陰)에서는 두 수를 취함으로써 2.4가 되어 삼천양지(參天兩地)의 논리로도 설명하였다.

> 옛날 성인이 『주역』을 지을 때 그윽이 신명에 찬동하여 시초를 내놓고, 하늘에서 셋을 취하고 땅에서 둘을 취해서 숫자에 의지하였으며, 음양이 변화하는 것을 관찰하여 괘를 세우고 강유를 발휘해서 효를 내었다.[3]

즉, 마융(馬融) 등은 삼천(參天)은 천수(天數) 1·3·5를 가리

---

3) 『周易』, 「說卦傳」, "昔者聖人之作易也, 幽贊於神明而生蓍, 參天兩地而倚數, 觀變於陰陽而立卦, 發揮於剛柔而生爻."

키며 이를 합산하면 9가 되어 양효를 상징하는 수가 되고, 양지(兩地)는 지수(地數) 2·4를 가리키며 이를 합산하면 6이 되니 이는 음효를 상징하는 수가 되므로 삼천양지(參天兩地)란 9와 6을 가리킨다고 하였다. 정현(鄭玄)은 하늘의 수 3(天參)과 땅의 수 2(兩地)를 합하면 5가 되니 대연지수(大衍之數)란 5에서 연역해낸 것을 표시하는 것이라고 생각했다.[4]

　그러나 삼천양지는 단순히 천지를 본떠 만든 형상에서 기우지수를 그대로 복사해낸 것으로서 기우(奇偶)는 단순히 땅을 상징하는 음과 하늘을 상징하는 양을 분별하는 수에 불과하였으며, 추상적이고 철학적인 관념으로서 이후 역학의 사상적 논리의 폭을 넓힌 공은 있으나 물리적이며 수학적인 수리와는 거리가 있었다고 할 수 있다.

　『주역』에서 수는 주로 점서(占筮)에서 괘를 세우는 데 사용하였다. 중국 남송의 주희(朱熹)는 "하늘은 둥글고 땅은 네모진바, 둥근 것은 하나에 둘레가 三이니, 三은 각각 한 기(奇)이므로 하늘에서 셋을 취하여 三이 되고, 네모진 것은 하나에 둘레가 넷이니, 넷은 두 우(偶)를 합한 것이므로 땅에서 둘을 취하여 二가 되었으니, 수가 모두 이에 의하여 일어났다."[5]라고 하였는데, 실증에 의한 과학이라기보다는 형이상학적이고 추상

---

4) 朱伯崑, 김학권 외4 공역, 『역학철학사1』, 소명출판, 2012, p.165.
5) 朱熹, 『周易本義』, "天圓地方, 圓者一而圍三, 三各一奇故參天而爲三, 方者一而圍四, 四合二偶, 故兩地而爲二, 數皆倚此而起."

적인 논리로써 음양의 이치를 수로 표현한 것이라 할 수 있다. 청대(淸代)의 호위(胡渭)는 비판적 관점에서 '천지의 수는 다만 서법(筮法)과 관계가 있을 뿐이어서 천지의 수는 서(筮)를 낳는 수이지 결코 괘(卦)를 그어가는 수는 아니다'라고까지 비판하고 있다.[6]

> 1.3.5.7.9는 모두 기수(奇數)이고, 2.4.6.8.10은 모두 우수(偶數)로 이것이 이른바 5위씩 서로 얻음(五位相得)이다. 1과2, 3과 4, 5와 6, 7과 8, 9와 10은 하나의 기수이고 하나는 우수로 둘씩둘씩 짝이 맞는다. 이것이 이른바 각각 합이 있음이다. 그러하거늘 그것이 오행(五行), 오방(五方)에 무슨 관계가 있는가? 천지생성에 무슨 관계가 있는가? 「하도」.「낙서」에 무슨 관계가 있는가?[7]

1에서 10까지의 수가 기우로 나열된 「계사전」의 의도는 역상(易象)은 수리적 이치가 내재되어 세워진 것이며, 그러므로 상과 수는 서로 불가분의 관계에 있음을 천명한 것으로 보인다. 「계사전」 논법의 범위를 벗어난 수리의 활용에 대한 비판적 관점에서 보면, 다만 중세에는 시대적 조류에 의하여 과학적이라

---

6) 廖名春 외2 공저, 심경호 역, 『주역철학사』, 예문서원, 1994, p.667.

7) 胡渭, 『易圖明辨』, "一三五七九同爲奇, 二四六八十同爲偶, 是謂五位相得. 二與二, 三與四, 五與六, 七與八, 九與十, 一奇一偶, 兩兩相配. 是謂各有合. 于五行五方曷與焉. 于天地生成曷與焉. 于「河圖」「洛書」于曷與焉."

기보다는 다소 추상적인 관념으로서의 서법과 관련된 술수(術數)로 활용되는 측면이 부각되었으며, 현대 양자물리학의 진전은 보다 과학적이고 수리적인 측면에서 역을 바라볼 수 있는 계기가 되었다고 할 수 있다. 이러한 사상적 조류에 의하여 '과학역'[8]이라는 새로운 경향이 나타나게 된 것이라고 판단할 수 있겠다.

「계사전」에서 천지기우(天地奇偶)의 수를 제출한 이래로 상수(象數)에 대하여 합리적이고 물리학적인 실증적 연구로까지 이어지지 않았기 때문에, 주 문왕이 역을 부연한 이후로 역수(易數)는 주로 서술(筮術)에 활용되는 실정으로서 과학적 가치가 접목되지 않았으므로 수를 바탕으로 하는 현대물리학과 접점의 토대는 쉽게 마련되지 않았다. 시책(蓍策)을 나누고 합치는 계산을 수라고 여겼으니 이는 이미 수리로써 자연의 이치를 벗어난 것이라 할 수 있다.[9] 수(數)를 술(術)로 해석함으로써 역의 활용은 당연히 추상적인 술수(術數)로 흘러 견강부회할

---

8) 과학역은 대개 상수역을 기반으로 하며, 현대과학을 토대로 『주역』의 과학적 요소를 발굴한다. 과학역의 개창자는 설학잠(薛學潛)으로 세계적인 최신 과학지식을 이용하여 易을 풀이하고, 易의 이치로써 현대 자연과학의 최신 발견을 해석하였다. 복희역 64방원도와 라이프니츠의 이진법의 관계, 유전자 코드와 64괘 구조의 부합, 易과 양자물리학의 상관성 등 천문학, 물리학, 인체 과학 등 다방면에서 연구되고 있다. : <참고> 廖明春 외2 공저, 심경호 역, 『주역철학사』, 예문서원, 1994. pp.750-810.

9) 고회민, 곽신환 역, 『소강절의 선천역학』, 2011, p56.

수밖에 없었고, 그러므로 왕필(王弼)의 『역주(易注)』가 후세의 유가들에게 '상수(象數)를 청소하고 의리(義理)로 돌아갔다'는 평가를 받게 되는 것도 이러한 연유라 할 수 있겠다.[10)

"역은 천지와 똑같다."[11)] 이 말은 괘가 천지의 이치와 상을 담고 있으니 『주역』의 법칙과 천지 만물의 변화는 서로 일치한다는 것을 가리킨다. 즉, 역은 천지의 법칙에 준거하여 사물에서 상을 취하여 세운 것이므로 "『주역』의 괘효는 천지의 도를 모두 갖추고 있어 천지와 더불어 똑같다."[12)]라는 뜻이다. "역의 법칙은 천지와 더불어 비슷하기 때문에 서로 어긋나지 않는다."[13)]라고 했으니, 이는 역의 이치를 알면 천지운행의 이치와 그 변화를 알 수 있다는 뜻이 된다.

역은 천지 만물에서 상을 취하여 세웠기 때문에 괘상 속에는 만물의 이치와 그 변화의 원리가 들어있다. 그러므로 괘상은 천지의 모든 조화를 포괄하면서도 그 범위를 지나치는 법이 없다.[14)] 우주 만물이 시생(始生)하여 변화하고 순환하며 작용하는 원리가 괘 속에 담겨있음을 정의한 것이다.

지금은 사물의 초미세 영역에 속한 원자(atom)를 들여다보는 양자역학이 주도하는 시대로서 과학역이라는 새로운 분야가

---

10) 고회민, 곽신환 역, 『소강절의 선천역학』, 2011, p54.
11) 『周易』, 「繫辭傳上」 第4章, "易與天地準."
12) 朱熹, 『周易本義』, "易書卦爻, 具有天地之道, 與之齊準."
13) 『周易』, 「繫辭傳上」 第4章, "與天地相似, 故不違."
14) 『周易』, 「繫辭傳上」 第4章, 範圍天地之化而不過."

나타나 연구되는 것도 또한 시대적 요청이라 할 수 있다. 과학이란 수를 근본으로 하지 않으면 성립되지 않는다. 레오나르도 다빈치는 "만일 그것이 수학적으로 증명될 수 없다면 인간의 어떠한 탐구도 과학이라고 불릴 수 없다."[15]라고 했다. 인간의 상상력과 판단력만을 가지고 어떤 중요한 실체를 정확하게 논리적으로 포착할 수 있다는 것은 사실상 어려운 일이며, 따라서 만일 수학적 기반 위에서 논리를 펼쳐나가면서 본질에 대한 설명이 이루어진다면 전혀 놀라울 것이 없다.[16] 그러므로 양자물리학이 과학을 주도해 나가는 이때, 『주역』의 과학화를 위하여 우주의 생성원리와 작용, 만물의 극성을 표상한 괘상을 효위에 따라 기세의 크기를 수리적으로 정할 수 있다면 『주역』과 현대 물리학 간의 상통하는 문이 열릴 수 있을 것이라 판단된다.[17]

성인(聖人)이 앙관부찰(仰觀附察)[18]하여 괘상을 세웠으니, 괘상의 이치와 물상의 이치는 똑같다. "성인이 역을 지을 적에 괘·효상과 그 변화의 법칙은 음양의 실체에 근거하여 천지 만

15) 폴 데이비스, 류시화 역, 『현대물리학이 발견한 창조주』, 정신세계사, 2020, p.289.

16) 폴 데이비스, 류시화 역, 『현대물리학이 발견한 창조주』, 정신세계사, 2020, p.290.

17) 박규선·최정준, 「괘효의 수리화에 따른 역의 과학적 해석연구」, 『동방문화와 사상』제10집, 동양학연구소, 2021, p.21.

18) 『周易』, 「繫辭傳下」 第2章, "古者包犧氏之王天下也, 仰則觀象於天, 俯則觀法於地, 觀鳥獸之文, 與地之宜, 近取諸身, 遠取諸物, 於是始作八卦, 以通神明之德, 以類萬物之情."

물의 형상과 그 변화의 과정을 본떠서 정한 것"19)이니, 팔괘의
형상은 천지 만물의 형상을 관찰하여 그대로 모방한 것이다. 이
것이 전제되어 역이 세워진 것이니 『주역』과 과학은 상통하는
바가 있는 것이다. 그 상통하는 바가 바로 수리적 이치라 할 수
있다. "하늘(陽)에서 셋을 취하고 땅(陰)에서 둘을 취하여 수를
의지하고, 음양의 변화를 보고 괘를 세웠다."20)라는 말은 기우
의 수가 있은 후에야 비로소 음양이 상으로 드러났을 수 있음
을 의미한다.

> 괘란 성인이 상을 관찰하여 만든 것이다. 상이란 형체
> (形) 이상의 존재에 해당되는 것이다. 그 근본을 찾아보면
> 형체는 상에서 생기고 상은 수로부터 베풀어진다. 그러므로 수
> 를 떠나서는 사상(四象)이 유래된 근원을 살필 수 없다.21)

즉, 사물에는 근본적으로 그 사물을 형성하는 원리인 수가
있어 그 수리적 원리에 의해 사물의 상이 펼쳐지는 것이다. 천
하의 모든 사물에는 그 고유한 형상이 있을 뿐만 아니라 고유
한 수가 있다고 생각한 것은, 상수 범위를 제기함으로써 서법과
사물의 변화를 설명하는 일종의 철학적 관념을 도출하게 된다.

---

19) 朱熹, 『周易本義』, "此言聖人作易, 因陰陽之實體, 爲卦之法象."
20) 『周易』, 「說卦傳」, "參天兩地而倚數, 觀變於陰陽而立卦."
21) 劉牧, 『易數鉤隱圖』, 「易數鉤隱圖序」, "卦者, 聖人設之, 觀於象
也, 象者, 形上之應, 原基本則形由象生, 象由數設, 捨基數則無以見
四象所由之宗矣."(『通志堂經解』본, 1쪽)

이런 관점은 『역전』에서는 결코 전개한 바가 없지만, 후대의 역학 철학의 발전에 매우 커다란 영향을 미쳤다.22)

전통적인 세 성인 즉, 복희씨(伏羲氏), 문왕(文王), 공자(孔子)의 역학은 대체로 사물의 상(象)을 통하여 우주 만물에 내재하고 있는 리(理)를 터득하는 것이었다. 그러나 이미 상이 있기 전에 수(數)가 있었다는 관점에서 보면 상의 속에 내장하고 있는 수를 끌어낼 수 있어야 수리를 바탕으로 하는 과학과의 접점을 이룰 수가 있게 된다.

역에는 본래 상이 있고 수가 있는데 전통역학은 상으로써 리를 밝히는데 강하고 수리의 개발에는 약했다.23) 인간의 지혜와 지식의 진전, 이에 따른 역사와 문화의 발전에 따라 점차로 수의 방면에도 추상적 사고에 대한 합리적이고 과학적인 근거가 점점 더 필요하게 되었고, 이러한 자연스러운 추세는 역학의 진보에도 예외는 아니었다.

「계사전」의 '易與天地準역여천지준'을 근거로 판단할 때 사물에 대한 과학적 기준에 의거 괘상에도 수리가 내재되어 있다고 할 수 있으므로 역의 과학화도 논리적 근거는 충분하다고 할 수 있다. 「계사전」은 수를 언급하였을 뿐 구체적인 실증을 통한 자연과학적 수의 관념은 부재하다고 할 수 있다.

「계사전」에 근거하여 라이프니츠의 이진법 수리인 가일배법

---

22) 朱伯崑, 김학권 외4 공역, 『역철학사1』, 소명출판, 2012, pp.166-167.
23) 고회민, 곽신환 역, 『소강절의 선천역학』, 예문서원, 2011, p.349.

수리체계에 의해 팔괘의 생성원리(복희팔괘차서도)를 발견한 송대(宋代)의 소옹(邵雍)은, 만물이란 그 안에 근원적인 리수(理數)를 내장하고 있어서 그 수리적 이치에 의해 만물의 상이 펼쳐지는 것이라고 함으로써 상수(象數)가 보다 체계적인 수리적 논리를 갖추게 되고, 그럼으로써 역과 과학의 접점에 대한 논리적 근거는 어느 정도 마련되었다고 할 수 있다. 그러므로 역이 수리화되면 천지인 만물에 대하여 추상적 형용이나 의미 없는 구호가 아닌 수리적 근거에 의한 보다 과학적인 설명을 전개할 수 있다는 장점이 생기게 된다.

2. 역(易)의 우주론

시간과 공간이라는 제한된 영역에 존재하는 인간은 끊임없이 우주 공간에서의 자신의 좌표와 존재의의를 탐구해 왔다. 생존의 영역인 무심한 자연과 투쟁하면서도 결국은 순응할 수밖에 없는 유약한 존재로서의 인간은 투쟁과 타협의 과정을 통해 균형과 조화를 추구해 왔다. 자연을 바라보는 관점에 따라 자연철학이 형성되고, 그에 따른 자연관은 우주에 대한 철학적 관념, 존재의 의미와 목적, 사유 습관과 생활방식을 변화시켜왔다.

『주역』은 부호와 문자로써 조직화된 것으로서 우주와 자연, 그리고 자연의 영역에 거주하는 인간의 인사적 문제에 대한 인식과 철학적 관념, 심지어 천지인 일체의 지식을 포괄하고 있다고 인식되어 온 중국을 위시한 동북아 인문학의 집대성이자 그 사고의 원천이라 할 수 있다. "역은 천지와 똑같다. 그러므로 천지의 도를 두루 다스릴 수 있다."[1]라는 「계사전」의 명제 아래 천지의 물상을 본떠 만든 괘상의 변화를 분석함으로써 복잡다단한 자연과 그 자연의 일부인 인간을 이해할 수가 있다.

역은 무엇 때문에 만들어졌는가? 역은 만물의 뜻을 개통시키고 일을 이루며 천하 사물의 모든 도를 그 속에 망라하고 있으니, 이와 같을 따름이다.[2]

---

1) 『周易』, 「繫辭傳上」 第4章, "易與天地準, 故能彌綸."
2) 『周易』, 「繫辭傳上」 第11章, "夫易何爲者也, 部易開物成務, 冒天下

역이란 책의 내용은 극히 광대하고 천지 간의 도리를 모두 갖추고 있어, 그 속에는 천도(天道)도 있고 인도(人道)도 있고 지도(地道)도 있다. 삼재(三才)를 겸하여 중첩하니 여섯이라. 여섯은 다름이 아니라 삼재의 도이다.3)

만물을 8개의 개념으로 단순 범주화한 괘상은 광대무변한 우주에 대한 정의를 내포하고 있으며, 시간에 따른 천지 만물의 변화를 표상한다. 3개의 효로 구성된 괘상은 천도·지도·인도 (天道·地道·人道)를 의미하며, 이를 상하로 중첩하여 형성된 육효는 우주 만물의 변화와 작용을 함유하고 있다. 즉, 자연계의 지식과 경험으로부터 인류 사회의 지혜와 사상에 이르기까지 망라하지 않는 것 없이 다 갖추고 있다. 간단히 말해 역은 우주 대수학(代數學)이다.4) 그러므로 만물을 표상한 괘라는 도구를 통하여 우주 삼라만상을 통찰하고 그 변화를 예측할 수가 있으니 역이란 천하의 이치를 담고 있는 그릇이라 할 수 있다.

『역경』을 철학적으로 해석한 『역전』을 바탕으로 상수학파 (象數學派)와 의리학파(義理學派) 간의 논쟁은 양한 위진시대의 상수역과 의리역을 거쳐 치밀한 리기논쟁(理氣論爭)으로 철학적 체계를 세운 송대로 이어지며, 『주역』은 더욱 추상화되고

之道, 如斯而已者也."

3) 『周易』, 「繫辭傳下」 第10章, "易之爲書也, 廣大悉備, 有天道焉, 有人道焉, 有地道焉, 兼三才而兩之故六, 六者非他也, 三才之道也."

4) 廖明春 외2 공저, 심경호 역, 『주역철학사』, 예문서원, 1994, p.132.

인문화됨으로써 수준 높은 리기론적 우주관(理氣論的 宇宙觀)을 확립해 간다.

맹희(孟喜)·초공(焦贛)·경방(京房)이 창시한 한역(漢易) 상수학파는 중국 역학의 발전에 큰 영향을 미쳤으며, 송대의 주돈이(周敦頤)·소옹(邵雍) 등으로 이어진다.

의리학파는 선진 시대에서 기원하고 양한 시대에 발전하였지만 진정한 기초 확립자는 위진시대의 왕필(王弼)이고, 그것을 선양한 사람은 송대의 정이(程頤)라 할 수 있다.5)

점서적 성격이 강한 『역경』에 대하여 철학적 체계를 시도한 『역전』의 음양관과 당시 대표적 학파인 맹희의 괘기설(卦氣說), 경방의 음양이기설(陰陽二氣說) 등을 통한 상수학, 그리고 득의망상론(得意忘象論)을 내세운 왕필의 의리학을 살펴봄으로써 춘추전국시대를 거쳐 위진시대에 이르기까지 음양의 대립과 대대, 그리고 상호작용에 관한 논점을 탐색하고, 이를 이어받은 송대의 리기론(理氣論) 논쟁을 통해 역학적 우주관의 변화를 탐구해 본다.

역학은 한대의 상수역(象數易)과 위진시대의 왕필이 주창한 의리역(義理易)이라는 두 개의 범주로 크게 구별할 수 있다. 그리고 북송의 수학파 소옹(邵雍), 리학파 정이(程頤), 기학파 장재(張載)로 이어지면서 리·기·상·수(理·氣·象·數) 논쟁은 우주철학으로 형이상과

---

5) 廖明春 외2 공저, 심경호 역, 『주역철학사』, 예문서원, 1994, p.165.

형이하를 아우르며 발전해 나갔지만, 리(理) · 기(氣)라는 큰 범주를
벗어나지는 않았다고 할 수 있다.

본 연구는 양자물리학의 장(Quantum Field)과 작용적으로
유사한 개념인 기를 중심으로 리·상·수(理 · 象 · 數)가 기물(器
物)에서 하나로 통합되어가는 원리를 탐구함으로써, 음양의 대
립과 상호작용이 물리적이고 인문적인 중화를 이루는 과정을
통해 상호공존의 논리를 탐구하고자 함에 있다. 연구 주제인 기
(氣)와 장(場)의 중화론을 다루기 위한 역학의 이론적 토대로
먼저 『역전』의 음양관을 살펴보고, 한대의 상수과 위진의 의리,
그리고 수(數)와 리(理)와 기(氣)의 비조라 할 수 있는 북송의
동시대 사람인 소옹의 리수론(理數論), 정이의 리본체론(理本
體論), 장재의 기본체론(氣本體論)을 중심으로 연구하였다.

1) 『역전』의 음양관

(1) 대립과 상호작용

춘추전국시대에서 선진시대에 이르는 시기는 『역경』에 대하여 개념화, 철학화를 시도한 『역전』을 중심으로 제자백가들이 음양 이론을 정립해가는 시기라 할 수 있다. 『역전』은 음양의 개념을 통해 『역경』을 해석함으로써 『주역』의 경(經)·전(傳)은 비로소 인문철학적 체계를 갖출 수 있게 된다.[1]

음양은 자연현상의 변화를 일으키는 상반된 성질을 가진 인자(因子)로서 사물의 배후에서 대립과 대대라는 상호작용을 통해 생로병사를 순환시키는 배후로 지목된다. 『주역』은 고도로 추상화된 상반된 성질의 음효(--)와 양효(—)라는 2개의 기호를 만물의 생성원인으로 삼고, 대립과 대대라는 상호작용의 원리로써 3개의 효로 이루어진 8괘를 형성하고, 또한 8괘를 중첩하여 64괘를 구성함으로써 우주와 자연, 그리고 인간의 존재원리를 내포한다.

팔괘를 이루는 괘상은 3개의 음효와 양효로 이루어져 있다. 3개의 효로 이루어진 괘상은 양효로만 이루어진 건괘(乾卦)와 음효로만 이루어진 곤괘(坤卦), 그리고 나머지 여섯 괘는 모두 음효1와 양효2, 또는 음효2와 양효1로 이루어져 있어 항상 음

---

1) 신철순, 「주역의 음양사상 연구」, 원광대학교 대학원 박사학위논문, 2012, p.68.

과 양은 힘의 불균형 상태에 놓여 있음을 알 수 있다. 그런데
이러한 힘의 불균형은 오히려 음양의 대소·장단·강약의 미묘
한 차이를 일으키는 동인이 되고, 강유상추(剛柔相推) 상호작
용을 통해 균형과 조화의 접점, 즉 중화를 찾아가는 원동력이
된다. 음과 양의 에너지 불균형은 균형을 이루고자 하는 역동적
인 기의 이동과 상호작용을 불러일으키고, 이것은 만물을 생멸
케 하는 신묘한 이치가 되는 것이다.

「계사전」은 우주 만물의 생성 변화과정을 태극에서 시작하는
것으로 파악한다. 태극이란 음양의 통일체로서 천지로 나뉘기
이전의 시작점이다.

> 그러므로 역에 태극이 있어 이것이 양의(兩儀)를 낳으며, 양
> 의가 시상(四象)을 낳고, 사상이 팔괘(八卦)를 낳으며, 팔괘가
> 길흉을 정하고, 길흉이 대업을 낳는다. 그러므로 모범으로 삼
> 아 상을 본뜸에 천지보다 위대한 것이 없고, 변화하여 통함은
> 사계절보다 위대한 것이 없으며, 괘효의 상이 구체화되어 하늘
> 에 걸려 있는 것으로는 일월(日月)보다 위대한 것이 없다.[2]

태극은 음양이기(陰陽二氣)를 의미한다. 음양의 통일체로서
의 태극이 체(體)라면, 음양으로 나뉘어 대립하며 상호작용하
는 태극은 용(用)이라 할 수 있다. 즉, 태극과 음양은 동일체로

---

[2] 『周易』, 「繫辭傳上」 第11章, "是故, 易有太極, 是生兩儀, 兩儀生
四象, 四象生八卦, 八卦定吉凶, 吉凶生大業, 是故法象莫大乎天地,
變通莫大乎四時, 縣象著明莫大乎日月."

서 관점에 따라 체와 용의 관계가 된다. 태극이 상반된 양면의 음양으로 나뉘어 상호작용을 시작함으로써 기(에너지)의 역동적인 이동이 일어나게 되고, 이로써 상충과 화해라는 진퇴 과정을 반복하면서 균형과 조화를 지향해 간다. 균형과 조화란 음과 양이 대소·장단·강약에 따른 힘겨루기를 통해 타협점을 찾으며 중화를 이뤄가는 지향점을 의미한다. 음양은 상호작용의 결과로서 사상을 이루고, 사상은 팔괘를 이루며 더 큰 중화(中和)의 단계인 우주적 대화(大和)를 지향해 가는 것이다.[3]

한 번 음하고 한 번 양하는 것을 도라고 한다.[4]

역(易)은 음양의 성질을 '상호의존성'으로 정의한다. 즉, 음이든 양이든 홀로 존재할 수는 없으며, 일음일양(一陰一陽)은 상반된 성질로서 서로 대립하면서도 공조하며 대대 관계를 유지하면서 통일체로 공존한다. 한번 음하면 반드시 한번 양하고, 한번 양하면 반드시 한번 음하며 상호작용하는 것이 도라는 것이다. 그러므로 한쪽의 존재는 상대방의 존재가 필수적 전제조건이 된다. 내가 없으면 상대방은 존립 근거를 잃어버리게 되고, 마찬가지로 상대방이 없으면 나도 존재할 수가 없다. 음양은 서로 대립하면서도 대대하며 상호작용을 통해 상호관계망 속에서 공존하고 있기 때문이다.

---

3) 『周易』, 重天乾 「象傳」, "保合大和, 乃利貞."
4) 『周易』, 「繫辭傳上」 第5章, "一陰一陽之謂道."

(2) 중화(中和)

한번 음하고 한번 양하는 일음일양(一陰一陽)의 상호작용을
도(道)라고 한다는 것은 도의 개념이 태극에 앞서는 본체론적
개념이기보다는 만물을 낳는 신묘한 이치를 의미한다고 할 수
있다. '도가 태극을 낳는다(道生一)'라는 『노자』의 현학지도
(玄學之道)가 아니라 오히려 '태극의 작용성, 즉 음양의 상호
작용이 도를 낳는다'라는 개념으로 이해할 수 있는 것이다. 이
때의 도는 '무(無)가 유(有)를 낳는다(有生於無)'라는 노장현
학(老壯玄學)의 무가 아니라 '태극(一)이 양의(음양)을 낳는다
(太極生陽儀)'라는 '유생어유(有生於有)'의 개념이 된다. 그러
므로 『주역』에서 말하는 도(道)란 우주 만물의 최고 본체로 여
기는 막연한 형이상학적 추상이 아닌 상반된 양면성을 가진 음
양의 상호작용성이 중화를 이룸으로써 만물을 낳는 신묘한 이
치를 의미하는 것이라 할 수 있다.

「계사전」은 일음일양(一陰一陽)의 상호작용성을 강유(剛柔)
의 개념으로 설명하고 있다.

> 강(剛)과 유(柔)가 서로 밀고 당기며 변화를 만들어 낸다.[5]

이것은 한번 음하면 한번 양하며 대립하면서도 상호의존하는
일음일양이 변화를 만들어가는 과정을 '대립과 통일'의 관점에

---

[5] 『周易』,「繫辭傳上」第2章, "剛柔相推而生變化."

서 이해하고 있음을 의미한다. 여기에서 '변화'란 강유상추로 표현되는 음양의 상호작용에 따른 결과물로서 중화를 가리킨다. 음양의 대소·장단·강약의 미묘한 차이에 따라 밀고 당기는 강유상추의 힘은 상대적 크기가 서로 다를 수밖에 없고, 이에 따라 다양한 양태의 변화가 일어나게 된다. 이는 지역마다 처한 문화적, 역사적, 자연적 환경에 따른 독특하고 다양한 중화의 유형이 필연적으로 생겨날 수밖에 없음을 의미한다. 즉, 중화는 음양의 미묘한 차이가 만들어내는 다양한 접점을 의미한다. 그러므로 나와 무리를 형성한 중화가 각각 다르고, 너와 무리를 형성한 중화가 서로 다르다. 이것은 각각 서로가 틀린 것이 아니라 음양의 다양한 상호작용에 의해 생성된 중화의 다양성이 서로 다를 뿐이라는 것을 의미한다.

일음일양의 '대립과 통일'은 전체 속에 존재하지 않는 곳이 없는 객관적 보편성을 지닌다. 천지·일월·한서·주야·남여·군신·군자소인·귀천 등등 자연현상에서 사회생활에 이르기까지 대립자가 존재하지 않는 곳이 없으니, 이 대립자를 '一陰一陽'이라 칭하는 것이다.[6] 이처럼 『역전』의 강유상추설은 음양의 대립과 상호작용이 우주 만물의 생성 변화의 원인이며 모든 사물 및 인간 생활의 기저에 흐르는 인사의 기본 법칙이라 보는 것이다.

---

6) 廖明春 외2 공저, 심경호 역, 『주역철학사』, 예문서원, 1994, p.152.

강(剛)과 유(柔)가 서로 작용하니 변화가 그 안에서 일어난
다.[7]

한 괘의 효상(爻象)에서 강과 유가 서로 전환하면 괘상(卦
象)의 변화가 생기는데 이것이 바로 '변화가 그 가운데 있다'라는
뜻이다. 괘효 하나가 효변하면 괘상이 변한다는 것은 음양의 변화가
천지를 변화시킨다는 것을 의미한다. 괘상은 천지 만물을 본떠 만든
것이므로 괘상 그 자체가 하나의 우주이며, 그러므로 괘상의 변화를
통해 천지의 변화를 예측할 수가 있다. 여기에서 '변화'라는 것은 밀
고 당기는 음양의 상호작용이 만들어내는 균형점을 통해 생발되는 것
으로서 '중화'라는 용어로 대신할 수 있다. 즉, 음효와 양효의 상호작
용으로 부딪히는 일진일퇴(一進一退)의 기운이 상호교감을 통해 중화
를 이루는 것은 효변을 통해 새로운 괘상이 태어난다는 것을 의미하
는 것이다.

(3) 음양불측(陰陽不測)

상반된 성질의 대상이 서로 대립하면서 상충하는 경우 서로 간의
타협을 통해 힘의 균형점을 이룰 수는 있지만, 이것만으로 어떤 새로
움이 저절로 생성되지는 않는다. 즉, "강유가 서로 밀고 당기며 부딪
히고 화합하면서 변화를 만들어낸다(剛柔相推而生變化)"라고 하는
것은 단순한 힘의 균형 상태가 아닌 제3의 새로움(변화)이 창조되는

---

7) 『周易』, 「繫辭傳下」 第1章, "剛柔相推, 變在其中矣."

것을 의미한다. 변화란 음양의 대립과 상호작용이 만들어내는 중화의
형태로서 추상적 · 구체적 제3의 새로움, 즉 변화를 낳는 것을 의미하
는 것이다.

중화(中和)는 음과 양의 대립과 상호작용이 중(中)이라는 새로
운 형태의 교합을 일구어내는 작용이다. 『노자』는 이것을 "만물은
음을 짊어지고 양을 끌어안아 충기로써 조화를 이룬다."[8]라고 표
현하고 있으며, 『순자』는 "천지가 합하여 만물이 생겨나고, 음양이
교접함에 변화가 일어난다."[9]라고 하여 음양을 범주 삼아 사물의
생성과 변화의 원리를 설명하였고, 『관자』는 "만물은 음양 양자가
서로를 낳으며 제삼자를 형성한다."[10]라고 하여 만물의 화생을 음
양의 대립과 상호작용이라 규정하고 있다. 이것은 "천지의 기운이
얽히고설킴에 만물이 변화하여 엉기고, 남녀가 정기를 얽음에 만물
이 화생"[11]하는 것으로서 "剛柔相推而生變化강유상추이생변화"라
는 「계사전」의 이치와 그 뜻이 상통하는 것임을 알 수 있다. 즉,
'중(中)이란 음양이 서로 하나(一)된 중화의 자리'이며, 이는 대립
과 대대를 통해 생발되는 『주역』의 괘·효·상·사(卦 · 爻 · 象 · 辭)
에 내재한 기본정신이라 할 수 있다.

『주역』은 일음일양(一陰一陽)이 일진일퇴(一進一退)를 거듭

---

8) 『老子』 第42章, "萬物負陰而抱陽, 沖氣以爲和."
9) 『荀子』, 「禮論」, "天地合而萬物生, 陰陽接而變化起."
10) 『管子』, 「樞言」, "凡萬物陰陽, 兩生而參視."
11) 『周易』, 「繫辭傳下」 第5章, "天地絪縕, 萬物化醇, 男女構精, 萬
物化生."

하며 나아가는 것을 도라 하였으며(一陰一陽之謂道), 이것을 강유상추(剛柔相推)라는 대립과 상호작용성으로 해석하고 있다(剛柔相推而生變化). 강유상추는 음양의 대립과 상반된 모순성을 의미하며, '생(生)'은 대대(對待)하는 모순이 서로 부딪히며 변화를 낳는 신묘한 창조성을 의미하고, '변화'는 음양이 낳은 새로운 제3의 형태, 즉 중화(中和)로 표현되는 추상적·구체적 실체를 의미한다. 『노자』의 입을 빌리면 "이생삼 삼생만물(二生三 三生萬物)"이라 할 수 있다. 二는 음양으로 天地人이라는 형상(三)을 낳고, 三은 만물만상(六)이라는 형질을 펼쳐내는 것이다.

「계사전」은 '낳고 낳아 끝없이 이어지는 우주 만물의 생성과 변화의 이치'를 일컬어 역(易)이라고 말한다.[12] 즉, 음양의 상호작용성이 가지고 있는 '낳음(生)의 창조성'이 곧 신(神)의 묘리임을 의미한다. 묘리(妙理)란 음양의 대립과 상호작용이 생발하는 변화, 즉 새로운 제3의 형태인 중화를 낳는 신묘한 이치를 말한다. 음양의 대소·장단·강약에 따른 대립과 화해의 진퇴 과정을 통해 중화를 이룸으로써 만물을 생장성쇠케 하는 묘리가 곧 '神'인 것이다. 신(神)은 만물을 생멸하는 성질로서 실체를 나타내는 개념이 아니라 음양의 작용성에 내재한 창조성, 즉 변화의 속성을 가리킨다. 그러므로 음양의 상호작용성에 내재한 신은 중화를 낳는 신묘한 이치, 즉 묘리라 할 수 있다.

---

12) 『周易』, 「繫辭傳上」 第5章, "生生之謂易."

음(陰)하고 양(陽)하여 헤아릴 수 없음을 신(神)이라 한
다.13)

신이란 음양의 예측할 수 없는 성질을 의미한다. 장재(張載)
는 단순 대립이 아닌 대립을 통한 균형과 조화를 이루는 묘리
를 '兩在故不測양재고불측'이라 정의하고 있다. 즉, 기는 대립된
양체(음양)가 하나로 통일되어있는 일물(一物)로서 하나로 통
일되어있기에 신묘한 것이며, 대립된 양체를 지니고 있으므로
변화하는 것"14)이라고 만물을 낳는 기의 신묘한 이치, 즉 물상
에 내재한 물리법칙이라 설명한다.

신(神)이란 것은 만물을 묘운(妙運)하는 것을 말한다.15)

『주역』에서 말하는 변화의 도는 음양의 변화가 신묘하고 예
측할 수 없음을 의미한다. 그러므로 신이라는 것은 만물에 내장
된 신묘한 이치가 음양의 작용을 통하여 만물의 변화를 묘운
(妙運)하는 것이라 할 수 있다. 즉, 우주의 모든 변화는 우주를
구성하는 음양이기의 상반된 성질이 있기 때문이며 이것이 사
물을 변화시키는 내재적 원인이 되는 것이다.16)

13) 『周易』, 「繫辭傳上」 第5章, "陰陽不測之謂神."
14) 張載, 『正蒙』, 「參兩」, "一物兩體氣也, 一故神, 兩故化."
15) 『周易』, 「說卦傳」 第6章, "神也者, 妙萬物而爲言者也."
16) 김대수, 「張載의 有的 세계관에 입각한 氣一元論」, 『철학논총』
    73, 새한철학회, 2013, p.368.

해가 가면 달이 오고 달이 가면 해가 와서 해와 달이 서로
미룸에 밝음(明)이 생기며, 추위가 가면 더위가 오고 더위가
가면 추위가 와서 추위와 더위가 서로 미룸에 해(歲)가 이루어
지니, 가는 것은 굽힘이요 오는 것은 펴짐이니, 굴신(屈伸)이
서로 감응하여 이로움(利)이 생긴다.[17]

해와 달이 서로 미룸에 밝음(明)이라는 변화가 생기고, 추위
와 더위가 서로 미룸에 해(歲)라는 변화가 이루어지는 것이니,
이러한 굴신에 의해 이로움(利)이 생하는 것은 음양의 상호작용에
내재한 신묘한 이치의 공능이라 할 수 있다. 즉, 음양이 서로 감응하고
[相感상감], 서로 부비고[相摩상마], 서로 뒤흔듦[相蕩상탕]에 따라서
대립자가 굴신왕래(屈伸往來)·진퇴(進退)·소식(消息)·영허(盈
虛)를 낳아 사물의 모순운동이 전개되는 것이며, 모순운동이 일정한
단계에 이르렀을 때 대립자의 상호 뒤바꿈[轉化]이 일어나는 것이
다.[18]

규괘(睽卦☲)의 「단전」에는 음양의 대립적 통일관이 잘 드러
나 있다.

하늘과 땅은 등지고 떨어져 있으면서도 만물을 낳는 일은

---

17) 『周易』, 「繫辭傳下」第5章, "日往則月來, 月往則日來, 日月相推
而明生焉, 寒往則暑來, 暑來則寒來, 寒暑相推而歲成焉, 往者屈也,
來者信也, 屈信相感而利生焉."

18) 廖明春 외2 공저, 심경호 역, 『주역철학사』, 예문서원, 1994,
p.155.

같다. 남자와 여자는 서로 다르지만 그 뜻은 서로 통한다. 만물은 각각 서로 다르지만 발생하고 성장하며 거두어서 갈무리하는 점에서 그 목적하는 일은 같다.[19]

음양은 어긋나 있어 서로 다르지만 서로 합하여 중(中)을 이루듯 천지는 서로 달라도 그 하는 일은 같으니, 서로 합하여 人(物)을 생한다(天地睽而其事同也). 남녀가 서로 달라도 그 뜻이 통하니 자식을 생하여 천륜을 이으며(男女睽而其志通也), 만물(萬物)은 만상(萬象)으로 서로 달라도 그 일의 목적하는 바가 같으니 종(種)으로써 무리(類)를 지어 천하를 채운다(萬物睽而其事類也).

규(睽)의 어긋남은 우주 만물의 생성 이치로서 서로 다르지만 합하여 하나를 일구고자 하는 목적성은 모두 같다는 의미이다. 만물이란 본래가 음양성을 내포한 동체양면의 태극에서 비롯한 것이기 때문이다. 이처럼 대립(反)하고 화해(合)하면서 생명을 창조하고 기르는 것은 음양의 상호작용에 내재한 신묘함이라고 정의할 수 있다. 음양의 대립과 모순이 만들어내는 불균형은 역설적으로 만물을 생장하고 소멸시키며 순환케 하는 원동력이 되는 것이다.

천지의 조화를 개괄하되 지나치지 않고, 만물을 두루 이루되 빠트리지 않으며, 주야의 도를 통하여 안다. 그러므로 신은 일

---

19) 『周易』, 火澤睽 「象傳」, "天地睽而其事同也, 男女睽而其志通也, 萬物睽而其事類也."

정한 방소가 없고, 역은 일정한 형체가 없다.[20]

"역은 천지와 똑같다(易與天地準)"라는 「계사전」의 명제처럼 괘는 천지의 상을 그대로 담고 있으니 『주역』의 법칙과 천지 만물의 변화는 서로 일치한다. 즉, 역은 천지의 법칙에 준거하여 사물에서 상을 취하여 세운 것이므로 "『주역』의 괘효는 천지의 도를 모두 갖추고 있어 천지와 더불어 똑같다."[21] 또한 "역의 법칙은 천지와 더불어 같으므로 서로 어긋나는 법이 없다."[22] 그러므로 역은 천지의 조화를 개괄하되 벗어나는 일이 없으며 만물을 두루 이루어 하나라도 빠트리는 법이 없는 것이다. 이는 역의 이치를 알면 천지운행의 이치와 그 변화를 알 수 있다는 뜻이다.

신(神)과 역(易)이 고정된 방소나 형체가 없다는 것은 괘효의 변화가 어느 한 가지 방향으로 고정되어 있지 않아서 한 가지 격식에 얽매이지 않는다는 것을 말한다. 신은 음양불측(陰陽不測)한 신이다. 신은 혹은 양에 있고, 혹은 음에 있어 일정한 방향이 없으며, 또한 음은 양을 낳고 양은 음을 낳아 그 변화가 무궁하니,[23] 역이란 본디 고정된 본체가 없다. 그러므로

---

20) 『周易』, 「繫辭傳上」 第4章, "範圍天地之化而不過, 曲成萬物而不流, 通乎晝夜之道而知, 故神无方而易无體."
21) 朱熹, 『周易本義』, "易書卦爻, 具有天地之道, 與之齊準."
22) 『周易』, 「繫辭傳上」 第4章 ,"與天地相似, 故不違."
23) 朱熹, 『周易本義』, "陰生陽, 陽生陰, 其變無窮."

역은 "천지가 드러내 주면 성인이 이를 근거해서 완성한 것"24)이니, "변화의 도를 아는 자는 신의 하는 바를 안다."25)라고 할 수가 있는 것이다.

"전체적으로 보면 『역전』의 본체론 학설은 유물론적이다. 선진시대 철학 가운데 『역전』은 이론 사유의 형식을 가지고 가장 체계적으로 유물론적 우주 생성관을 제시하고 있다. 『역전』의 이 유물론적 우주 생성관은 역학사와 철학사에 깊은 영향을 끼쳤다. 그래서 세계 본원에 대한 뒷사람들의 허다한 이론들은 표현 형식과 내용에서 대부분 『역전』의 학설을 기초로 하였다 ."26)

---

24) 范蠡, 『國語』, 「越語下」, "天地形之, 成人因而成之."
25) 『周易』, 「繫辭傳上」 第9章, "知變化之道者, 其知神之所爲乎."
26) 廖明春 외2 공저, 심경호 역, 『주역철학사』, 예문서원, 1994, p.151.

2) 괘의 상수화(象數化)

"역은 천지와 똑같다(易與天地準)"라는 『주역』의 명제는 괘상은 성인이 앙관부찰하여 천지 만물의 형성과 그 변화의 과정을 본뜬 것으로서 『주역』의 법칙은 천지자연의 법칙과 일치한다는 것을 의미한다. 「계사전」은 "상은 성인이 천하 만물이 너무 잡란함을 보고서 그 모양새를 본떠서 사물의 마땅함을 형상한 것이니, 이런 까닭으로 그것을 상이라 부른다."[1]라고 광대무변한 천하 만물을 간략하게 괘상으로 범주화하였음을 밝히고 있다.

또한 "하늘에서 셋(參)을 취하고 땅에서 둘(兩)을 취해 숫자에 의지하였으며, 음양이 변화하는 것을 관찰하여 괘를 세우고 굳셈(剛)과 부드러움(柔)을 발휘해서 효(爻)를 내었다."[2]라고 하여, 근본적으로 양효는 3이 되고 음효는 2라 하였으며, 이것은 상과 수가 본래 『주역』 속에 들어있음을 의미한다. 천지를 준거하여 세운 괘상은 기본적으로 음효(--)와 양효(—) 2개의 효를 구성요소로 한 것이며, 『역전』은 기(奇)·우(偶)의 수로써 음양이기를 사물의 이치로 파악하고 있다.[3] 즉, 홀수(奇)는

---

1) 『周易』, 「繫辭傳上」 第12章, "是故, 夫象, 聖人有以見天下之賾, 而擬諸其形容, 象其物宜, 是故謂之象."
2) 『周易』, 「說卦傳」 第1章, "參天兩地而倚數, 觀變於陰陽而立卦, 發揮於剛柔而生爻."
3) 『周易』, 「繫辭傳下」 第4章, "陽卦多陰, 陰卦多陽, 其故何也, 陽卦

양효(一)를 상징하고, 짝수(偶)는 음효(--)를 상징함으로써 상과 수는 상호전화되는 것이며, 이는 상이든 수이든 근본은 음양 이기의 틀을 벗어나지 않는다는 것을 의미한다.

한대 상수학의 비조라 할 수 있는 맹희의 괘기론(卦氣論)을 12벽괘의 음양소장(陰陽消長)의 관점에서 살펴보고, 이를 이어 받아 발전시킨 경방의 음양이기설(陰陽二氣說), 즉 음양의 대립과 변역(變易)의 논리를 탐색함으로써 음양이기가 교호(交互)하여 만물을 낳는 상호작용성에 관하여 고찰해 본다.

(1) 맹희(孟喜)의 괘기설(卦氣說)

한대 역학의 특징은 『주역』에 있던 복서(卜筮)의 측면이 발전한 상수학으로서 맹희(孟喜)의 괘기설과 이를 발전시킨 경방(京房)이 대표적이라 할 수 있다. 맹희의 괘기설은 사계절의 순환 과정을 표상한 것으로 12개월 사시의 변화를 음양이기의 소식(消息) 과정을 통해 12벽괘(碧卦)의 변화로써 설명한 것이다. 12벽괘는 12소식괘 또는 12개월괘라고도 하는데 24절기와 72절후의 변화를 표상한다.

양기는 여름에 왕성하여 궁극에 이르게 되면 가을로 반전되어 음기가 도래하게 되고, 음기는 겨울에 왕성하여 궁극에 이르게 되면 봄으로 반전되어 다시 양기가 도래한다."4) 즉, 중지곤

奇, 陰卦耦."

(重地坤☷☷)괘에서 일양(一陽)이 시생하여 하나씩 쌓임으로써 중천건(重天乾☰☰)괘에 이르러 양기가 극에 달하게 되면 음이 하나 시생하여 쌓여가면서 양기의 쇠락이 시작되고 다시 중지 곤괘로 되돌아오는 과정을 육효로 괘상화한 것이 12벽괘이다. 이것은 "역이란 음양이기가 굴신하며 때를 따라 변역하는 것을 의미하는 것"[5]이며, 음양의 강유상추 작용이 음양이기의 대소·장단·강약이라는 미묘한 차이에 따라 두 기운이 늘어나고 줄어드는 음양소장의 변화를 괘상으로 드러내는 것을 말한다.

상반된 성질의 음과 양이 강유상추라는 대립 관계를 이루고 있으면서도 서로 보완하며 상호의존하고 있음을 보여주는 것이 「태극음양도」이다. 즉, 양이 부족하면 음이 채워주고, 음이 부족하면 양이 채워줌으로써 태극을 이루는 하나(一)라는 원(圓)은 변함이 없다. 전체적으로 보면 음과 양은 서로 대립하면서도 공존을 위하여 지엽적인 면에서 서로 부족한 부분을 채워주며 상호작용하는 대대 관계에 있다.[6]

계절에 따른 12벽괘의 음양소장을 살펴보면, 음양의 기운은 시간의 흐름에 따라 대소·장단·강약이 서로 다르지만 1년이

---

4) 朱伯崑, 김학권 외4 공역, 『역학철학사1』, 소명출판, 2012, p.109-110.
5) 최영진 외3 공역, 『周易傳義』元, 「易說綱領」, 전통문화연구회, 2021, p.105, "易是陰陽屈伸, 隨時變易."
6) 박규선·최정준, 「음양의 대립과 통일에 관한 인문학적 고찰」, 『동양문화연구』 제36집, 동양문화연구원, 2022, p.97.

라는 관점에서 보면 하나(1)라는 전체는 변함이 없다. 즉, 부분적으로 보면 지엽적인 음양(氣)의 불균형은 계절의 다양한 변화를 야기하지만 전체적인 관점에서 보면 음양은 항상 균형과 조화를 유지한다는 것을 알 수 있다.

(2) 경방(京房)의 음양이기설(陰陽二氣說)

경방역학은 『역전』의 음양설을 발전시킨 음양이기의 대립과 물극즉반(物極則反)의 변역설(變易說)로 설명된다. 『경씨역전』에서 말하는 음양은 역학의 최고 범주일 뿐만 아니라, 철학의 최고 범주이기도 하다. 경방의 괘기설을 비롯하여 팔궁괘설, 납갑설, 오행설 등을 관통하는 기본 사상은 음양이며, 『주역』의 변화는 곧 '음양의 변역'을 가리킨다.[7] 12개월을 괘상으로 표상한 12벽괘의 음양소장을 영허소식(盈虛消息), 물극즉반의 논리로 해석한 경방 역학의 기본 사상은 바로 음양이기의 대립과 상호전화라 할 수 있다.

> 산책을 모아서 괘를 따라 궁(宮)을 일으키니 건(乾) · 곤(坤) · 진(震) · 손(巽) · 감(坎) · 리(離) · 간(艮) · 태(兌)가 되어 팔괘가 서로 뒤엉킨다. 두 기운, 즉 양은 음 속으로 들어가고, 음은 양 속으로 들어가 두 기운이 상호 작용하며 쉬지 않는다. 그러므로 낳고 낳는 것을 역이라 하는 것이니, 천지 안에 통하지 않음이 없다.[8]

---

7) 朱伯崑, 김학권 외4 공역, 『역학철학사1』, 소명출판, 2012, p.317.

경방역학에서 주목되는 것은 음양이기설을 가지고 맹희의 괘기설을 해석한 점이다.[9] 상반된 성질의 음과 양이 서로를 의존하며 상호작용을 통해 변화를 낳는 것을 "生生之謂易생생지위역"이라 정의한다. 여기에서 상호작용이라 함은 음양의 대소·장단·강약에 따라 음양의 늘어남과 줄어듦의 미세한 차이가 서로 다른 다양한 만물을 생하는 신묘한 이치를 가리킨다. 이것은 주희(朱熹)의 "음은 양을 낳고 양은 음을 낳아 그 변화가 무궁하다."[10]라는 말과 그 의미가 상통한다. 경방은 이러한 음양이기의 소식작용에 의한 만물의 변화를 수풍정(水風井䷯)괘에서 다음처럼 표현하고 있다.

음이 생겨나면 양이 사라지고, 양이 생겨나면 음이 사멸해나가 두 기운이 교호(交互)하여 만물이 생겨난다.[11]

양이 하나 생겨난 복(復䷗)괘에서 시작하여 양이 점차 늘어나면 음이 줄어들어 임(臨䷒)·태(泰䷊)·대장(大壯䷡)·쾌(夬䷪)를 거쳐 건(乾䷀)괘에서 양기가 극에 달하게 된다. 그리하면 물극즉반의 이치로 건(乾䷀)괘에서 음이 하나 생겨나 점차 늘어나게

8) 京房, 『京氏易傳』, "積算隨卦起宮, 乾坤震巽坎離艮兌, 八卦相蕩, 二氣陽入陰, 陰入陽, 二氣交互不停, 故曰, 生生之謂易, 天地之內, 无不通也."
9) 廖明春 외2 공저, 심경호 역, 『주역철학사』, 예문서원, 1994, p.183.
10) 朱熹, 『周易本義』, "陰生陽, 陽生陰, 其變無窮."
11) 京房, 『京氏易傳』, "陰生陽消, 陽生陰滅, 理氣交互, 萬物生焉."

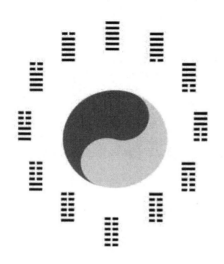

되면 양이 줄어들면서 구(姤☰)·돈(遯☰)·비(否☰)·관(觀☰)·박(剝☰)괘를 거쳐 곤(坤☷)괘에서 다시 음기가 극에 달하게 된다.

이렇듯 괘상으로 표상한 12개월간의 사물의 변화는 결국 음양이기의 진퇴와 상호작용에 불과한 것으로서, 『역전』의

<그림 2> 십이벽괘도와 태극

"剛柔相推而生變化강유상추이생변화"의 의미를 12개월에 걸쳐 12벽괘가 영허소식(盈虛消息)하는 모습으로 표현한 것이다. "변화라는 것은 나아감과 물러남의 상"[12]으로 교호(交互)는 강유상추 상호작용을 의미하며 사물을 낳는 신묘한 이치를 뜻한다.

12개월을 순환하는 12벽괘도의 구조는 양기가 생장하는 봄과 여름을 구성하는 복(復☷), 임(臨☷), 태(泰☷), 대장(大壯☷), 쾌(夬☰), 건(乾☰), 그리고 반대로 양기가 줄어들고 음기가 시생하는 가을과 겨울을 구성하는 구(姤☰), 돈(遯☰), 비(否☰), 관(觀☰), 박(剝☰), 곤(坤☷)괘가 서로 대립과 대대 관계를 이루고 있는 배합 관계에 있

---

12) 『周易』, 「繫辭傳上」 第2章, "變化者進退之象也."

음을 알 수 있다.

12벽괘를 표현한 원도에서 상호대립하는 괘상 간의 상합(相合)은 결국 부모괘(父母卦)인 건(乾☰)·곤(坤☷)의 상으로 귀결된다. 즉, 12벽괘는 건곤이괘(乾坤二卦)가 12개월을 따라 음양이기(陰陽二氣)가 소장(消長)하는 변화의 상을 괘상으로 표현한 것에 불과하다. 12벽괘의 음양소장의 이치는 하나(1)라는 원(圓)을 이루는 음양이기의 상호작용을 표상한 태극의 이치를 벗어나지 않는다.

경방은 간(艮☶)괘의 해석에서 "양이 극에 다다르면 멈추어 반대로 음의 형상을 낳는다."[13]라고 했으며, 또한 정(井☵)괘의 해석에서는 "음이 생겨나면 양이 줄어들며, 양이 생겨나면 음이 사멸해나가 두 기운이 서로 어우러져 만물이 생겨난다."[14]고 하여 음양소식이 만물의 영허성쇠하는 근본원리임을 인식하였다. 또한 승(升☷)괘의 해석에서는 "아래에서 위로 올라와서 끝에 이르렀으니, 끝에 다다르면 반대로 향하기 마련이다. 이로써 도를 잘 닦아서 그 몸을 이룬다."[15]라고 하여 12벽괘의 근본원리인 물극필반(物極必反)의 이치를 깨달아 도에 이르라 하였다.

경방은 대립(對立)과 전화(轉化), 그리고 상호작용에 의한 괘상의 변화를 통해 음양의 변화가 인간사의 길흉을 결정한다고 보았다. "음양은 서로 갈마들어 극점에 이르면 반대로 향하는 것"[16]이며, "사물

---

13) 京房, 『京氏易傳』, "陽極則止, 反生陰象."
14) 京房, 『京氏易傳』, "陰生陽消, 陽生陰滅, 理氣交互, 萬物生焉."
15) 京房, 『京氏易傳』, "自下升高, 以至於極, 至極而反, 以修善道而成其體."

은 끝이 없으니, 극에 다다르면 마침내 반대로 향하게 되는 것"17)이니 천하 만물의 변화와 그 변화가 만들어내는 인사길흉이란 결국 음양소장의 원리로써 물극필반의 이치를 따르는 것이라 할 수 있다.

경방의 괘기설은 맹희의 괘기설과는 다소 차이가 있다. 맹희는 4정괘를 제외한 60괘 360효를 1년의 일수에 배당하였으나 경방은 감(坎☵)·리(離☲)·진(震☳)·태(兌☱) 4정괘도 1년의 일수에 넣어 64괘 384효를 배당하였다.

이러한 차이에도 불구하고 "철학사에서 보자면 맹희, 경방 역학의 큰 공헌은 음양 두 기운의 운동 변화법칙으로『주역』의 기본원리를 해석한 것인데, 이는 유물론자와 유심론자를 포괄하는 후대 철학가들이 세계의 본원과 그 운동 변화의 법칙을 탐구하는 데 있어 매우 중대한 영향을 미쳤다."18)라고 할 수 있다.

경방이 건립한 역학 체계는 기후를 점치는 술책으로 발전되어 음양재변(陰陽災變)을 무리하게 선양함19)으로써 서한 말기에 참위(讖緯)가 유행하는 빌미를 자초하게 된다. 이것은 노장현리(老莊玄理)를 존숭하는 왕필의 의리역학이 출현하여 지배적 사상이 되는 계기를 제공하게 되었고, 이로써 왕필은 '의(意)를 얻음으로써 상(象)을 잊는다'라는 득의망상설(得意忘象

---

16) 京房,『京氏易傳』, "陰陽相蕩, 至極則反."
17) 京房,『京氏易傳』, "物不可極, 極則反."
18) 朱伯崑, 김학권 외4 공역,『역학철학사1』, 소명출판, 2012, p.347.
19) 朱伯崑, 김학권 외4 공역,『역학철학사1』, 소명출판, 2012, p.341.

說)을 내세워 도가현학의 도(道)와 무(無)를 역에 끌어들여 상
수역학을 일소하게 된다.

3) 의리역학(義理易學)

왕필(王弼)은 지나치게 번쇄한 한대 상수학의 폐단을 일소하고자 "有生於無유생어무"를 앞세운 노장사상으로 역을 해석하는 사조를 열었다. 상수(象數)를 배척하고 『역전』 중의 의리(義理)에 집중함으로써 후세의 유가들에게 '상수를 청소하고 의리로 돌아갔다'라는 평가를 받게 된다. 왕필의 『역경』 해석에서 특징적인 것은 괘상을 사용하지 않고 오로지 의리에만 주목하고 있다는 점이다.[1] 그러므로 한대 상수학의 번잡해진 폐단을 일소하고자 의리를 과도하게 추구하다 보니, 오히려 현학의 틀에 갇혀 『주역』의 본의에서 벗어난 현학적 유심주의에 빠지는 결과를 초래하였다.

천하 만물이 유에서 생기고, 유는 무에서 생긴다.[2]

도는 하나를 낳고 하나는 둘을 낳고 둘은 셋을 낳고 셋은 만물을 낳는다.[3]

『노자』에서 천하 만물은 有에서 생기지만 有는 無에서 생긴다고 하여 우주의 시원을 有가 아니라 無, 즉 道라고 보았다. 『노자』의 '하나(一)가 둘(二)을 낳고 둘이 셋(三)을 낳고 셋이

---

1) 廖明春 외2 공저, 심경호 역, 『주역철학사』, 예문서원, 1994, p.301.
2) 『老子』 第40章, "天下萬物生於有, 有生於無."
3) 『老子』 第42章, "道生一, 一生二, 二生三, 三生萬物."

만물(六)을 낳는다'라는 말은 『역전』의 '태극이 양의를 낳는다 (太極生兩儀 태극생양의)'라는 말과 의미가 같다. 이(二)와 양의 (兩儀)는 음양이라는 의미로 쓰인다.

그러나 『노자』는 태극(有)의 앞에 도(無)를 하나 더 놓음으로써 태극의 본원이 무(無)라는 논리를 전개하고 있다. 왕필 현학의 기본명제는 "천지 만물(有)은 모두 무(無)를 근본으로 한다."[4]는 것이다. 그러므로 도(0)가 태극(1)를 낳는 것은 곧 무(0)가 유(1)를 낳는다는 의미가 됨으로써 이러한 도가현학은 『역전』의 본의와는 거리가 있다고 할 수 있다.

왕필의 『역경』 해석은 인간사의 당위론적인 도덕, 정치철학에 집중되고 있으며 『역경』에 나오는 괘효의 상호작용성, 즉 우주생성론이나 만물의 상호작용 등 우주론적 거대담론은 애써 무시한다. 『역전』은 역이란 천지를 준거하여 세운 것이므로 "역은 천지는 똑같다(易與天地準)"라는 명제를 전제로 한다. 그러므로 천지 만물을 앙관부찰하여 세운 괘상은 자연의 일부인 인간을 비롯한 천지 만물의 영허성쇠의 이치는 물론 인사길흉도 괘의 원리로 설명하는 '리·상·수 (理·象·數)'가 함유되어 있다고 할 수 있다.

그러나 "有의 시작은 無를 本으로 한다."[5]라는 현리(玄理)는 형이상학적 허무(虛無)를 사물의 운동과 변화의 소이연(所以然)으로 모두에 앞서 선재한다고 봄으로써 음양이기의 상호작용성을 표상한 상

---

4) 『晉書』, 『王衍傳』, "天地萬物皆以無爲本."
5) 王弼, 『老子注』第40章, "有之所始, 以無爲本."

수학의 형이하학적 기(氣)를 애써 무시하는 결과를 가져왔다.

왕필의 역을 계승하여 발양시킨 한강백(韓康伯)은 「계사전」의 "역에는 태극이 있고 이것이 양의를 낳는다(易有太極 是生兩儀)" 라는 의미를 다음과 같이 해석하고 있다.

> 유는 반드시 무에서 비롯되기 때문에 태극은 양의를 낳는다. 태극은 무에 대한 명칭으로 부득이한 명명이며, 유의 지극함을 취해 이를 비유하여 태극이라 했다.6)

음양의 상대적 개념으로서 미분된 상태로 하나를 이루고 있는 태극은 역학적 의미에서는 양의를 낳는 유(有)를 의미한다. 양의는 천지 또는 음양이기를 가리킨다. 그러므로 '유는 반드시 무에서 비롯된다(有必始於無)'라는 노장현리(老莊玄理)를 역의 본의라 여기는 왕필의 도가현학은 태극을 무(無)로 취급함으로써 우주의 시원을 다루는 담론에서는 『역전』과의 관점이 확연히 다르게 나타난다. 역설적으로 왕필의 역은 추상적 개념의 형이상학적 도의 선재성(先在性)을 전제하고 현학지도(玄學之道)를 논증하는 수단으로서 오히려 역을 활용하였다고도 볼수 있다.

노장현학은 상수이면에 내재된 괘의를 추구함으로써 '의를 얻음으로써 상을 잊는다(得意忘象)'라는 종지로써 상수를 무시

---

6) 韓康伯, 「繫辭注」, "夫有必始於無, 故太極生兩儀也, 太極者, 无稱之稱, 不可得而名 取有之所極, 況之太極者也."

한 결과 음양의 상호작용이라는 구체적이고 형이하학적인 기(氣)의 현상을 소홀히 하고 있음을 알 수 있다. 그러므로 허무의 실체로서 추상적 개념에 불과한 도의 선재성을 전제하고, 음양은 그에 기대어 인간사 위주의 편벽된 도덕적 당위성을 추구함으로써 왕필역은 현학적 유심주의에 빠지게 된다. 이것은 상수학에 대한 극단적 반발로 현학이 형성된 것이며, 그러므로 이는 음양의 상호작용성을 애써 경시하고 물상을 무시함으로써 도라는 개념의 추상적 허무(虛無)에 집착하고 있음을 보여주는 결과라 할 수 있다.

> 무(無)라는 것은 만물을 열어주고 일을 이뤄주니 두루 편재해 있다. 음양은 이에 기대어 생겨나고, 만물은 이에 기대어 형체를 이룬다.[7]

"이러한 관점은 음양 두 기가 세계의 본원이라는 사유에 대한 부정일 뿐만 아니라 동시에 음양이 상반되면서 상생한다는 이론에 대한 부정이기도 하다. 이러한 사유체계는 유심주의이면서 또 형이상학이다."[8] 왕필의 현학은 무(無)를 태극이라는 유(有)의 앞에 놓음으로써 근본적으로 『역전』과는 사유체계가 다르다.

『역전』에서의 태극은 상반된 음양이 미분된 상태로서 하나

---

7) 『晉書』, 「王衍傳」, "無也者, 開物成務無往不存者也, 陰陽恃以化生, 萬物恃以成形."
8) 朱伯崑, 김학권 외4 공역, 『역학철학사2』, 소명출판, 2012, p.160.

(一)를 이루고 있는 유(有)를 가리킨다. 그러므로 현학은 음양이 온갖 사물의 제 바탕이 없어지고 텅 빈 상태인 '허무한 실체(空無)에 기대어 만물을 이룬다'라는 추상적 논리모순이 발생한다. 이것은 음양의 대립과 상호작용에 대한 논리 구조를 제공하는 "한 번은 음이 되고 한 번은 양이 되는 것을 도라 한다."[9]라는 음양전화(陰陽轉化) 사상에 근거한 한대 역학에 대한 부정이기도 하다.

『역전』에서의 태극이란 음양미분의 혼돈 상태, 즉 유(有)가 되지만, 『노자』 철학의 최고 범주인 도는 무(無)이다. 그러나 현대물리학적 관점으로 무(無)를 무형(無形)의 사물로, 유(有)를 유형(有形)의 사물로 해석한다면 『노자』의 무는 허무(虛無)가 아니라 오히려 묘유(妙有)에 가깝다고도 할 수 있다.

무극〔無〕은 음양의 상호작용성이 없는 에너지 제로의 상태(0), 태극〔有〕은 음양의 상대성이 상호작용하는 에너지의 작상태(1), 즉 무극은 정(靜), 태극은 동(動)으로 이해하면 동·정(動·靜)의 대립은 『역전』의 사유체계를 관통하는 '음양의 대립과 상호작용'이라는 근본원리와 상통하게 된다.

> 그러므로 유(有)와 무(無)는 상생하며, 어려운 것과 쉬운 것은 서로 어울려 형성되고, 긴 것과 짧은 것도 서로 비교하여 대조하며, 높은 것과 낮은 것도 서로 기댄다. 음(音)과 소리는 서로 어울려 조화를 이루고, 앞과 뒤는 서로 이어진다.[10]

---

9) 『周易』, 「繫辭傳上」 第5章, "一陰一陽之謂道."

왕필은 『노자』의 무의 개념으로 한대 상수학의 번쇄한 이론을 일소하고자 노장현리로써 역을 해석하였지만, 『노자』는 결코 음양의 작용성을 무시한 것이 아니며 오히려 『노자』 42장은 우주생성론적 관점으로 이해할 수 있다.

도는 하나를 낳고 하나는 둘을 낳고 둘은 셋을 낳고 셋은 만물을 낳는다. 만물이란 음을 지고 양을 안고 있는 것이며, 음양이 서로 뒤엉켜 갈마들며 중화지기(中和之氣)를 이룸으로써 만물의 조화를 이룬다.[11]

음양의 상대성으로 이루어진 태극(1)은 음양(2)이라는 기를 낳고, 음양은 대립과 화해라는 상호작용으로 天地人(3)이라는 씨앗(DNA)을 낳음으로써 천지인이 만물만상(6)을 이룬다. 천지인(3)은 각각의 음양성(2)으로 6을 이루니 이는 만물을 표상한 『주역』의 6효를 상징한다.

『노자』의 "二生三 三生萬物"은 『천부경』에서 "天二三 地二三 人二三 大三合六"으로 정의된다.[12] 즉 天地人(三) 속에 내재된 일태극(一太極)은 天一地一人一로 표현되고, 天一地一人一은 각각 음양성(二)으로 만물(三)을 생하니 天二三 地二三

---

10) 『老子』 第2章, "故有無相生, 難易相成, 長短相形, 高下相傾, 音聲相和, 前後相隨."
11) 『老子』 第42章, "道生一, 一生二, 二生三, 三生萬物, 萬物負陰而抱陽, 沖氣以爲和."
12) 『天符經』, "天二三, 地二三, 人二三, 大三合六生七八九"

人二三이 되는 것이다. 그리고 천지인 상호작용의 질료인 음양을 합하니 육(六)으로서 大三合六의 뜻이 되고, 六은 육효(六爻)로 표상되어 천지인 만물의 상호작용을 표현한다.

만물이란 음양이기로 이루어진 것으로서(萬物負陰而抱陽) 음양의 대립과 화해의 진퇴 과정을 통해 중화지기로써 균형과 조화를 이룬 상태를 말한다(冲氣以爲和). 충기이위화(冲氣以爲和)는 음양이기가 상호작용 중에 화해의 상태가 되면 교감작용이 발생하여 그로부터 만물이 생산된다는 의미이다. 교감작용을 통해 화해를 이룬 두 기는『노자』가 말한 충기(冲氣)이다. 『관자』는 만물(人)의 생성에 대해 조화를 이룰 때 生이 되는 것이며, 조화를 이루지 못하면 不生이라 하여 화(和)와 생(生)의 관계를 강조하고 있다.13) 여기에서 도생일(道生一)의 도(道)를 역유태극(易有太極)의 역(易)으로 대신하면 역도(易道)는 우주 삼라만상을 최고의 범주로 통칭하는 본원으로서의 추상적 개념이 될 수 있다.

선진시기『노자』이후에 도가를 대표하는『장자』에서는 음양이 만물의 근원인 도를 구성하는 이기(二氣)로 표현되고 있다.

맑은 하늘과 탁한 땅의 기운, 음양의 기운이 조화를 이루니, 만물의 생동하는 소리가 두루 밝게 퍼진다.14)

---

13) 『管子』, 「內業」, "凡人之生也, 天出其精, 地出其形, 合此以爲人, 和乃生, 不和不生."
14) 『莊子』, 「天運」, "一淸一濁, 陰陽調和, 流光其聲."

이것은 천지로 지칭되는 양기와 음기가 서로 상충과 조화라는 진퇴의 과정을 통해 균형과 조화라는 중화를 이룸으로써 만물이 생동하는 모습을 설명한다. 또한『장자』는 음양의 상호작용성을 다음처럼 표현하고 있다.

> 음양은 각각 천지에서 생겨나 음은 아래로 양은 위로 향하다가 그 중간에서 만나 조화의 상태에 다다른다. 이렇게 해서 만물이 생겨난다.[15]

『노자』는 "반대로 되돌아가는 것이 도의 움직임이다."[16]라고 사물의 순환에 대해 정의하고 있다. 반(反)이란 상반된 방향으로의 전화(轉化)라는 뜻으로 반자(反者)란 순환 반복의 변화운동을 말하며, 이것은『주역』에서 말하는 '사물이 정점에 이르면 반드시 반대의 상태로 나아간다'는 물극필반(物極必反)의 이치와 통한다. 이는 한대 상수학의 비조라 할 수 있는 경방(京房)의 글과도 비교된다.

> 아래에서 위로 올라와서 끝에 이르렀으니, 끝에 다다르면 반대로 향하기 마련이다. 이로써 도를 잘 닦아서 그 몸을 이룬다.[17]

---

15)『莊子』,「田子方」, "至陽肅肅, 至陽赫赫, 肅肅出於天, 赫赫發於地, 兩者交通成和而物生焉."
16)『老子』第40章, "反者道之動."
17) 京房,『京氏易傳』, "自下升高, 以至於極, 至極而反, 以修善道而成其體."

음양전화(陰陽轉化)의 이치는 상반된 양면으로서의 음양이 대립과 상호작용을 통해 중화를 이루는 과정에서 '기운이 극에 달하면 변한다'라는 지극이반(至極而反)'의 원리로 드러난다. 결과적으로 조화를 지향하는 음양의 대립과 상호작용성은 상수역학이든 의리역학이든 어떤 방식과 어법으로 설명하더라도 기본적으로 내재하고 있는 철학이라 할 수 있다.

왕필의 의리역학은 과학적 논거에 바탕을 둔 철학적 논리의 전개라기보다는 도덕적 당위성에 바탕을 둔 형이상학적 유심론에 가깝다고 할 수 있다. 도의 선재론을 바탕으로 유생어무(有生於無)라는 현학적 논리를 전개함으로써 형이하학으로서의 자연과학적 요소가 무시되고 있음을 알 수 있다.

역은 천지 만물을 준거하여 세워진 괘상을 가리킨다(易與天地準역여천지준). 그러므로 역의 해석은 괘의 효(爻)를 바탕으로 괘·효사(卦·爻辭)에 대하여 이루어지는 것이 마땅하다. 상수(象數)의 배후에 있는 무형무명(無形無名)의 리(理)를 탐구한 의리역학도 현대적 수리와 자연과학적 논거를 바탕으로 인간 본연의 당위론적 존재성을 설명할 수 있어야 한다. 상수에 대한 극단적 배척의 논리는 복잡다단한 만물의 영허성쇠의 리(理)를 모두 통섭하기는 어렵다. 결과적으로 상수학이든 의리학이든 또는 물리학이든 근본적으로 음양이기의 상호작용성이 낳는 중화생성론의 이치를 벗어나지 않는다 라는 것을 알 수 있다.

그러므로 "의리파는 『주역』의 문사(文辭)를 통하여 『주역』의 철학적 대의를 밝히는 데 중점을 두었고, 상수파는 역의 상과 수를 밝히는 데 중점을 두었다. 역학의 분파는 이름이 많고 복잡하지만 결코 이 두 파를 벗어나지 않는다."[18]라고 정리할 수 있겠다.

---

18) 廖明春 외2 공저, 심경호 역, 『주역철학사』, 예문서원, 1994, p.41.

4) 리(理)와 기(氣)와 수(數)의 우주론

철학사적 관점에서 보면, 왕필학파는 노장현학적 전통으로『
주역』을 해석했기 때문에 한대 역학의 유물주의적 요소와 변증
법 사유까지도 일소해 버리는 결과를 가져왔다. 그러므로 송명
시기의 사상가들은 왕필학파 역학의 노장현학적 관점을 배격하
고, '유는 무에서 비롯된다(有生於無)'라는 이론을 부정하면서
위진현학은 점차 수학파의 소옹(邵雍), 리학파의 정이(程頤),
기학파의 장재(張載)로 대표되는 송명이학(宋明理學)으로 전
환되기 시작한다.1) 이후 리기론(理氣論)의 치열한 논쟁은 형이
상과 형이하를 포괄하는 역학의 우주론으로 확장되었지만 세
학파의 범주를 크게 벗어나지는 않았다고 할 수 있다.

기(氣)는 질료로서 사물의 바탕이 되고, 리(理)는 사물의 특
성이 되며, 수(數)는 사물이 정밀하게 조직화되는 과학적 근거
가 된다. 본 장에서는 음양의 대립과 상호작용을 통해 사물을
구성하는 요소인 리·기·수(理·氣·數)의 물리적, 인문적 공통
성을 다루기 위해 세 학파의 이론을 중심으로 살펴보았다.

(1) 소옹의 리수론(理數論)

소옹(邵雍)의 역학은 수학 체계로 괘의 생성원리를 탐구함으

---

1) 朱伯崑, 김학권 외4 공역,『역학철학사2』, 소명출판, 2012, p.161.

로써 우주 일체를 개괄하는 데 특징이 있다. 역에는 본래 상과 수가 있으며, 전통역학은 상으로써 리를 밝히는 데는 강했지만, 이때의 수는 사실상 서술(筮術)에 불과했으며 수학과는 거리가 멀었다. 시책(蓍策)을 나누고 합치는 계산을 수라고 여겼으니 이는 이미 수리로써 자연을 이해하는 정도를 벗어난 것이라 할 수 있다.[2]

소옹의 「복희팔괘차서도」를 중심으로 괘상의 생성원리와 수리적 이치로 괘가 형성되는 과정을 살펴본다.

소옹은 '하나가 둘로 나뉜다(一分爲二)'라는 법칙으로써 하늘과 땅 및 만물의 형성 과정을 해석했다.[3] 태극(一)에서 음양(二)이 나뉘고, 음양은 각각 다시 음양으로 나뉨을 반복함으로써 사상, 팔괘, 64괘를 거쳐 끝없이 분화해 간다. 하나(一)가 둘(二)로 나뉜다는 것은 음양의 분화를 의미한다. 여기에서 하나(1)는 태극을 가리킨다. 태극(一)에서 음양(二)이 시생하여 8괘(소성괘)와 64괘(대성괘)를 펼쳐내는 「복희팔괘차서도」는 '유생어무(有生於無)'라는 현학에 대한 부정이기도 하다.

팔괘가 서로 어울린 다음에 만물이 생겨났다. 이런 까닭에 1이 나뉘어 2가 되고, 2가 나뉘어 4가 되고, 4가 나뉘어 8이 되고, 8이 나뉘어 16이 되고, 16이 나뉘어 32가 되고, 32가 나뉘어 64가 되니, 그러므로 말하기를 음양으로 나뉘고 강유가 교

---

2) 고회민, 곽신환 역, 『소강절의 선천역학』, 상지사, 2011, p.56.
3) 朱伯崑, 김학권 외4 공역, 『역학철학사3』, 소명출판, 2012, p.265.

대로 사용된 까닭에 역은 여섯 자리를 갖추고서 하나의 문장을 이룬다. 십(十)이 나뉘어 백(百)이 되고, 백이 나뉘어 천(千)이 되고, 천이 나뉘어 만(萬)이 된다. 마치 뿌리에 줄기가 나고, 줄기에 가지가 나며, 가지에 잎이 나는 것처럼, 커질수록 그 수는 더욱 적어지고 세밀할수록 그 수는 더욱 많아지니, 이것을 합하면 하나(一)가 되고 펼치면 만(萬) 가지가 된다.[4]

2^n으로 숫자가 끝없이 커질수록 사물 입자는 더욱 초미세해지고, 세세해질수록 입자의 수는 늘어나지만 결국은 백천만억의 무궁함에 이르게 되면 더는 나뉘지 않는 전일적 하나(一)의 통일체로 귀결된다. 음과 양은 분화되어 배가될수록 더욱 은미하게 세분되며, 여섯 개의 효로 구성된 64괘에서 일단락되었을 뿐 수리적으로는 무한괘로의 확장이 가능한 것이다.[5]

8괘와 64괘의 성립 과정에는 가일배법이라는 이진법적 수리가 작용한다. 즉, 내재하고 있는 수리적 이치에 의해 상이 성립되는 과정이라 할 수 있다.

---

4) 『欽定四庫全書』, 「皇極經世書」 卷13, 觀物外篇上, "八卦相錯, 然後萬物生焉. 是故一分爲二, 二分爲四, 四分爲八, 八分爲十六, 十六分爲三十二, 三十二分爲六十四. 故曰分陰分陽, 迭用剛柔, 故易六位而成章也. 十分爲百, 百分爲千, 千分爲萬, 猶根之有幹, 幹之有枝, 枝之有葉, 愈大則愈少, 愈細則愈繁, 合之斯爲一, 衍之斯爲萬."

5) 박규선·최정준, 「괘효의 수리화에 따른 역의 과학적 해석연구」, 『동방문화와 사상』 제10집, 동양학연구소, 2021. pp.24-25.

坤	艮	坎	巽	震	離	兌	乾	8
老陰		少陽		少陰		老陽		4
陰				陽				2
太極								1

<그림 3> 복희팔괘차서도

　음양이 음양을 낳는 일분위이(一分爲二) 방식으로 '태극(1) - 음양(2) - 사상(4) - 팔괘(8)'가 생성되는 과정은 1·2·4·8이라는 가일배법(加一倍法)으로 설명된다. 가일배법은 현대 수학적 논리로서 독일의 근대 철학가이자 수학가인 라이프니츠(Leibnitz)의 이진법에 해당한다. 가일배법의 원리에 따라 생성된 괘를 순서대로 나열하면 '乾(1) - 兌(2) - 離(3) - 震(4) - 巽(5) - 坎(6) - 艮(7) - 坤(8)'의 순서가 된다.

　그런데 복희팔괘도의 수는 단순히 괘의 발생순서를 의미하는 것이 아니라 이진법적 수리를 드러낸다. 즉, 복희팔괘도의 형성과정을 보면 괘상은 단순히 물상만을 표상한 것이 아니라 그 상을 이루는 정밀한 수리적 이치가 내재하고 있음을 드러내는 것이다. 8괘을 넘어서 64괘가 성립되어 가는 과정도 단순히 음효와 양효가 하나씩 더해져 가는 방식이 아니라 이진법이라는 수학적 법칙에 의해 정밀하게 조직화되어 가는 과정이라 할 수 있다. 이 부분은 'Ⅳ. 역학적 상수체계와 중화론(3. 역수의 중화론)' 편에서 다룬다.

　현대과학적 측면에서 보면, 사물은 원자들의 무규칙적인 무작위의 단순조합이 아니라 음양의 상호작용에 의한 정밀한 이치로써 형성되는 것이며, 그러므로 과학적이고 수리적인 논리적 타당성이 뒷받침될 수 있어야 한다.

　마찬가지로 사물을 본뜬 괘상도 역시 효의 단순조합이 아닌 내부의 정밀한 수리적 이치에 따른 과학적 논리가 존재한다고 보는 것이 타당하다. 즉, 성인이 앙관부찰하여 괘를 만들 때는 단순히 물상의 외관만을 본뜬 것이 아니라 물상을 형성한 내부의 치밀한 구조도 포함된 것이니 상을 이루는 정밀한 이치는 수리적으로 타당성이 있어야 과학적 논증의 대상이 가능하다 할 수 있다.

　"커질수록 그 수는 더욱 적어지고 세밀할수록 그 수는 더욱 많아지니, 합하면 일(一)이 되고 펼치면 만(萬)이 된다(愈大則愈少 愈細則愈繁 合斯爲一衍斯爲萬)"라는 구절은, 소옹의 아들인 소백온(邵伯溫)의 "일위태극(一爲太極)"을 해석한 말에 의하면 "하늘과 땅과 만물은 하나를 근본으로 하지 않는 것이 없으며, 하나를 근원하여 만 가지로 확장된 것이니, 세상의 모든 수를 궁구하여 다시 하나로 돌아간다. 하나란 무엇인가? 하늘과 땅의 마음이요, 조화의 본원이다."[6]라는 뜻이다. 즉, 태극

---

6) 邵伯溫, 『宋元學案』, 「百源學案」, "天地萬物莫不以一爲本, 原於一而衍之以爲萬, 窮天下之數復歸於一. 一者何也, 天地之心也, 造

(一)은 끝없이 나뉘어 만물만상으로 나뉘지만, 전체는 하나(一)이면서 그 내부는 만 가지로 분화된 것에 지나지 않는 것이니, 현대물리학의 관점에서 보면 '에너지 총량 불변의 법칙'으로서 '일즉다 다즉일(一卽多 多卽一)'의 의미라 할 수 있다. 그러므로 하나(一)란 만물을 펼쳐내는 조화의 본원이요 천지의 마음이라 하겠다.

소옹(邵雍)은 음양의 대립과 상호의존에 대하여 다음처럼 말하고 있다.

> 양은 스스로 세울 수 없고 반드시 음을 얻은 다음에야 세워진다. 그러므로 양은 음을 기본으로 한다. 음은 스스로 드러날 수 없고 반드시 양에 기댄 다음에야 드러난다. 그러므로 음은 양을 맞이한다. 양은 그 시작을 주관하며 그 완성을 형통하게 하고, 음은 그 법칙을 본받아 그 힘씀을 마친다.[7]

상반된 양면성의 음양을 미분된 상태로 품고있는 태극은 음양으로 나뉘는 순간 대립과 대대 관계를 형성한다. 소옹은 "一陰一陽之謂道"를 해석하여 "한번 음이 되고 한번 양이 되는 것이 하늘과 땅의 도이다. 사물은 여기에서 생겨나고 여기에서 이뤄진다."[8]라

化之原也."

7) 『欽定四庫全書』, 「皇極經世書」 卷14, 觀物外篇下, "陽不能獨立, 必得陰而後立. 故陽以陰爲基. 陰不能自見, 必得陽而後見. 故陰以陽爲唱. 陽知其始而亨其成, 陰效其法而終其勞."

8) 『欽定四庫全書』, 「皇極經世書」 卷14, 觀物外篇下, "一陰一陽天地之道也, 物由是而生, 由是而成也."

고 하여 음양의 대립과 대대를 통한 상호작용이 만물을 형성하는 근본원리임을 파악하였으며, 그러므로 음양의 상호작용은 대립자가 없으면 괘상을 이룰 수 없는 상호의존 관계에 있다고 하였다.

양은 시작을 주관하고 음은 달성, 즉 일의 성사를 위주로 한다는 것은 「계사전」의 "건도(乾道)는 양(男)이 되고 곤도(坤道)는 음(女)이 되니, 건(乾)은 큰 시작을 주관하고 곤(坤)은 물건을 이룬다."[9]라는 뜻과 상통한다. 결국 만물만상은 복잡다단한 것처럼 보여도 결국은 음양이기의 상호작용에 불과하다는 것을 알 수 있다.

"사물은 여기에서 생겨나고 여기에서 이뤄진다."는 것은 음양의 대립과 대대를 통한 상호작용에서 사물이 생성되는 이치를 말하는데, 소옹은 사물을 창조하는 이러한 음양의 변화불측한 신묘한 이치를 '신(神)'이라고 정의하고 있다.

> 태극은 1이다. 동하지 않고 2를 낳으니 2는 신(神)이다. 신이 수를 낳고 수가 상을 낳으며 상이 기(器)를 낳는다.[10]

"태극은 1이고, 2는 태극으로부터 생겨나는데, 2는 변화불측의 성능을 갖고 있으니, 2가 있으면 수의 변화가 있게 되고, 일련의 수가 있으면 음양·강유 등의 효상 및 괘상이 산생되며,

---

9) 『周易』, 「繫辭傳上」 第1章, "乾道成男, 坤道成女, 乾知大始, 坤作成物."

10) 『欽定四庫全書』, 「皇極經世書」 卷14, 觀物外篇下, "太極一也. 不動生二, 二則神也. 神生數, 數生象, 象生器."

효상 및 괘상이 있으면 유형의 개별 사물이 있게 된다."11) 즉, 개별 유형의 사물이란 수리적 이치와 상을 지닌 음양의 창조성(神)이 낳은 결과물(器物)이다. 소옹은 여기에서 "음양(2)의 신묘함이 수를 낳고 수가 상을 낳는다"라고 보아 수와 상의 근원을 태극(1)으로 귀결짓고 있음을 알 수 있다.

소옹은 사물의 내상(內象)과 외상(外象)의 개념을 수로써 다음처럼 설명하고 있다.

> 역에는 내상이 있으니 리수(理數)가 이것이다. 외상이 있으니 하나의 사물로 고정되어 있어 바뀔 수 없는 것이 이것이다. 자연 그대로 그러함으로 바뀔 수 없는 것이 내상(內象)이고 내수(內數)이다. 다른 모든 것은 외상(外象)이고 외수(外數)이다.12)

내상(內象)이란 사물을 결정짓는 내적 바탕으로서 자연 그대로의 변하지 않는 수로서 리수(理數)가 된다. 외상(外象)이란 내상이 리수로써 외부로 모습을 드러내는 것으로 특정한 사물을 가리킨다. 즉, 내상이 함유하고 있는 리수가 인간이라면, 외상은 개개인의 특정한 사람이 된다. 고회민은 위의 수에 대하여 "수의 함의는 두 개의 층차로 말할 수 있다. 하나는 형상을 헤

---

11) 廖明春 외2 공저, 심경호 역, 『주역철학사』, 예문서원, 1994, p.415.

12) 『欽定四庫全書』, 「皇極經世書」 卷13, 觀物外篇上, "易有內象, 理數是也. 有外象, 指定一物而不變者是也. 自然而然不得而更者, 內象內數也. 他皆外象外數也."

아리는 수로서 상이 생긴 다음에 있게 된 것이니, '량수(量數)'라 부를 수 있다. 다른 하나는 생각이니, 사상 속의 수로서 상이 생기기 전에 먼저 있는 수이니, 소옹은 이를 리수(理數)라 불렀다."[13]라고 설명하고 있다. 여기에서 리수는 '이치를 나타낸 수'라는 뜻이지 수의 이치, 즉 수리(數理)를 의미하지 않는다. 리수(理數)가 변하지 않는 사물 본연의 내적인 수, 즉 내수(內數)라면 량수(量數)는 특정한 사물을 만들어내고자 외적으로 작용하는 수, 즉 외수(外數)라고 할 수 있다. 상은 수를 통하여 논리적으로 표상되는 것이니, 수리적 이치 없는 물상은 과학적 근거를 잃게 된다.

> 천하의 수(數)는 리(理)에서 나오는데, 리(理)에서 멀어지면 술(術)로 들어가게 된다. 세상 사람들은 수(數)로써 술(術)로 들어가니, 그러므로 리(理)로 들어갈 수 없다.[14]

소옹의 선천역은 우주의 근원을 다루는 학문으로 수를 탐구함에 있어서 리를 중시하였다. 소옹이 말하는 리는 단순히 추상적이고 형이상학적인 도가 아니라 '수의 변화가 지닌 논리성[15]'을 의미한다. 그러므로 리 없는 수는 술수에 불과한 것이라 할 수 있다.

---

13) 고회민, 곽신환 역, 『소강절의 선천역학』, 상지사, 2011, p.350.
14) 『欽定四庫全書』, 「皇極經世書」 卷13, 觀物外篇上, "天下之數出於理, 違乎理則入於術. 世人以數而入於術, 故不入於理也."
15) 朱伯崑, 김학권 외4 공역, 『역학철학사3』, 소명출판, 2012, p.322.

동시대 리본체론자(理本體論者)인 정이(程頤)가 말하는 리는 '天理 本然之理천리 본연지리'인데 비해 리수론자(理數論者)들이 말하는 리는 '天地萬物之理 數的變化法則천지만물지리 수적변화법칙' 등 자연의 객관 법칙을 의미한다. 리수론자들은 리와 수를 통일적 결합체로 보며 수는 상보다 선재하고 수의 변화가 있은 다음에 상이 나온다는 데 반해, 리본체론자인 정이(程頤)는 리에서 상이 나오고 상에서 수가 나온다고 보았다.

더 나아가 채침(蔡沈)은 『홍범황극』에서 "수와 리가 통일적이어서 사물의 법칙이란 수를 통하여 표현되게 마련"[16]이라고 말하고 있다.

> 물(物)에는 각각 그 법칙이 있으니, 수(數)란 천하 만물의 법칙을 다한다. 사(事)에는 각각 그 이치가 있으니, 수를 얻으면 만물의 법칙과 만사의 이치가 모두 거기에 있다.[17]

즉, 채침은 수를 천지 만물의 본원으로 보고 있으며, 사물이란 과학적으로 분석할 수 있는 내재적 법칙 없이 만들어지지 않는다고 보았다. 우주에 있는 모든 사물은 수학적 법칙에 따라 변화해 나간다. 과학적인 합리적 타당성으로 존재하는 것이며

---

16) 廖明春 외2 공저, 심경호 역, 『주역철학사』, 예문서원, 1994, p.437.

17) 蔡沈, 『洪範皇極』, 「內篇」, "物有其則, 數者盡天下之物則也. 事有其理, 數者盡天下之事理也, 得乎數, 則物之則, 事之理, 無不在焉."

이것은 내재적 수리성을 의미한다. 레오나르도 다빈치는 "만일 그것이 수학적으로 증명될 수 없다면 인간의 어떠한 탐구도 과학이라고 불러 질 수 없다."[18]라고 했듯이 리수(理數)를 사물의 법칙성으로 보면 수(數)와 물(物)은 별개가 아니라 하나로 존재하는 것이라 할 수 있다. 서술(筮術)에 불과했던 수의 개념이 소옹에 이르러 물상과 이를 표상한 괘상에 내재한 수학적 논리를 드러냄으로써 현대과학과의 접점을 이룰 수 있는 논거를 제공했다고 할 수 있다.

(2) 정이의 리본체론(理本體論)

정이(程頤)는 "물질세계의 밖에서 사물에 의뢰하지 않고 독립적으로 영구히 존재하는 리(理)가 있으니, 이것이 일체 사물의 본원이며 천지 만물은 모두 그것의 체현"[19]이라는 불변의 리를 추구한 리본체론자라 할 수 있다. 정이의 리는 무형으로서 사물에 내재하여 사물을 통솔하는 추상적이고 형이상학적인 개념으로 의리(義理)가 된다. 사물이란 내재하고 있는 리(理)의 외재적 표현으로서 기(氣)라는 수단을 활용한다. 즉, 무형의 리를 현실화시키고 표현하는 수단은 기이며, 기는 리의 뜻대로 음

---

18) 폴 데이비스, 류시화 역, 『현대물리학이 발견한 창조주』, 정신세계사, 2020, p.289

19) 廖明春 외2 공저, 심경호 역, 『주역철학사』, 예문서원, 1994, p.473.

양의 변역을 통해 유형의 사물을 형성한다는 것이다. 그러므로 정이는 보이지 않는 리(理)와 드러난 기(氣)는 서로 분리할 수 없는 일체이며, 마찬가지로 리(理)와 상(象)은 체와 용, 현顯〔드러남〕과 미微〔은미함〕의 관계로서, "체와 용은 동일한 근원이고 드러남과 은미함은 간격이 없다."20)라는 명제를 제시하고 있다.

리와 상의 관계에 있어서는 '상으로 말미암아 리를 밝힌다(因象以明理)'라는 견해를 제출함으로써 상이 리에 근본하고 있음을 밝히고 있다. 상이 리에 근본하고 있다는 논리는 왕필(王弼)의 유생어무(有生於無)를 기조로 하는 귀무론(貴無論)의 현학(玄學)에 대한 부정이기도 하다. 그러므로 정이의 논리를 따르면, 형상을 지닌 모든 사물은 그 리가 현실에 구체화한 것이며, 마찬가지로 사물을 준거하여 세운 괘상도 내재한 그 리가 외부로 표상된 것이라 할 수 있다.

> 리는 형태가 없으므로 상을 빌어 뜻을 드러낸다. 건괘(乾卦 ䷀)는 용(龍)을 상으로 삼는다. 용이라는 물건은 영활하게 변하여 헤아릴 수 없다. 그러므로 용으로써 건의 도가 변화함, 양의 기가 줄어들고 늘어남, 성인이 나아가고 물러남을 본떴다.21)

---

20) 『河南程氏文集』, 「易傳序」, "體用一源, 顯微無間."
21) 程頤, 『程氏易傳』, 「乾」, "理無形也, 故假象以顯義. 乾以龍爲象, 龍之爲物靈變不測. 故以象乾道變化陽氣消息聖人進退."

하늘의 리〔天理〕는 무형이므로 용의 상을 빌어 천리의 강건한 성정을 표현한다. 즉, 건괘(乾卦☰)는 초구(初九)의 잠룡(潛龍)에서 九二의 현룡(見龍), 九三의 건룡(乾龍), 九四의 약룡(躍龍), 九五의 비룡(飛龍), 上九의 항룡(亢龍)에 이르기까지 괘・효상의 변화를 통해 건도(乾道)의 기세가 변화하는 모습을 괘상으로 표상한 것이다.

천하의 사물들은 모두 리로써 비출 수 있다. 사물이 있으면 반드시 규칙이 있고 하나의 사물마다 반드시 하나의 리가 있다.[22]

우주에 내재한 리는 불변으로서, 개체의 사물에 내재하여 음양의 굴신(屈伸) 작용을 통해 개별적인 사물로 구체화된다. 그러므로 만물만상(萬物萬象)에는 만리(萬理)가 존재하는 것이니 사물마다 하나의 리가 있다고 하는 것이다. '사물이 있으면 반드시 규칙이 있다'는 것은 소옹(邵雍)에 있어서는 수가 되고[23], 정이(程頤)에 있어서는 리가 되는 것이니, 접근하는 길은 다르지만 추구하는 바는 같다고 할 수 있다.

정이에 따르면 기는 음양이라는 대립적 성질로서 상호 의존

---

22) 『河南程氏遺書』 卷18, 「伊川先生語四」, "天下物皆可以理照. 有物必有則, 一物須有一理."

23) 蔡沈, 『洪範皇極』, 「內篇」, "物有其則, 數者盡天下之物則也, 事有其理, 數者盡天下之事理也, 得乎數, 則物之則, 事之理, 無不在焉."

하는 관계에 있으며, 기가 모이면 유형의 사물이 되고 죽으면 기는 소멸되는 것으로 보았다. 즉, 사물이 부여받은 기는 그 형태가 소멸하면 그 기도 모두 없어져서 다른 사물로 전화될 수 없다고 보았다.[24] 음양의 소멸로 개체가 부여받은 기는 개체의 생성과 소멸에 따라 생성되고 소멸된다는 것이다.

> 사물이 흩어짐에 그 기(氣)가 끝내 다하여 본원의 리(理)로 다시 돌아가는 것이 없다. 하늘과 땅 사이는 크나큰 화로와 같아서 비록 생물이라도 다 녹이는데, 하물며 이미 흩어진 기가 어찌 다시 존재하며 하늘과 땅의 조화 또한 어찌 이 흩어진 기를 쓰겠는가? 그 조화(造化)란 자체가 생기(生氣)이다.[25]

정이의 이와 같은 기의 생성과 소멸론은 "사물이 생겨나는 것은 기가 모인 것이기 때문이며, 사물이 죽으면 그 기가 흩어져 버리고 그 형태와 바탕이 모두 훼손되어 다시는 존재하지 않는다."[26]는 것이다. 이것은 "하늘과 땅의 변화는 자연스레 낳고 낳아 끝이 없는데, 더욱이 어찌 다시 이미 죽은 형태를 바탕으로 하여 이미 되돌아온 기를 조화(造化)로 삼겠는가? (……) 하늘의 기도 자연스레 낳고 낳아 끝이 없다."[27]라는 형이

---

24) 朱伯崑, 김학권 외4 공역, 『역학철학사3』, 소명출판, 2012, p.502.
25) 『河南程氏遺書』 卷15, 「伊川先生語一」, "凡物之散, 其氣遂盡, 無復歸本原之理. 天地間如洪鑪, 雖生物銷鑠亦盡, 況旣散之氣, 豈有復在, 天地造化又焉用此旣散之氣, 其造化者, 自是生氣."
26) 朱伯崑, 김학권 외4 공역, 『역학철학사3』, 소명출판, 2012, p.504.
27) 『河南程氏遺書』 卷15, 「伊川先生語一」, "天地之化, 自然生生不

상학적 논리에 기인한다. 즉, 정이(程頤)에 의하면, 기는 리를 근거로 존재하며 사물의 유무에 따라 생성과 소멸을 거듭하는 존재인 것이다.

그런데 이는 '사물이란 기의 일시적인 응결에 불과하다'[28]라는 현대물리학의 과학적 논거와는 상이한 결론이라고 할 수 있다. 이러한 논리는 사실상 천리(天理)라고 하는 불변으로서 항구적으로 존재하는 형이상학적 리(理)의 논리적 선재를 인정함으로써 논리적 믿음이 전제되는 유심론에 불과하다고 할 수 있겠다.

천하의 모든 사물은 대립과 대대의 관계에 있으며, 정이는 이를 음양소장의 원리로써 사물의 생장과 소멸을 설명하고 있다.

천지 만물은 서로 대대하지 않는 것이 없으니, 한쪽이 음이면 다른 한쪽은 양이요, 한쪽이 선이면 다른 한쪽은 악이며, 양이 자라면 음이 사라지고, 선이 자라면 악이 소멸되는 것이니 이것이 이치이다.[29]

窮, 更何復資於旣斃之形, 旣返之氣, 以爲造化, (……) 天地氣亦自然生生不窮."

28) 프리초프 카프라, 김용범・이성범 공역,『현대물리학과 동양사상』, 범양사, 2017, P.275. "양자장은 근본적인 물리적 실체, 즉 공간 어디에나 존재하는 연속적인 매체로 여겨진다. 소립자들은 단지 그 장의 국부적인 응결에 불과하다. 에너지의 집결로서 그것들은 왔다가 가 버림으로써 개체의 특성이 상실되고 바닥의 장으로 융합된다."

29) 程顥, 程頤,『二程集(上)』卷11, "萬物莫不有對, 一陰一陽, 一善

'사물 개체가 사라지면 개체를 이룬 기도 소멸된다'라는 정이의
리본체론은 물리학적 근거를 기반으로 한다기보다는 형이상학적 논
리인 추상적 유심론의 전개라 할 수 있다. 이는 '사물이란 기의 취산
(聚散) 활동에 불과한 사물의 일시적인 형태[客形객형]'30)이며, 이
것은 기가 모이고 흩어짐에 따라 만물이 나타났다 사라지는 일
시적인 현상으로서 기는 소멸하지 않고 일정하게 유지된다라는
양자물리학의 이론과 유사한 장재(張載)의 기본체론과는 극명
한 차이가 있다.
　그런데 정이(程頤)는 본 논고에서 일관되게 다루는 주제인
음양의 대립과 상호작용, 그리고 중화에 관하여 다음처럼 논리
를 전개하고 있다.

　　모든 사물은 변화가 극에 달하면 반드시 반전하여 역(逆)으
　로 진행하는 것은 이치가 그렇게 되어있기 때문이니 태어남이
　있으면 곧 죽음이 있게 되고, 시작이 있으면 곧 마침이 있게
　된다.31)

　이것은 이어서 다루게 될 장재의 기본체론이나 극미영역을
다루는 양자물리학의 기의 작용과도 논리가 상통하는 바가 있

일惡, 陽長則陰消, 善長則惡滅, 斯理也."

30)　張載, 『正蒙』, 「太和」, "太虛無形, 氣之本體, 其聚其散, 變化之
　　客形爾."
31)　程頤, 程頤, 『二程集(上)』 卷15, "物極必反, 其理順如此, 有生坑
　　有死, 有始便有終."

다.

    하늘과 땅, 음과 양의 변함은 두 문짝이 닿는 것과 같아서 오르
고 내리고 비우며 강하고 유하여 애당초 멈춘 적이 없다. 양이 항
상 차게 되면 음이 항상 비우므로 고르지 않은 것이다. 비유하자면
마모가 이미 진행되면 그 사이의 간격이 고르지 않게 되고 고르지
않으면 만 가지 변함을 생겨나게 한다. 그러므로 사물이 고르지 않
은 것이 사물의 실정이다.[32]

    음양의 대소 · 장단 · 강약에 따른 미묘한 차이가 다양한 강유
상추 작용을 일으킴으로써 시공간이라는 환경적 여건에 따라
다양한 중화를 일으키고, 이에 따라 다양한 부류의 사물이 발생
하게 된다. 음양이라는 상반된 양면의 마찰은 간격의 고르지 않
음으로 인하여 만 가지의 변화를 일으키게 되니 만물만상이란
바로 이를 말한다. 이는 "강유가 서로 밀고 당기며 변화를 만들
어내니,"[33] "그 변화는 중화를 이룸에 있는 것"[34]이라는 의미
와 통한다.

    천하의 리는 하나이니, 길이 비록 다를지라도 그 귀결은 같
다. 생각이 비록 백 가지일지라도 그 도달함은 하나이다. 비록
사물이 만 가지로 다르고 일이 만 가지로 변할지라도 하나로

---

32) 『河南程氏遺書』卷2上,「二先生語二上」, "天地陰陽之變, 便如二
　　扇磨, 乘降盈虧剛柔 初末嘗停息. 陽常盈, 陰常虧, 故便不齊, 譬如
　　磨旣行, 齒都不齊, 旣不齊, 便生出萬變. 故物之不齊, 物之情也."
33) 『周易』,「繫辭傳上」第2章, "剛柔相推而生變化."
34) 『周易』,「繫辭傳下」第1章, "剛柔相推變在其中矣."

통일되는 것을 위반할 수는 없다.35)

정이에 있어서 천하의 리는 불변으로 하나(一)다. 즉, 만물에 내재한 리는 만 가지의 리로 나뉘어 있지만, 그 만물을 하나하나 궁구해 들어가면 모두가 하나의 리로 귀결된다. 만물만상이란 하나(一)에서 나뉘어 만 가지로 흩어졌으나 결국은 하나(一)의 이치에 불과한 것이니, "천하의 모든 변화는 항상 하나로 귀일된다."36)라고 정의한 「계사전」의 의미와도 상통한다.

(3) 장재의 기본체론(氣本體論)

정이(程頤) 역학의 출발은 관념적 리(理)에서 시작하지만, 장재(張載) 역학의 출발점은 물리적 개념의 기(氣)이다. 정이는 본체로서의 형이상학적 개념인 의리(義理)의 선재를 인정하고, 리(理)의 뜻에서 기(氣)가 작용함으로써 상(象)을 드러낸다고 보았다. 그래서 사물의 형태가 사라지면 리는 항존하지만 기는 소멸이 된다는 유심론을 취했다. 이에 반하여 장재의 기는 정신이 아니라 형이하학적 물질 상태로서, '기가 있어야 상이 있다'고 함으로써 물리(物理)로서의 기(氣)의 작용으로 상(象)을 드러낸다고 보았다.

---

35) 程頤, 『程氏易傳』, 「咸」, "天下之理一也, 途雖殊而其歸則同. 慮雖百而其致則一. 雖物有萬殊, 事有萬變, 統之以一則無能違也."
36) 『周易』, 「繫辭傳下」 第1章, "天下之動, 貞夫一者也."

태허는 무형으로 기의 본체이다. 그것이 모이고 흩어짐은 변화하는 일시적인 형태일 뿐이다.[37]

장재에 따르면, 기는 단지 모이고 흩어짐이 있을 뿐이며 생겨나거나 소멸하지 않는다. 그러므로 장재에게 있어 생과 사는 기의 취산 활동으로서 형질이란 얼음이 물에서 뭉쳤다가 흩어지는 것에 불과한 일시적 형태일 뿐이다. 즉, 태허를 이루고 있는 기는 물질적이며, 사물이란 단지 기의 취산 활동으로 모였다가 흩어지는 일시적인 형태〔客形〕라는 것이다.

장재는 사물이란 기가 잠시 응취되어 있는 일시적 형태이므로 이를 객형(客形)이라 하였다. 기는 흩어지더라도 태허라는 기의 원질은 보존되는 것이며 허무(虛無)로 돌아가는 것이 아니므로 기의 세계는 증감 없이 영구하다는 유물론적 관점을 취하고 있다.

기의 취산은 태허에서 비롯되는데, 얼음이 물에서 얼었다 녹는 것과 같으며, 태허가 기라는 것을 알면 무(無)라는 것은 없다.[38]

기가 응취하면 형태를 이루고 흩어지면 기의 상태인 태허로

---

37) 張載, 『正蒙』, 「太和」, "太虛無形, 氣之本體, 其聚其散, 變化之客形爾."

38) 張載, 『正蒙』, 「太和」, "氣之聚散於太虛, 猶氷凝釋於水, 知太虛卽氣, 則無無."

돌아갈 뿐이다. 기는 형체는 없으나 무형의 상이 있는 것이므로 기가 보이지 않는다고 하여 절대 없음〔虛無〕이 아니다. 단지 드러나지 않음〔幽유〕과 드러남〔明명〕의 구별이 있을 뿐이며 유무(有無)의 구별은 아니라는 것이다. 무형의 상(象)을 유(幽)로, 유형의 형(形)을 명(明)으로 변별하여 '무는 없다(無無)'라는 논리를 전개함으로써 '유는 무에서 비롯되며(有生於無), 천지 만물은 무를 근본으로 한다(天地萬物以無爲本)'라는 왕필의 노장현학을 부정하였다.

> 드러남이란 기가 모인 것이요, 숨음이란 기가 흩어진 것이다. 드러나고 숨음은 어둠과 밝음이 상을 갖추고 있기 때문이요, 모이고 흩어짐은 밀치고 동탕하는 작용이 신묘하게 이루어지기 때문이다.[39]

만물이 드러나지 않음〔幽〕과 드러남〔明〕은 단지 기의 취산에 지나지 않는다. 기가 흩어지면 무형의 사물로 돌아가 보이지 않고, 기가 모이면 유형의 사물로 형체가 드러나 볼 수 있게 된다. 이것은 어둠〔幽〕과 밝음〔明〕이 모두 상을 갖추고 있다는 것을 의미하며, 유명(幽明)이란 육안으로의 변별가능 여부를 가리킬 뿐 볼 수 없다고 해서 사물이 없는 것이 아니라는 것이다.

상반된 양면의 성질을 가진 음양은 강유상추 상호작용을 통해 어떻

---

39) 張載, 『易說』, 「繫辭傳上」, "顯其聚也, 隱其散也. 顯且隱, 幽明所以存乎象, 聚且散, 推蕩所以妙乎神."

게 만물을 낳는가?

> 끝이 둘인 까닭에 감응함이 있고, 근본은 하나이기에 능히
> 합한다.[40]

음양은 상반된 양면성을 가진 이기(二氣)로서 대립과 상호작
용을 통해 감응을 일으키고, 또한 근본은 하나이기에 능히 합함
으로써 물질세계의 변화를 일으키는 동인이 된다. 장재는 기에
내재하여 감응을 일으키는 음양의 신묘함, 사물을 생하는 묘리
를 신이라 정의하고 있다.

> 신(神)은 동함을 위주로 하므로, 천하의 운동은 모두 신이
> 하는 것이다.[41]

장재에게 있어 신이란 음양의 상호작용에 내재하고 있는 만
물을 낳는 묘리(妙理)를 뜻한다. 만물을 낳고 변화시키는 소이
(所以)는 신에 있는데, 신이란 기의 고유한 특성, 운동본능 혹
은 만물을 생성하는 공능이라 할 수 있다.[42]

장재(張載)와 정이(程頤)의 도에 대한 관념은 서로 다르다.
장재는 도라고 하는 것은 '음양이기가 강유상추, 일진일퇴하며 변
화해가는 과정'이라고 말한다. 즉, 「계사전」의 "一陰一陽之謂道"

---

40) 張載, 『正蒙』, 「乾稱」, "二端故有感, 本一故能合."
41) 張載, 『正蒙』, 「太和」, "神則主乎動, 故天下之動皆神爲之."
42) 廖明春 외2 공저, 심경호 역, 『주역철학사』, 예문서원, 1994,
　　p.506.

에서 도는 정이의 리본체론처럼 모든 것에 선재하는 형이상학적 관념으로서의 최고 범주가 아닌 단지 음양의 상호관계에서 생성되는 자연법칙 또는 물리법칙이라 할 수 있다. 그러므로 물상이 없으면 도는 있을 자리가 없다. 천지 만물의 모든 변화는 대립하고 있는 음양이기의 상호작용을 통해서 일어나는 것이기 때문이다.

> 음양이 밀고 당기는 상추(相推)의 행(行)을 말하여 도(道)라
> 하고, 음양의 헤아릴 수 없음을 두고 신(神)이라고 하며, 음양
> 이 낳고 낳음을 두고 역(易)이라고 한다. 사실은 한 가지 일이
> 로되, 일의 각 측면을 가리켜서 달리 이름할 따름이다.[43]

"우주 만물은 태허의 일기(一氣)가 모여 만물의 개체를 이루고 있는 것이며, 만물의 개체는 다시 그 존재의 본원인 태허의 일기(一氣)로 되돌아가게 되는바, 이때 우주 만물의 생성소멸은 우주 만물속에 내재된 우주의 보편법칙인 상호균형의 바탕 위에서 우주 변화의 도를 따라 간단없이 진행되는 것"[44]이라 할 수 있다. 그러므로 각기 제한적인 시공간 속에서 이루어지는 음양의 상호작용은 주어진 환경적 여건마다 다양한 균형과 조화의 과정을 통해 중화를 이룸으로써 서로 다른 차별화된 물상

---

43) 張載, 『正蒙』, 「太和」, "語其推行故曰道, 語其不測故曰神, 語其
 生生故曰易. 其實一事 指事而異名爾."
44) 김학권, 「장재의 우주론과 인간론」, 『철학연구』 제77권, 대한철학
 회, 2001, p.69.

을 낳는다.

　　조화로 이루어진 것은 하나라도 서로 닮은 것이 없으니, 이
로써 만물이 비록 다양하나 실제로 한 사물이라도 음양이 없
을 수 없음이니, 천지의 변화는 음과 양 두 가지의 상호작용으
로 이루어지는 것임을 알 수 있다.[45]

　　떠다니는 기가 얽히고 뒤섞여, 합하여 질(質)을 이룬 것이 각양각색
의 사람과 품물(品物)을 낳는다[46]

　기는 일정한 법칙을 따라 움직이는 것이 아니라 음양의 대소
·장단·강약에 따른 미세한 차이에 의해 다양한 상호작용이
발생함으로써 만물만상을 일으키는 것이며, 기(氣)에 내재한
신(神)의 동적인 신묘함이 물건마다 묘리(妙理)를 드러냄으로
써 만리(萬理)를 품게 한다.

　그러므로 "천지의 기는 비록 모이고 흩어지고 배척하고 흡수
함은 백 가지로 서로 다르지만, 그 이치는 질서정연하여 흐트러
짐이 없는 것"[47]이니, 음양의 조화로 이루어진 만물은 어느 하
나라도 서로 닮은 것이 없으며, 그러므로 천지의 모든 변화는
음양 두 가지를 벗어나지 않는 것이다. "형질이 모여 사물이 되
고, 형질이 무너지면 다시 근원으로 돌아간다."[48]라는 장재의

---

45) 張載, 『正蒙』, 「太和」, "造化所成, 無一物相肖者, 以是知萬物雖
　　多, 其實一物無無陰陽者, 以是知天地變化二端而已."
46) 張載, 『正蒙』, 「太和」, "遊氣紛擾, 合而成質者, 生人物之萬殊."
47) 張載, 『正蒙』, 「太和」, "天地之氣, 雖聚散攻取百途, 然其爲理也
　　順而不妄."

기철학(氣哲學)은 이어서 다루게 되는 양자물리학의 양자장 이론과 상통하는 바가 크다.

---

48) 張載, 『正蒙』, 「乾稱」, "形聚爲物, 形潰反原."

제Ⅲ장
역리와 물리의 중화론적 공통성

1. 철학적 공통성

　1) 역리(易理)와 물리(物理)의 유사성

　2) 괘상(卦象)과 물상(物象)

　3) 대립과 불균형

2. 과학적 공통성

　1) 기(氣)와 장(場, Quantum Field)

　2) 기(氣)와 기(器)

3. 중화론적 공통성

　1) 분열과 통일

　2) 중화의 양태

Ⅲ. 역리와 물리의 중화론적 공통성

1. 철학적 공통성

1) 역리(易理)와 물리(物理)의 유사성

　동아시아 지역의 정신세계를 지배해온 철학은 64개의 괘상을 바탕으로 형성된 『주역』이라는 것에는 의심할 나위가 없다. 공자(孔子, BC551-479)는 「계사전」을 통하여 '괘는 성인이 사물의 상을 본떠 만들었다'고 했으며, 괘상을 통하여 우주의 순환 원리와 인사 만물의 길흉, 그리고 변화를 이해하고자 하였다.[1] 『주역』의 괘상은 천지 만물을 단순하게 개념화시켜 범주화함으로써 무한무량한 우주를 이해하려는 고도의 철학적 사고가 내장되어 있다고 할 수 있다.

　괘상의 형성 법칙은 천지만물의 형성 법칙과 일치한다. 위로는 천문을 관찰하고 아래로는 지리를 살펴 괘를 지었으니,[2] 괘상은 사물과 유사한 것이라고 주희(朱熹, 1130-1200)는 밝히고 있다.[3] "역은 천지의 도를 모두 갖추고 있어 천지와 더불어 똑같

---

1) 『周易』, 「繫辭傳上」 第2章, "成人設卦, 觀象繫辭焉, 而明吉凶."
2) 『周易』, 「繫辭傳上」 第4章, "仰以觀於天文, 俯以察於地理."

으니, 천지의 도를 두루 다스릴 수가 있다."[4]라고 『역전』은 정의한다. 괘는 천지와 더불어 같으므로 서로 어긋나지 않고[5] 천지의 변화를 범주화하여 그 틀을 벗어나지 않게 하며 만물을 곡진히 이루어 하나도 빠트리지 않으니[6] 공자는 변화의 도를 아는 자는 신(神)의 하는 바를 알 것이라 했다.[7]

역은 천지의 법칙에 준거하여 만들어졌고, 그러므로 괘상은 인간의 시각과 지적 능력으로는 감당하기 어려운 광대무변한 천지 만물을 이해하기 위하여 단순하게 범주화하고 도식화한 부호라 할 수 있다. 즉, 괘상은 복잡다단한 만물을 앙관부찰하여 세운 것으로서 만물에 대한 간략화, 범주화된 정의라 할 수 있다.

물질의 최소 단위인 원자(atom)는 '양성자($+1$), 중성자(0), 전자(-1)', 즉 '양중음(陽中陰)' 3개의 요소로 이루어져 있으며, 이것을 괘상으로 치환하면 천인지(天人地) 삼재로 구성된 괘가 된다. 그리고 원자들 간의 상호작용으로 형성된 사물은 3효로 이루어진 8괘를 중첩하여 6효를 세움으로써 64괘로 표상된다.

---

3) 朱熹, 『周易本義』, "象者 物以似也."
4) 『周易』, 「繫辭傳上」 第4章, "易與天地準, 故能彌綸天地之道."
5) 『周易』, 「繫辭傳上」 第4章, "與天地相似故不違."
6) 『周易』, 「繫辭傳上」 第4章, "範圍天地之化而不過, 曲成萬物而不遺."
7) 『周易』, 「繫辭傳上」 第9章, "子曰 知變化之道者, 其知神之所爲乎."

그러므로 원자 상호 간의 작용은 사물을 그대로 본떠 표상한 괘의 상호작용에도 그대로 드러난다고 할 수 있다.

미시영역의 소립자를 탐구하는 양자물리학은 유기적 일체로서 우주 전체와 연결이 되어있는 만물을 설명하면서 우주의 시원인 태극과 접목된다. 태극은 대립인자인 음양으로 나뉘면서 상호작용을 통해 만상(萬象)을 낳는 우주의 시발점이다. 물리학적으로는 중력 에너지가 붕괴되어 극압축된 점으로서 어느 순간 빅뱅(BigBang)이라는 대폭발을 통하여 만물이 창조되는 우주의 시원이다.

서양의 우주 만물에 대한 과학적 시각은 고대의 데모크리토스(Democritus, BC.460-380)의 원자론에서 시작된다. 원시적 신화에 의해 우주와 만물의 존재 원리가 규정되던 시기에 데모크리토스는 만물을 이루고 있는 근본 물질은 더는 나뉘어지지 않는 기본 알갱이, 즉 원자들로 이루어져 있다고 생각했다. 이러한 사고의 발상은 인간의 사유영역을 확장하는 거대한 전환점이 되었고, 새로운 관점을 여는 발판이 된다.

> 원자들이 응집할 때에 유일하게 중요한 것은 원자의 모양과 배열 그리고 그것들이 조합되는 순서입니다. 알파벳 문자를 여러 가지 다른 방식으로 조합해서 희극이나 비극, 웃긴 이야기나 서사시를 쓰듯이, 한없이 다양한 세계도 기본적인 원자들을 조합해서 만들어집니다.8)

---

8) 카를로 로벨리, 김정훈 역, 『보이는 세상은 실재가 아니다』,

카를로 로벨리(Carlo Rovelli)는 만물이란 춤추는 원자들의 우연한 무작위 선택에 의한 조합의 산물이며, 그러므로 우리는 원자가 아니라 원자들이 배열된 순서라고 말하고 있다. 물(H_2O)은 수소 2개와 산소 1개로 구성된 조합체를 가리킨다. 우리의 삶은 원자들의 조합이며, 우리의 생각은 미세한 원자들로 이루어져 있고, 우리의 꿈도 원자들의 산물이라 할 수 있다. 우리의 희망과 우리의 감정은 원자들의 조합으로 형성된 언어로 쓰여져 있으며, 우리가 바라보는 빛, 바다, 동식물, 하늘의 별들조차도 원자들로 이루어져 있다.[9] 알파벳 26개가 배열에 따라 태초 이래 모든 역사를 기록하고 수 만가지 유형의 노래와 문학, 그리고 아름다운 시를 만들어내듯이 원자들의 다양한 배열은 우주 삼라만상을 창조해낸다.

신(神)의 목적성에 의해 움직인다는 신화적 사고방식이 지배하던 세계에서 이런 거대한 사고의 발상은 플라톤이나 아리스토텔레스의 목적론으로 세상을 이해하려는 시도에도 불구하고, '세계는 알갱이(원자)로 이루어져 있다'라는 데모크리토스의 자연주의적 사고로의 전환을 가져옴으로써 신화적 사고의 잔재를 일소하고 새로운 세상을 여는 문이 되었다. 그리고 이러한 사상적 패러다임의 전환은 우주 삼라만상은 입자와 파동의 이

<hr>

㈜쌤앤파커스, 2018, p.25.
9) 카를로 로벨리, 김정훈 역, 『보이는 세상은 실재가 아니다』, ㈜쌤앤파커스, 2018, p.25.

중성이라는 그물망처럼 연결된 양자장의 상호관계망 속에서 유기적 일체로써 존재한다는 양자물리학의 지평을 여는 사고의 자양분이 된다.

고대 데모크리토스의 원자론은 거시세계에서 행성과 행성을 연결하는 뉴턴(Isaac Newton, 1643-1727)의 중력이론, 분자 속의 원자를 뭉치게 하고 원자 속의 전자들을 뭉치도록 물체에 작용하는 힘을 장(場)이라는 개념으로 설명한 패러데이(Michael Faraday, 1791-1867)와 맥스월(James Clerk Maxwwll, 1831-1879)의 패러데이 역선(力線)과 전자기론, 그리고 아인슈타인(Albert Einstein, 1879-1955)의 일반상대성 이론을 거쳐 하이젠베르크(Werner Heisenberg, 1901-1976)의 불확정성의 원리, 닐스 보어(Niels Bohr, 1885-1962)의 입자와 파동의 동시성 원리(상보성의 원리) 등 양자론(量子論)으로 그 영역을 넓혀가면서, 개체 사물들은 고전역학의 인과론적 세계관의 틀을 벗어나 점차 독립적 물질의 개념을 탈피하고 그물망처럼 연결된 상호관계망 속에서 생태학적 동일체를 이루면서 상호공존하고 있음을 밝혀내고 있다.

생물학적 세계에서 목적이란 생존에 효과적인 복잡한 형태들의 선택의 결과입니다. (이것이 다윈의 중대한 발견이죠.) 그러나 어떤 환경 속에서 존속하는 가장 효과적인 방법은 외부 세계와의 상호작용을, 정보를 적절하게 관리하고 정보를 수집, 저장, 전달, 처리하는 것입니다. DNA와 면역체계, 감각기관, 신경계, 복잡한 두뇌, 언어, 책, 알렉산드리아 도서관, 컴퓨터, 위키피디아 등이 존재하는 것도 바로 그 때문입니다. 정보관리의 효율성을 최대화

하기 위한 것이죠. 즉 상호관계에서 관리의 효율성을 최대화하기 위한 것입니다.[10]

개체로서 복잡한 신경 체계를 이루고 있는 존재들은 생존하기에 최적화된 효과적인 복잡한 형태들의 선택된 결과라고 할 수 있다. 즉, 인간이라는 개체들이 공존하고 있는 인간세계의 'DNA와 면역체계, 감각기관, 신경계, 복잡한 두뇌, 언어, 책, 알렉산드리아 도서관, 컴퓨터, 위키피디아, 우정, 사랑, 정의, 도덕, 종교, 학교, 행정기관 …' 등등은 결국 공존을 위한 최적의 시스템을 구성하는, 즉 진화의 과정 중에 상호공존을 위한 관리의 효율성을 최대화하기 위하여 도출되는 중화적 요소들이다.

미시영역에서의 원자는 상호작용을 통해 거시영역에 개체를 드러내고, 개체는 상호작용을 통해 무리(群)를 형성한다.『역전』은 태극에서 발원된 만물의 공존 원리에 관하여 "물(物)은 木火土金水 유형별로 모이고, 만물(萬物)은 무리로써 나뉜다."[11]라고 유유상종(類類相從)의 원리를 설명하고 있다. 만물의 시원인 태극은 음양을 내고 음양은 사상을 내고 사상은 팔괘를 내고 팔괘는 64괘를 내듯이, 물(物)의 상호작용은 원자의 배열에서 시작하여 거시적 우주로 확장되며 만유를 펼쳐낸다. 미시영역의 소립자인 원자가 거시세계의 우주와 일체로서 하나로

---

10) 카를로 로벨리, 김정훈 역, 『보이는 세상은 실재가 아니다』, ㈜쌤앤파커스, 2018, p.251.

11) 『周易』, 『繫辭傳上』 第1場, "方以類聚, 物以群分."

연결되고, 만물을 낳는 근원적 에너지인 음양을 표상한 음효 (--)와 양효(─)는 만물의 다양한 변화를 표상하는 64괘와 하나로 연결된다. 이것은 태극과 음양과 사상과 8괘와 64괘가 시공간적으로 구분이 되어있는 것이 아니라 동시적이면서 동일성으로 존재하고 있음을 나타낸다.

인문철학적 관점에서 보면, 부분(多) 속에 전체(─)가 들어있고 전체는 곧 부분이니 일중다(一中多)이면서 다중일(多中一)의 의미가 된다.[12] 즉 개체의 사물 속에 우주가 들어있고 전체 속에는 개체 사물이 들어있는 유기적 일체로서의 총체를 의미한다. 그러므로 개체인 나와 전체인 우주는 서로 유기적 일체를 이루고 있는 동일체, 장재가 『정몽』에서 언급한 "天人一物"로서 '사람이 곧 하늘'이라는 인즉천(人卽天)의 사상과도 맞닿는다.

기와 장(Quantum Field)은 시공간의 조건에 따라 만물을 다양한 형태로 토해낸다. 기(氣)는 동양 철학적 의미에서 사물의 질료가 되고, 장(場)은 현대물리학적 의미에서 사물을 구성하는 질료가 된다. 우주 만물에 대한 역리(易理)와 물리(物理)의 관계는 근본적으로 음양이기의 상호관계로 정의될 수 있다.

음양이기의 대립과 통일, 그리고 상호작용은 물질세계의 다양한 변화를 일으키는 동인이다. 대립된 양면의 미세한 차이는 음양의 다양한 부딪힘을 만들어내고, 이로 인한 다양한 상호작

---

12) 義湘, 『華嚴一乘法界圖』, "一中一切多中一, 一卽一切多卽一."

용의 발생은 다양한 중화의 생성 원인이 된다. 그러므로 공간적
〔지역적〕, 시간적〔시대적〕 다양성은 중화의 다양한 양태를 발
현시키고, 다양한 중화는 다양한 종류의 만물과 문명, 그리고
서로 차별화되는 종교 윤리 철학 등 상호공존을 위한 윤리적
시스템을 만들어낸다.

이처럼 다양한 시공간에 따라 생활방식이나 문화적 성격이 다르게
나타나는 것은 서로 다른 환경적 조건들이 상충과 화해라는 상호작
용을 통해 각기 생존에 유리한 방향으로 다양한 접점을 낳는 것으로
이해할 수 있다. '접점'이란 『주역』에서 균형과 조화를 의미하는 '중
화'로 대치된다.13) 이러한 중화적 시스템은 천지 만물에 앞서 존재
하는 어떤 형이상학적 실체인 제3자가 합일시켜주는 것이 아니라,
대소·장단·강약이라는 미묘한 차이를 내재한 상반성의 대립
자인 음양이 상충과 화해, 굴신과 왕래라는 강유상추 작용을 통
해 균형과 조화를 이루는 과정에서 산출되는 다양한 결과물이
라 할 수 있다.

"역은 천지와 똑같다(易與天地準)"라는 말은 괘가 만물의
상을 담고 있으니 『주역』의 법칙과 천지 만물의 법칙은 서로
일치한다는 의미를 내포한다. 역은 천지의 법칙에 준거하여 사
물에서 상을 취하여 세운 것이므로 역의 법칙은 천지의 법칙과
더불어 비슷하여 서로 어긋나지 않는다. 이는 곧 역의 이치를

---

13) 박규선·최정준, 「음양의 대립과 통일에 관한 인문학적 고찰」, 『동
   양문화연구』 제36집, 동양문화연구원, 2022, p.92.

알면 천지운행의 이치와 그 변화를 알 수 있다는 말이 된다. 즉, 역은 천지 만물에서 상을 취하여 세웠기 때문에 괘상 속에는 만물의 이치와 그 변화의 원리가 들어있다. 그러므로 괘상은 천지의 모든 조화를 포괄하면서도 그 범위를 지나치지 않는다.14) 우주 만물이 시생하여 변화하고 순환하며 작용하는 원리가 괘 속에 담겨있음을 정의한 것이다.

---

14) 『周易』, 「繫辭傳上」 第4章, "範圍天地之化而不過."

2) 괘상과 물상

　짐작할 수도 없는 광대무변한 우주에 비하면 티끌에도 미치지 못하는 존재로서의 인간에게, 지적인 탐구를 통해 우주 만물에 대한 철학적 이해를 궁구하는 수단으로서의 괘상은 매우 중요한 역할을 해왔다. 「계사전」은 복희씨가 "우러러 하늘의 상(象)을 관찰하고 구부려 땅의 법(法)을 관찰하며, 새와 짐승의 문(文)과 천지의 마땅함을 관찰하며, 가까이는 자신에서 취하고 멀리는 사물에서 취하여, 이에 비로소 팔괘를 만들어 신명의 덕(德)을 통하고 만물의 정(精)을 분류하였다."[1]라고 하였다. 그러므로 역(易)이란 만물에서 상(象)을 취하여 그 뜻(義)을 세운 것임을 알 수가 있다.

　무엇 때문에 역이 천지와 똑같은 것일까? 주희(朱熹)는 "성인이 역을 지을 적에 괘·효상과 그 변화의 법칙은 음양의 실체에 근거하여 천지 만물의 형상과 그 변화의 과정을 본떠서 정한 것"[2]이라고 정의했다. 그러므로 『주역』의 법칙은 천지의 법칙과 일치한다. 팔괘의 형상은 천지 만물의 형상을 관찰하여 그대로 모방한 것이기 때문이다. 그러므로 "우러러 위로는 천문을 관찰하고, 굽어 아래로는 지리를 살피니, 그윽하게 숨겨짐(幽)

---

1) 『周易』, 「繫辭傳下」 第2章, "古者包犧氏之王天下也, 仰則觀象於天, 俯則觀法於地, 觀鳥獸之文, 與地之宜, 近取諸身, 遠取諸物, 於是始作八卦, 以通神明之德, 以類萬物之情."

2) 朱熹, 『周易本義』, "此言聖人作易, 因陰陽之實體, 爲卦之法象."

과 분명하게 드러남(明)의 이치를 알게 되고, 처음에서 시작하여 마치면 다시 본원으로 돌이키니 삶(生)과 죽음(死)의 이치를 알게 되며, 정기(精氣)가 엉겨 물(物)이 되고 유혼(遊魂)은 변(變)이 되니, 이런 까닭에 귀신의 정황을 알 수가 있는 것"3)이라 했다. 이는 광대무변한 만물의 이치와 변화는 짐작하기 어려우나 이를 범주화한 괘상을 살펴봄으로써 비로소 그 내면을 들여다볼 수 있음을 의미한다. 그러므로 『주역』의 법칙을 이해하면 "그 지혜는 만물에 두루 미치고 그 도가 천하를 구제하는 것"4)이니 우주 만물의 이치에 통한다고 하는 것이다.

역은 천지 만물의 생성원리를 음(--)과 양(—)이라는 두 개의 상반된 요소로 범주화하여 설명하고 있다. 즉 모든 자연현상은 대립하는 음양의 상호작용에서 나오는 변화의 산물에 지나지 않는다는 것이다. 양은 발산하고 음은 수렴하는 상반된 성정으로써 서로 대립하면서도 서로를 의존하며 상호작용을 통해 변화를 만들어낸다. 양은 음을 의존하여 존재하고 음은 양을 의존하여 존재한다는 것은 대립자를 내가 존재하기 위한 필수적 전제 조건으로 설정하고 있음을 가리킨다. 『역전』은 이것을 "한번 음하면 한번 양하는 것이 도다."5)라고 정의한다. 즉, 음양의

---

3) 『周易』, 「繫辭傳上」 第4章, "仰以观於天文, 俯以察於地理, 是故知幽明之故, 原始反终, 故知死生之说, 精气为物, 游魂为变, 是故知鬼神之情状."
4) 『周易』, 「繫辭傳上」 第4章, "與天地相似, 故不違, 知(智)周乎萬物而道濟天下."

구체적 성질인 강유(剛柔)의 개념으로 "강과 유가 서로 밀치고 부딪히면서 변화를 만들어낸다."[6]라고 해석함으로써, '변화'라는 것은 음양의 모순이 부딪히면서 상호 간에 굴신·왕래(屈伸·往來)의 과정을 거쳐 중화를 이룬 균형과 조화의 산물임을 말하고 있다.

　　천지·음양 두 기가 왕성하게 작용하여 만물이 두터워지고, 암수의 교합으로 만물이 생겨난다.[7]

　현대물리학적 관점에서 사물의 근원인 초미세 영역을 들여다보면 기본적으로 음양이라는 성질을 가진 양자장〔氣〕의 이합집산으로 사물이 생멸하고 있음을 알 수 있다. 천지는 근본적으로 음양이기의 상호작용으로 변화를 일으키며 만물을 채우는 것으로 모든 생명체는 암수의 교합으로 생겨난다.

　　천지가 합하여 만물이 생겨나고, 음양이 접촉하여 변화가 생긴다.[8]

　천지 만물은 태극(一)에서 비롯된다. 태극은 최초의 실체로

---

5) 『周易』, 「繫辭傳上」 第5章, "一陰一陽之爲道."
6) 『周易』, 「繫辭傳上」 第2章, "剛柔相推而生變化."
7) 『周易』, 「繫辭傳下」 第4章, "天地絪縕, 萬物化醇, 男女構精, 萬物化生."
8) 『荀子』, 「禮論」, "天地合而萬物生, 陰陽接而變化起, 性僞合而天下治."

서 음양(二)으로 나뉘어 상호작용하는 본원으로서의 시작점이
다. 그러므로 태극(一)이라는 통일체로서의 음양(二)은 서로 짝
이 되어 상호의존적이며 보완적 관계로 대립적이면서도 상보적
인 관계를 이룬다.

　一陰一陽은 상호 평등하면서도 상반된 성정으로서 각자가 가지고
있는 공능은 서로 다르다. 양은 발산과 동적인 성정을 지녔으며, 음은
수렴과 정적인 성정을 지녔다. 『주역』은 이것을 '만물은 건원[陽]에
의뢰하여 시작하고,9) 곤원[陰]에 의지하여 생겨나며,10) 하늘에서는
상(象)을 이루고 땅에서는 형(形)을 이루며 변화를 드러내는 것'11)이
라 하였다. 이는 건양(乾陽)이 대시(大始)를 주관하고 곤음(坤陰)에서
만물을 이루는 것[成物]12)임을 의미한다.

　상반된 성질의 음과 양이 서로 대립 관계를 이루면서도 상호
보완하며 상존하고 있음을 보여주는 것이 '태극음양도'이다. 양
이 부족하면 음이 채워주고, 음이 부족하면 양이 채워줌으로써
태극을 이루는 하나(一)라는 원(圓)은 변함이 없다. 전체적으로
보면, 음과 양은 서로 대립하면서도 공존을 위하여 지엽적인 면
에서는 서로 부족한 부분을 메워주고 하나의 태극원을 이루며
상호작용하는 대대 관계에 있음을 알 수 있다. 즉, 부분적인 관
점에서 보면 지엽적인 음양이기의 상호 불균형은 다양한 만물

---

9) 『周易』, 「象傳」 乾卦, "乾元, 萬物資始, 內通天."
10) 『周易』, 「象傳」 坤卦, "坤元, 萬物資生, 內順承天."
11) 『周易』, 「繫辭傳上」 第1章, "在天成象, 在地成形, 變化見矣."
12) 『周易』, 「繫辭傳上」 第1章, "乾知大始, 坤作成物."

의 변화를 야기하는 동인이 되지만, 전체적인 관점으로 보면 음양은 항상 균형과 조화를 유지하고 있는 것이다.[13]

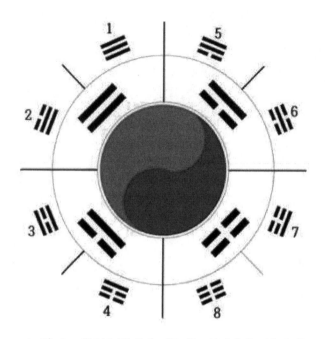

<그림 4> 태극(음양)에서 비롯되는 복희팔괘도(우주역)

》위 그림은 태극이 음양을 낳고 음양은 사상을 낳고 사상은 팔괘를 낳는 우주만물의 창조 과정을 입체적으로 설명한다. 팔괘(八卦)로 범주화되는 만물만상의 근원은 음과 양이다. 즉 만물을 범주화한 팔괘는 음효(--)와 양효(-)로 구성되어 있는데, 이는 팔괘가 음양에서 비롯되었기 때문이다.

---

13) 박규선・최정준, 「음양의 대립과 통일에 관한 인문학적 고찰」, 『동양문화연구』 제36집, 동양문화연구원, 2022, p.97.

우주 만물의 시생을 표상한 복희팔괘도는 만물을 여덟 개의 극성으로 나누고 이를 음효(--)와 양효(—)라는 두 개의 부호로 괘상화시켜 논리를 부여함으로써 천지 만물을 한눈에 이해할 수 있도록 범주화하고 있다. 즉, 천지 만물을 '하늘(1乾☰天), 못(2兌☱澤), 불(3離☲火), 우레(4震☳雷), 바람(5巽☴風), 물(6坎☵水), 산(7艮☶山), 땅(8坤☷地)' 등으로 범주화하고, 1에서 8까지 생성 순서대로 수를 부여함으로써 극성 간의 상호작용과 수리적 이치를 드러낼 수 있도록 하였다.

8개의 괘는 양 또는 음으로 완전히 치우친 乾(☰)·坤(☷)괘 이외에 6개의 괘는 모두 양효1과 음효2, 또는 음효2와 양효1로 구성되어 음양의 불균형한 상태를 이루고 있다. 즉, 천지 만물을 범주화한 팔괘는 근원적으로 '음양의 불균형'을 근본원리로 형성이 되었음을 알 수 있다. 음기와 양기는 대립과 통일이라는 상호의존 관계를 기본원리로 하고 있으며, 강유상추 상호작용으로 형성된 팔괘의 내부는 3개의 효가 음양의 치우침, 즉 불균형의 상태로 이루어져 있다. 이러한 연고로 천지 만물의 극성을 범주화한 팔괘는 균형을 이루고자 하는 역동적인 기〔음양〕의 이동과 상호작용으로 만물의 순환과 생장수장(生長收藏)의 이치를 표상한다. 물리학적인 관점으로 보면, 에너지〔氣〕의 불균형은 균형을 이루기 위한 역동적인 힘의 이동을 불러일으키고, 에너지의 흐름은 만물의 생장수장의 이치를 순환시키는 동인이 된다. 즉, 에너지의 불균형이란 만물이 생멸하는 순환원리로서 이를 표상한 괘의 내부도 같은 불균형의 원리가 적용된다고 할 수 있다.

장재(張載)는 『정몽』에서 만물이란 균형과 불균형이 서로 상승작용을 일으키며, 그 사이를 오가는 기의 취산 활동으로서 생멸을 거듭하는 '변화의 일시적인 형태〔客形〕'[14]라 하고 있다. 즉, 음양의 대소·장단·강약의 치우침, 즉 음양의 균형과 불균형의 극미세한 차이에 따라 "음양이기가 운행 유전하고 상호 작용하며 끊임없이 낳고 낳는 일이 바로 일체 사물이 영구히 중단없이 변역하며 생장하고 소멸하는 근원"[15]이라 할 수 있는 것이다. 그러므로 세상의 대립적인 음양동정의 상반된 두 측면이 대소·장단·강약이라는 미묘한 차이로써 굴신·왕래·소식 작용을 하며 상호감응을 통해 수많은 변화를 야기하면서도 궁극적으로는 균형과 조화의 질서 위에서 전체적인 통일을 이루고 있는 것이 바로 우주 만물의 변화라 할 수 있는 것이다.

---

14) 張載, 『正蒙』, 「太和」, "太虛無形, 氣之本體, 其聚其散, 變化之 客形爾."

15) 프리초프 카프라, 김용정·이성범 공역, 『현대물리학과 동양사상』, 범양사, 2017, p.504.

3) 대립과 불균형

『주역』의 64괘는 음양의 편중으로 형성된 팔괘가 상하로 중
첩되어 6개의 효가 상호작용하는 대성괘를 가리킨다. 64괘는 8
괘가 중첩되어 상하작용을 일으킴으로써 균형과 조화를 추구하
는 과정에서 만물의 양태를 표상한다. 즉, 64괘를 구성하는 육
효는 굴신·왕래·소식(屈伸·往來·消息) 작용을 통해 중정응
비(中正應比)의 원리로써 상·하괘의 효가 서로 부딪히고 응
기함으로써 만물의 작용을 드러낸다.

괘는 효의 위치에 따라 작용하는 힘이 다르다. 예를 들어 진
괘(震卦☳)의 초구(初九)와 간괘(艮卦☶)의 상구(上九)는 하나
의 같은 양효이지만 작용하는 힘에는 서로 차이가 있다. 진괘의
초구는 2개의 음효를 뚫고 상승하여 나아가려는 동적인 힘
〔進〕이 강한데 반하여, 간괘의 상구는 상승하는 힘이 2개의 음
효에게 잡혀 멈춰 서 있는 뜻〔止〕이 된다. 하나의 동일한 양효
이지만 효의 위치가 다르니 진괘(☳)는 진(進)의 뜻이 되고, 간
괘(☶)는 지(止)의 뜻이 되어 서로 작용하는 힘이 다르게 발휘
되는 것이다.[1]

> 비(卑)와 고(高)는 천지 만물의 높고 낮은 자리이고, 귀(貴)
> 와 천(賤)은 역 가운데 괘효의 위·아래의 자리다.[2]

---

[1] 박규선·최정준,「괘효의 수리화에 따른 역의 과학적 해석연구」,『
동방문화와 사상』 제10집, 동양학연구소, 2021, p.21.

괘상에서 효는 위(位)에 따른 역할과 그에 따른 작용력이 서로 다르므로 이로써 강과 유가 서로 부딪히고 팔괘가 서로 섞이며 길흉을 만들어낸다. 음효와 양효 두 개의 종류로써 삼효로 구성된 하나의 괘체를 이루니 음과 양은 서로 위치에 따른 차등이 생길 수밖에 없다. 『역전』은 괘효가 귀천으로 나뉘는 것이 위(位)에 있음을 밝히고 있다.3) 세 개의 효로써 천지인의 괘상을 이루고, 두 개의 괘체가 상하를 이루어 위아래의 효가 각각 짝을 지어 응하는 구조인 6효로써 천지인의 작용을 이룬다.4)

3효와 5효의 위치에 따른 차등에 관하여 『역전』은 다음과 같이 설명하고 있다.

三과 五는 공(功)이 같으나 위(位)가 달라 三은 흉함이 많고, 五는 공이 많음은 귀천의 차등 때문이니 유(柔)는 위태롭고 강(剛)은 이겨낼 것이다.5)

三과 五가 똑같은 양효이지만 귀천이 다르다는 것은 五는 상

---

2) 朱熹, 『周易本義』, "卑高者, 天地萬物上下之位, 貴賤者, 易中卦爻上下之位也."

3) 『周易』, 「繫辭傳上」 第3章, "列貴賤者, 存乎位, 齊小大者, 存乎卦, 辨吉凶者 存乎辭."

4) 朱熹, 『周易本義』, "三劃已具三才, 重之故六, 而以上二爻爲天, 中二爻爲人, 下二爻爲地."

5) 『周易』, 「繫辭傳下」 第8章, "三與五, 同功而異位, 三多凶, 五多功, 貴賤之等也, 其柔危, 其剛勝耶."

괘의 中正한 군왕의 자리에 거하고, 三은 하괘에서 中을 벗어나 종일건건(終日乾乾)하며 투쟁하는 자리이기 때문에 처한 위치에 따라 작용하는 기운에 차이가 있음을 뜻하는 것이다. 즉, 괘효가 귀천으로 나뉘어 차등이 생기는 것은 여섯 개의 효가 각각 서로 다르게 위치하고 있기 때문이다. 효의 고저 위치에 따라 기세가 다르게 나타나고, 음효와 양효의 자리가 마땅한지 당위성의 여부, 그리고 상하괘의 마주하는 효가 응 또는 불응하는 관계에 따라 효의 차등이 생기면서 그에 따라 작용력이 달라지는 것이다.[6]

1개의 양효와 5개의 음효로 불균형을 이루고 있는 지뢰복(地雷復䷗)괘와 산지박(山地剝䷖)괘를 예로 들어 효위(爻位)에 따른 작용력의 차등을 비교해보자.

두 괘는 모두 동일한 개수의 음효과 양효로 이루어진 괘이지만 복괘는 양효가 맨 아래에 처하여 있고, 박괘는 맨 위에 위치한다. 효위가 다르면 당연히 음과 양이 작용하는 공능은 서로 다를 수밖에 없고 그에 따라 효사도 달라지게 된다.

지뢰복괘䷗는 5개의 음효 아래에서 시생하는 양기의 상으로서 생명이 태동하는 모습을 보여준다. 양효의 위치는 11월의 한겨울 꽁꽁 언 땅속 깊은 곳이다. 일반적인 의미로 보면 초구(양)의 기세는 음기로 가득한 맨 아래에 처하여 미약한 상태이

---

6) 박규선 · 최정준, 「괘효의 수리화에 따른 역의 과학적 해석연구」, 『동방문화와 사상』 제10집, 동양학연구소, 2021, pp.18-19.

지만 그 자체로서 강한 생명력을 품고 있다. "만일 초구의 생명력이 강하지 못하다면 다섯 개의 음기에 눌려 펴보지도 못하고 그대로 삭아버릴 것이다. 태아는 비록 태궁에서 어머니의 보살핌을 받는 작고 미약한 존재에 불과하지만 강한 생명력으로 열 달 후에는 세상 밖으로 나와 장성하게 될 근본[씨앗]이다. 수억 년 전에 묻힌 씨앗이 발견되어 발아했다는 과학적인 사실들은 복괘가 품고 있는 의미를 뒷받침한다. 다섯 개의 음효가 오히려 초구 양효를 단단히 보호하는 역설적인 상황을 보여준다."7)

효의 크기를 수리화하면 이러한 논리는 보다 명확하게 드러난다. 즉, 소옹(邵雍)의 복희팔괘도의 형성원리인 가일배법(加一倍法)8)의 논리로써 환산하여 수리화하면 초구는 +32가 된다. 양효를 수리화하는 방법은 위에서부터 아래로 측정하는 양의 관점으로서 2진법 체계이다. 그리하면 6개 양효의 수를 모두 합한 수가 +63이니, 초구 1개의 힘의 크기는 상당하다고 할 수 있다.9)

---

7) 박규선·최정준, 「괘효의 수리화에 따른 역의 과학적 해석연구」, 『동방문화와 사상』 제10집, 동양학연구소, 2021, p.15.

8) 加一倍法: 소옹(邵雍)이 설명한 복희팔괘도의 생성원리를 말한다. 후에 주희(朱熹)는 일분위이법(一分爲二法)이라고 표현하였다. 가일배법은 복희팔괘를 양의 관점에서 양효의 기세를 라이프니츠의 2진법 수리로 환산하는 원리이다.

9) 박규선·최정준, 「괘효의 수리화에 따른 역의 과학화 연구」 『동방문화와 사상』 제10집, 2021, pp.25-29. : 양의 관점이란 양효를 수

"반대로 양효가 맨 위에 올라가 있는 산지박괘☶☷는 겨울에 들어서기 전인 늦가을 9월을 의미한다. 다섯 개의 음효에 밀려나는 양효를 의미하며, 맨 위 양효는 늦가을 나무에 매달려 떨어지기 직전인 마지막 남은 열매를 상징한다. 기운은 이미 쇠락하여 바람만 불면 떨어질 듯 위태롭다. 복(復)과 박(剝)은 같은 하나의 양효이지만 처한 위치가 서로 다르므로 기세도 다르고 그에 따라 상징하는 효사(爻辭)도 의미가 달라진다."[10]

역시 이진법 논리인 가일배법으로 환산하여 수리화하면 상구 양효의 크기는 겨우 +1이다. 6개의 효의 수를 모두 합한 수 +63 중에 상구 1개의 크기는 매우 미약한 것이다.

이처럼 효위(爻位)를 수로 환산해보면 음효와 양효는 괘상에서의 위(位)에 따라 힘의 크기가 서로 다르게 작용한다는 것을 알 수 있다. 그러므로 초구(初九)와 상구(上九)는 동일한 하나의 양효(─)이지만 서로 처한 위치가 다르므로 작용력도 다르고, 그에 따라 효의 작용을 풀이하는 효사도 뜻을 달리하는 것이라 할 수 있다.

로 환산할 때 위의 상효부터 아래로 초효까지 6개의 괘효를 차례로 1,2,4,8,16,32로 수리화하는 것을 말한다(음효는 0으로 처리한다). 그러면 초구 양효의 크기는 +32가 된다.

10) 박규선 · 최정준, 「괘효의 수리화에 따른 역의 과학적 해석연구」, 『동방문화와 사상』 제10집, 동양학연구소, 2021, p.15.

◇지뢰복(地雷復☷☳)괘 초구 효사-
初九 不遠復 无祗悔 元吉
초구 불원복 무지회 원길

머지않아 돌아오니 회(悔)에 이르지 않는다. 마땅하면 길하
다.

◇산지박(山地剝☶☷)괘 상구 효사-
上九 碩果不食 君子得輿 小人剝廬
상구 석과불식 군자득여 소인박려

큰 과일은 먹지 않고 남겨두니 군자는 수레를 얻는다. 그러
나 소인은 오두막집마저 부수리라.

이렇게 효위가 서로 다른 동일한 양효의 효사가 서로 다르게
표현되는 것은, 음양의 대소·장단·강약의 미묘한 차이에 의
해 발생하는 괘의 불균형한 상태가 조화로운 균형의 상태로 회
복하려는 상호작용력이 서로 다르게 발휘되기 때문이다.

이번에는 반대로 음효 1개와 양효 5개로 이루어진 택천쾌(澤
天夬☱☰)괘와 천풍구(天風姤☰☴)괘를 음효의 관점에서 살펴보자.

쾌괘(夬卦)는 한 개의 음효가 맨 위에서 다섯 개 양효의 상
승하는 기운을 가로막고 있는 모습이고, 구괘(姤卦)는 한 개의
음효가 다섯 개의 양효 맨 아래에서 처음 모습을 드러내는 상
이다. 쾌괘는 양기가 폭증하는 늦봄에 해당되고, 구괘는 음기가
처음 나타나 양기를 저지함으로써 열매에 양기를 모으기 시작

하는 5월의 한여름에 해당된다. 음은 하향하는 기운이고 양은 상향하는 기운으로 쾌괘의 상육(上六)은 다섯 개의 양의 상승하는 기운을 누르며 감당하고 있는 한 개의 음이니 그 기세는 지뢰복괘의 초구(初九) 양효와 비교할 수 있다. 이에 반하여 구괘는 다섯 양효의 아래에 붙어있는 음효로서 산지박괘의 상구 양효와 비교된다.11)

이진법 원리인 가일배법의 논리로 환산하여 수리화하면, 음의 관점으로서 쾌괘의 상육은 -32이다. 음효의 수리화는 아래에서부터 위로 측정하는 음의 관점으로서 2진법 수리로 환산한다. 그러면 6개의 음효의 수를 모두 합한 수가 -63이니, 상육 1개의 힘의 크기는 상당한 것이다. 역시 구괘의 초육을 가일배법인 이진법 체계로 환산하여 수리화하면 초육 음효의 크는 겨우 -1이 된다. 6개의 음효의 수를 모두 합한 수 -63이니, 초육 1개의 크기는 아주 미약한 것이다.12) 즉, 괘를 구성한 효의 위치에

---

11) 박규선 · 최정준, 「괘효의 수리화에 따른 역의 과학적 해석연구」, 『동양문화와 사상』 제10집, 동양학연구소, 2021, p.16.
12) 박규선 · 최정준, 「괘효의 수리화에 따른 역의 과학화 연구」『동방문화와 사상』 제10집, 2021, pp.25-29. : 위에서부터 아래로 보는 양의 관점과는 반대로, 음의 관점에서는 음효를 수로 환산할 때 아래에서부터 위로 올려다보고 6개의 괘효를 차례로 2진법 수리체계로 산정하면 -1,-2,-4,-8,-16,-32로 수리화된다, 이것은 火氣인 불(火)은 아래에 처하면 처할수록 위로 솟구치는 힘이 강하고, 陰氣인 물(水)은 위에 처하면 처할수록 아래로 떨어지는 힘이 강하다는 논리와 상통한다.

따라 상호균형을 회복하기 위하여 작용하는 힘의 크기는 서로 다를 수밖에 없는 것이며, 이에 따라 효사도 그 뜻을 달리하는 것이다.

◇천풍구(天風姤☰)괘, 초육 효사-
　　初六 繫于金柅 貞吉 有攸往 見凶 羸豕孚蹢躅
　　초육 계우금니 정길 유유왕 견흉 리시부적촉

　쇠말뚝에 묶어 굳게 지키면 길하리니 나아가면 흉한 꼴을 보리라. 여윈 돼지의 믿음(조급한 소인배의 마음)은 나아가고자 촐랑댄다.[13]

◇택천쾌(澤天夬☱), 상육 효사-
　　上六, 无號 終有凶
　　상육, 무호 종유흉

　부르짖음이 없으니 마침내 흉하리라.[14]

　초육(初六)과 상육(上六)은 동일한 하나의 음효(--)이지만 서로 처한 위치가 다르므로 작용력도 다르고 그에 따라 효의 작용을 풀이하는 효사도 뜻이 달라진다.

　음양은 대소·장단·강약이라는 미묘한 상대적 차이로 대립하면서도 상호의존하며 어느 하나라도 없으면 상호작용을 할

---

13) 『주역』, 天風姤, 초육 효사, "初六 繫于金柅 貞吉 有攸往 見凶 羸豕孚蹢躅"

14) 『주역』, 澤天夬, 상육 효사, "上六, 无號 終有凶"

수 없는 상보적 관계로서 서로 대대 관계를 맺고 있다. 그러므로 괘체 안에서 음효와 양효는 위치에 따른 작용력의 차이와 상호모순에 의해 서로 부딪히고 화합하고 조율하면서 만물의 길흉을 만들어간다. 천지 만물은 전체적으로 보면 완전한 균형을 이루고 있지만, 지엽적으로는 음양의 불균형이 발생함으로써 에너지의 이동이 일어나 변화가 발생하게 되는 것이다.

예를 들어 지구의 공전은 사시 순환에 따른 지역적인 기후의 불균형을 일으키고, 온도의 차이에 의한 에너지의 이동을 발생시킴으로써 지구는 역동적으로 만물을 생육하게 된다. 『주역』은 만물의 생성원리를 강유가 서로 밀고 당기고 부딪히고 화합하면서 변화를 만들어내는 것이라 하였으니, 음양의 대립과 모순이 만들어내는 상호 불균형은 역설적으로 만물을 생장·소멸시키며 순환케 하는 동인이 되는 것이다.[15]

음양의 상호작용이 중화를 이루는 과정을 통해 만물을 생화하는 이치를 『주역』은 "강과 유가 서로 밀치고 부딪히면서 변화를 만들어낸다."[16]라고 하였으며, 『순자』는 "천지가 합함에 만물이 생겨나고 음양이 교제함에 변화가 일게 된다."[17]라고 하여 음양을 범주로 삼아 사물의 변화를 설명하였다. 『노자』는 "만물은 음을 지고 양을 안으며 충기(沖氣)로써 조화를 이룬

---

15) 박규선·최정준, 「괘효의 수리화에 따른 역의 과학적 해석연구」, 『동양문화와 사상』 제10집, 동양학연구소, 2021, p.101.
16) 『周易』, 「繫辭傳上」 第2章, "剛柔相推而生變化."
17) 『荀子』, 「禮論」, "天地合而萬物生, 陰陽接而變化起."

다."18)고 하여 음양의 상호작용이 중(中)을 생함으로써 조화를 이루는 것임을 설파하였으며, 『관자』는 "만물은 음양 양자가 서로를 낳으며 제삼자를 형성한다."19)라고 하여 만물의 화생을 음양의 대립과 상호작용으로 설명하였다.

위에서 말하고자 하는 공통의 의미는 '중화를 낳는 음양의 이치'를 가리킨다. 즉, 괘상과 물상의 생성원리는 바로 '음양의 대립과 상호작용'이라는 것이다. 대소·장단·강약이라는 음양의 미세한 차이, 즉 균형과 불균형의 미묘한 균열이 대립과 화해라는 상호작용을 일으킴으로써 만물의 생멸을 순환시킨다. 그러므로 물상과 이를 표상한 64개의 괘상은 음양의 상호작용이 균형과 조화라는 중화를 이루어 가는 과정에서 '변화의 일시적인 형태', 즉 장재(張載)가 말한 변화의 흐름 중에 잠시 기물(器物)로 응취된 형태, 즉 '객형(客形)'이라 정의할 수 있는 것이다.

---

18) 『老子』, "萬物 負陰而抱陽, 沖氣而爲和."
19) 『管子』, 「樞言」, "凡萬物陰陽, 兩生而參視."

2. 과학적 공통성

1) 기(氣)와 장(場, Quantum Field)

정이(程頤)는 리(理)를 모든 현상의 이면에 선재되어 있는 본체로 보았다. 리(理)가 있고 난 뒤에 상(象)이 있고 기(氣)의 작용이 있다는 것이다. 이에 비하여 장재(張載)는 기의 작용이 있고 난 뒤에 리와 상이 있다고 보았으며, 장재의 기본체론을 진전시킨 왕부지(王夫之)는 한발 더 나아가 기의 작용으로 기물(器物)이 생겨나고 기물은 그 물(物)의 자기동일성(identity)[1]이라 할 수 있는 리(理)와 그 물(物)만의 본상을 내재하고 있으며, 또한 그 물(物)은 우연히 뭉쳐진 기의 덩어리가 아닌 수리적인 이치로써 조직화한 물상이라 하였다. 리가 먼저냐 기가 먼저냐 하는 논쟁은 정이의 리본체론(理本體論)과 장재의 기본체론(氣本體論)에서 촉발되었고, 이는 유심론과 유물론의 논쟁으로 이어진다.

장재는 "태허(太虛)는 무형으로서 氣의 본체이며, 氣가 모이고 흩어지는 변화는 物의 순간적인 형태〔客形〕일 뿐"[2]이라고

---

1) 自己同一性(identity): 현재 자기가 가진 특성이 언제나 과거의 그 것과 같으며 미래에도 이어진다는 생각. 에릭슨(Erickson, E. H.)의 자아 심리학과 올포트(Allport, C. W.)의 인격 심리학 등에서 사용한 용어이다.
2) 張載, 『正蒙』, 「太和」, "太虛無形, 氣之本體, 其聚其散, 變化之客

하여 우주 삼라만상을 가득 채운 우주의 초극미 공간의 '텅 빔〔太虛〕'을 만물을 생화하는 무형지기(無形之氣)로 가득한 본체로 보았다.

즉, 만물이란 기가 모이고 흩어짐에 따라 나타났다 사라지는 일시적인 형태〔客形〕로서 이러한 현상은 일시적 상태의 머무름에 불과하다. 따라서 기의 전체 에너지는 일정하게 유지된다. 기가 모이면 형태가 있는 유형의 사물이 되지만, 흩어지더라도 보이지 않을 뿐 없어지는 것이 아니므로 기의 원질은 보존되는 것이다. 유형과 무형은 단지 보이는 것〔顯〕과 보이지 않는 것〔微〕의 차이일 뿐 보이지 않는다고 하여 절대 없음이 아니니, 이른바 정이(程頤)의 "보이는 것과 보이지 않는 것에는 간격이 없다."라는 현미무간(顯微無間)의 뜻이다.

    태허는 기가 없을 수 없고, 기는 모여서 만물이 되지 않을 수 없으며, 만물은 흩어져 태허가 되지 않을 수 없다.3)

만물이 형성되기 전의 본체는 기로 가득한 태허이다. 만물이 되기 위해서는 기는 응취되어야 하며 소산(消散)되면 다시 태허로 돌아간다. 기의 취산(聚散) 작용으로 유형과 무형을 오가는 것이니, 장재의 말을 빌리면 우주 만물이란 '유와 무가 하나로 혼융된

形爾."
3) 張載, 『正蒙』, 「太和」, "太虛不能無氣, 氣不能不聚而爲萬物, 萬物不能不散而爲太虛."

상태(所謂有無混一之常)'인 것이다. 즉, 무(無)는 형체가 없지만 상(象)을 갖고 있는 기의 상태이며 유(有)는 기가 모여서 형체를 갖춘 상태로서, 이것은 기의 모임〔聚〕과 흩어짐〔散〕으로 유형와 무형의 전화가 이루어지는 것으로 이해할 수 있다.[4]

장재의 역학적 관점에서 기에 의한 사물의 생성과 소멸, 그리고 현대물리학적 관점에서 장(Quantum Field)에 의한 사물의 생성과 소멸을 바라보는 관점은 다음처럼 유사하다.

> 기의 취산이 태허에서 말미암음은 마치 얼음의 얼고 녹음이 물로부터 말미암은 것과 같다. 따라서 태허가 곧 기임을 알면 무의 세계란 없다는 것을 알게 된다.[5]

> 양자장(量子場)은 근본적인 물리적 실체, 즉 공간 어디에나 존재하는 연속적인 매체로 여겨진다. 소립자들은 단지 그 장(場)의 국부적인 응결에 불과하다. 에너지의 집결로서 그것들은 왔다가 가 버림으로써 개체의 특성이 상실되고 바닥의 장으로 융합된다.[6]

사물의 형성에 대한 동양 철학적 개념의 기와 양자 물리학적 개념인 장의 설명은 서로 유사하다. "양자장에서와 같이 장(場)-또는 기(氣)-은 모든 물체의 기초가 되는 본질일 뿐만 아

---

4) 朱伯崑, 김학권 외4 공역, 『역학철학사3』, 소명출판, 2012, p.582.
5) 張載, 『正蒙』, 「太和」, "氣之聚散於太虛, 猶氷凝釋於水, 知太虛卽氣, 則無無."
6) 프리초프 카프라, 김용정 · 이성범 공역, 『현대물리학과 동양사상』, 범양사, 2017, p.275.

니라 파동의 형태로서 상호작용을 수행한다."[7] 물이 얼면 유형의 실체가 되고, 녹으면 다시 본원인 물로 돌아가는 것은 기의 바다인 태허에서 기의 취산에 따라 사물이 일시적인 형태를 갖추었다가 다시 태허로 돌아가는 것과 이치가 같다. 이것은 우주 어디에나 존재하는 연속적인 매체로서의 양자장이 에너지의 국부적인 응결로 사물이라는 일시적인 실체를 이루었다가 다시 장의 바다로 융해되는 것과 같은 것이니, 사물이란 '변화의 일시적인 형태'로서 '객형(客形)'이라 할 수 있다. 즉, 얼음이라는 개체가 녹으면 개체의 특성이 사라지고 형체가 없는 물로 돌아가듯이 국부적인 에너지의 응결체인 소립자가 분해되면 개체의 특성이 사라지고 형체가 없는 무형의 에너지장으로 회귀하는 것이다.

"물리학자들은 공간을 텅 빈 허공이라기보다는 탄력성 있는 매개 물질로 간주하기를 더 좋아한다. 아무리 순수한 진공이라도 양자 효과라는 것 때문에 행위의 매질(媒質) 역할을 하며, 또한 무한소의 구조물들로 가득 채워져 있다는 사실을 알게 될 것이다. 물리학자에게는 무(無)라고 하는 것은 물질이 없다는 것뿐만 아니라 공간까지도 없는 것을 의미한다."[8]

그러므로 유무(有無)가 하나로 통합되어있는 이치란 무(無)는

7) 프리초프 카프라, 김용정 · 이성범 공역, 『현대물리학과 동양사상』, 범양사, 2017, p.280.
8) 폴 데이비스, 류시화 역, 『현대물리학이 발견한 창조주』, 정신세계사, 2020, p.44.

기가 아직 모여들지 않아 형체가 없는 것이고 유(有)는 기가 모여들어 형체로 드러난 것이니, 유형과 무형은 모두 일체의 기(氣)로 통일되어있으므로 우주 가운데 허무(虛無)의 세계란 존재할 수가 없다고 하는 것이다.9)

기의 취산으로 만물이 일어났다 사라지는 태허는 양자장 (Quantum Field)의 응취와 소산으로 만물이 일어났다 사라지는 에너지로 가득한 우주 본체와 개념이 유사하다. 태허는 기의 본체이며 기는 곧 음양이니, 태허란 음양이 구분되지 않은 혼륜 (chaos)된 기의 상태를 말한다. 기가 음양의 상대성으로 분별된 상태를 태극이라 하고, 그 상대적 작용성을 음양이라 하니 태극이 기의 본체라면 음양은 기의 작용적 측면이 된다. 그러므로 '태허(太虛), 태극(太極), 기(氣), 음양(陰陽)'이란 용어는 동일 대상을 바라보는 관점에 따른 명칭이라 할 수 있다.

> 태허는 기의 본원이다. 기(氣)에는 음양이 있으니 굽히고 펴져서 서로 감(感)하는 것이 무궁하므로 신(神)의 응함도 무궁하다. 그 흩어짐이 헤아릴 수 없으므로 신의 응함도 헤아릴 수 없다. 비록 무궁하지만 그 실제에 있어서는 담연하고, 비록 헤아릴 수 없지만, 그 실제에 있어서는 하나일 뿐이다. 합하면 혼연하여 사람들은 그 나누어짐을 알지 못한다. 형질이 모여 사물이 되고, 형질이 붕괴되면 다시 그 근원으로 되돌아간다.10)

---

9) 朱伯崑, 김학권 외4 공역, 『역학철학사3』, 소명출판, 2012, p.580.
10) 張載, 『正蒙』, 「乾稱」, "太虛者, 氣之體. 氣有陰陽, 屈伸相感之無窮, 故神之應也無窮. 其散無數, 故神之應也無數. 雖無窮, 其實湛

"기(氣)라는 말은 글자 그대로 '가스(gas)' 혹은 '에테르 (ether)'를 뜻하는데, 고대 중국에서는 생명을 유지시켜 주는 주로 호흡이나 우주에 생기를 불어 넣어주는 에너지라는 뜻으로 사용되었다. (……) 신유학파들은 현대물리학에서 양자장의 개념과 가장 놀랄 만한 유사성을 갖고 있는 기의 개념을 발전시켰다. 양자장처럼 기는 공간의 도처에 미만해 있으며 견고한 물체로 응축될 수 있는, 묽으며 감지될 수 없는 형태의 것으로 여겨진다."[11] 이는 기가 우주 공간을 채우고 있으며, 응취하면 물질이 되고 흩어지면 보이지 않는 형태로 전화되는 것으로서 현대물리학에서의 양자장과 그 속성이 유사하다는 것을 보여준다.

형질이 모이면 사물이 되고, 형질이 붕괴되면 다시 그 근원인 태허로 되돌아간다. 즉, 기가 모이면 만물이 되고, 흩어지면 태허가 된다는 것은 장의 국부적인 응결이 풀리면 물질은 와해되고 다시 양자장의 바다로 회귀한다는 것을 의미한다. 현대물리학적 개념의 양자장이 온 우주에 충만하듯이, 역학적 개념의 기 또한 우주에 널리 편재되어 있다. 기의 취산으로 사물이 생멸하듯이, 장의 취산으로 사물이 생멸하는 것은 동양철학에서의 기의 개념과 현대물리학에서의 양자장의 개념이 서로 상응하는 바가 있기 때

然, 雖無數, 其實一而已. 陰陽之氣, 散則萬殊, 人莫知其一也. 合則混然, 人不見其殊也, 形聚為物, 形潰反原."

11) 프리초프 카프라, 김용정 · 이성범 공역, 『현대물리학과 동양사상』, 범양사, 2017, p.279.

문이다. 즉, 공허하며 형체가 없으나 모든 형상을 산출할 수 있는 기의 개념에는 현대물리학에서의 장의 개념이 함축되어있다고 볼 수 있다. 태허는 형체도 없고 움직임도 없지만 언제든 사물을 낼 수 있는 잠재성을 갖추고 있듯이, 양자장이라는 에너지장의 바다는 만물만상이라는 사물의 소이연(所以然)을 품고 있는 것이다.

동양의 신비 중의 공(空)은 쉽게 아원자 물리학의 양자장과 비교될 수 있다. 양자장처럼 그것은 한없이 다양한 형상을 낳으며, 그것을 보존하면서 결국엔 다시 거두어 드린다.[12]

즉, 물리학적 공(空)이란 공무(空無)가 아닌 진공즉묘유(眞空卽妙有)의 개념으로 만물의 소이연(所以然)을 품고 있는 역학적 개념의 태허와 같다. 만물의 원천인 태허〔氣〕나 양자 물리학적 개념의 태허〔場〕, 즉 에너지장의 바다는 음양이 분리되지 않은 유기적 통일체로서의 전일성을 갖추고 있다.

그러나 음양의 기가 흩어지면 만 가지로 나누어져서 사람들은 그것이 본래 하나임을 알지 못하지만, 비록 무궁하지만 그 실제에 있어서는 담연(湛然)하고, 비록 헤아릴 수 없지만 그 실제에 있어서는 하나(一)일 뿐이니, 장재의 표현처럼 만물만상 중에 "홀로 고립되어 존재하는 이치를 가진 사물이란 없는 것이다."[13] 즉, 하나(一)에서 음양이 굴신(屈伸)·상감(相感)하

---

12) 프리초프 카프라, 김용정·이성범 공역, 『현대물리학과 동양사상』, 범양사, 2017, p.277.
13) 張載,, 『正蒙』, 「動物」, "物無孤立之理."

며 신의 묘리로써 만물을 펼쳐내고 만왕만래(萬往萬來)하며 끊임없이 변화하지만, 만물은 상호관계망으로 연결되어 전일성으로 존재함으로써 근본인 하나(一)는 부동한 것이다.

진공(眞空)이란 완전히 비어있는 것이 아니다. 그 반대로 그것은 끊임없이 생겨나고 사라지는 무수한 입자들을 함유하고 있다. 바로 여기에 현대물리학이 동양 신비 중의 허(虛)에 가장 가까운 유사점이 있는 것이다. 동양의 허와 같이 물리적 진공 · 장이론에서 이렇게 불림 · 은 단순하게 아무것도 없는 상태가 아니라 소립자 세계의 모든 형태를 지닐 가능성을 갖고 있다. 이러한 형태들은 독립된 물리적 실체들이 아니라, 단지 근본적인 허의 일시적인 출현이다. 불경에서 말하듯이 "색(色)이 공(空)이요, 공(空)이 색(色)이다.
가상적 소립자들과 진공과의 관계는 본질적으로 동적 관계이다. 진공은 진실로 생성과 소멸의 끝없는 리듬으로 고동치는 '살아있는 허(虛)'이다. 진공의 동적인 성질에 대한 발견은 최고로 중요한 발견 중의 하나로 간주되고 있다.14)

생성과 소멸의 끝없는 리듬으로 고동치는 '살아있는 허(虛)'는 만물만상의 씨앗을 품고 있는 무한한 창조성을 지닌 역동적 에너지로 가득한 우주의 산실이라 할 수 있다. 즉, 막대한 에너지를 포함하는 공간은 비어있다기보다는 가득 차 있다고 할 수 있는 것이다.15)

---

14) 프리초프 카프라, 김용정 · 이성범 공역, 『현대물리학과 동양사상』, 범양사, 2017, pp.289-290.
15) 데이비드 봄, 이정민 역, 『전체와 접힌 질서』, 도서출판 마루벌,

공간은 더 이상 물질과 다르지 않습니다. 그것은 전자기장과 유사한 세계의 '물질적' 구성 성분 가운데 하나입니다. 공간은 물결치고 유동하고 휘고 비틀리는 실재하는 존재자인 것입니다.[16)

커를로 로벨리(Carlo Rovelli)는 『모든 순간의 물리학』에서 텅빈 공간을 양자들이 고리로 연결되어 공간의 흐름을 이어주는 관계 네트워크로 설명하고 있다.

그렇다면 이 공간 양자들은 어디에 있을까요? 어느 부분에도 없습니다. 양자들은 그 자체가 공간이기 때문에 공간 속에 있지 않습니다, 공간은 각각의 양자들을 통합하여 만들어집니다. 이렇게 되면 다시 한번 세상이 단순한 물체가 아닌 어떠한 관계처럼 보이게 됩니다.[17)

양자 그 자체가 공간이므로 양자와 양자가 고리로 연결되는 관계 네트워크가 곧 공간이라는 것이다.

2010, p.239.

16) 카를로 로벨리, 김정훈 역, 『보이는 세상은 실재가 아니다』, ㈜쌤앤파커스, 2018, p.84.

17) 카를로 로벨리, 김현주 역, 『모든 순간의 물리학』, ㈜쌤앤파커스, 2016, p.82.

2) 기(氣)와 기(器)

(1) 器와 理·象·數

리(理)가 형이상학적 개념이라면, 기(氣)는 형이하학적인 유기적 실체로서 우주 공간에 미만되어 있는 유물론적인 개념이다. 이는 태허가 기 그 자체인 것과 같이, 태허와 비교되는 물리적 우주 공간은 이를 가득 채운 물리학적 측면의 '입자이자 파동'으로 비교할 수 있다.

역학적 의미의 理는 氣의 취산에 따른 사물의 출현, 또는 양자 물리학적 개념의 장(場)의 응취에 따른 물질의 형성으로 인하여 사물에 내재된 자기동일성(自己同一性)이라는 유물론적 개념을 가리킨다. 주희(朱熹)는 理와 氣에 대하여 논리 전개상 理는 氣에 앞서지만 본디 理氣는 시간상 선후가 없으며, 그러므로 氣가 없으면 理도 없는 것이라고 했다. 왕부지(王夫之)는 기물(器物)이 형성되면 리·상·수(理·象·數)는 자연히 그 안에 내재하는 것이므로 기물이 무너지면 理·象·數도 역시 무너진다고 했다. 즉, 理는 기물의 밖에 존재하면서 외부에서 지배하는 통치자가 아니라 내부에서 통어하는 내재적 작용원리라 할 수 있다.

이 점에 대해서는 본디 선후를 말할 수 없다. 하지만 그 유래된 바를 추구하면 먼저 理가 있다고 말해야 하지만 理는 별

개의 품목이 아니라 氣 속에 존재한다. 氣가 없으면 理도 걸쳐 있을 데가 없다.[1]

리가 먼저냐 기가 먼저냐 하는 논쟁은 사실상 논리 전개에 따른 이론적인 문제에 불과하다. 음양이라는 기의 대립적 성질에 기반한 상호작용의 결과로서 산출된 기물은 사실상 중화의 산물로서, 왕부지는 중화에 따른 결과물로서의 기물은 그 안에 理 · 象 · 數를 내장하고 있다고 했다.

> 상(象)은 위로부터 드러나고 수(數)는 아래로부터 누적된다. 상이든 수든 한 번 이루어 지면 모두 다 위아래 사이에 갖추어 지는데, 그 위와 아래에는 특정 시간이 없고 드러남과 누적됨에는 점진적임이 없다.[2]

여기에서 왕부지는 우주의 어떤 사물이든 그 상과 수는 모두 함께 결합되어 있음을 전제로 하고 있다.[3] 즉, 물질이란 아무런 조리(條理)없이 우연히 뭉쳐진 덩어리가 아니라는 의미이다. 사실상 물질에 내재한 理 · 象 · 數도 음양의 대소·장단·강약이라는 미묘한 차이가 만들어내는 개념으로서 대립과 통일이라는

---

1) 朱熹, 『朱子語類』 卷75, "此本無先後之可言. 然必慾推其所以來, 則須說先有是理, 然理非別爲一物, 卽存乎是氣之中, 無是氣, 則是理亦無挂搭處."

2) 王夫之, 『周易外傳』 卷7, 「說卦傳」, "象自上昭, 數由下積. 夫象數一成, 咸備於兩間 上下無時也, 昭積無漸也."

3) 朱伯崑, 김학권 외4 공역, 『역학철학사7』, 소명출판, 2012, p.284.

상호작용을 통해 합일되어 산출되는 중화의 산물이라 할 수 있다.

理는 氣에 내장된 씨앗이다. 氣가 응취하면 形을 갖추고 사물은 내부에 사물의 특성인 理와 본바탕인 象을 갖춘다. 사물은 수리적으로 정밀하게 조직화함으로써 과학적 바탕을 갖춘다. 진정한 기물(器物)이란 신묘한 이치로써 理·象·數를 갖춘 물건을 가리킨다. 그래서 장재는 상반된 성질의 양면인 음양의 상호작용을 통한 중화의 과정을 거친 것이 아니라면 진정한 物이라 할 수 없다고까지 하고 있다.[4]

주희(朱熹)는 "氣가 응집하였을 때 理는 그 속에 존재한다. 이를테면 천지 간의 인간과 초목과 금수가 생겨나면 모두 씨가 있게 마련이다. 씨 없이 이유도 없이 품물(品物)을 낳는 일이란 결코 있을 수 없다. 이것들은 모두 氣의 작용이다."[5]라는 논리로 무수한 입자들을 함유한 묘유(妙有)로서의 허(虛)와 물리적 진공(眞空)과의 관계를 설명하고 있다. 이는 씨앗(理)은 음양(氣)의 상호작용을 통해서만이 기물로 발현될 수 있다는 것을 의미한다.

하나의 개체를 기(器)라 한다면 개체와 개체가 모인 무리

---

4) 張載, 『正蒙』, 「動物」, "物無孤立之理, 非同異屈伸終始以發明之, 則雖物非物也."
5) 朱熹, 『朱子語類』 卷75, "只此氣凝聚處, 理便在其中, 且如天地間人物草木禽獸, 其生也莫不有種, 定不會無種子, 白地生出一個事物, 這個都是氣."

〔群〕, 그리고 무리와 무리가 모인 더 큰 집단, 궁극적으로는 모든 사물의 집합체인 우주는 대기(大器)라 칭할 수 있다. 그러므로 우주 속의 개별적인 소기(小器)들은 개체이면서 상호관계망으로 연결된 우주 삼라만상이라는 대기(大器)를 구성하는 구성요소라 정의할 수 있다. 이는 양자역학적 관점에서 우주를 '상호연결된 불가분의 유기적 동일체'로 보는 관점과 유사하다. 양자론은 우리로 하여금 우주를 물리적 대상들의 집합으로서가 아니라 통일된 전체의 여러 가지 부분들 사이에 있는 복잡한 관계망으로 보게 한다.6) "한마디로 말해, 세계는 제각기 분리되어 있으면서 서로에게 작용하는 '물체들'의 집합이 아니라, 오히려 '관계'의 그물 그 자체이다."7) 현대물리학은 기본적으로 '상호관계망으로 연결된 전일성'이라는 자연에 대한 개념을 도출하고 있다.

나와 무리〔群〕의 중화는 더 큰 理를 이루고, 또 대립하는 무리와 무리는 상호작용을 통해 중화를 이룸으로써 더 큰 理를 생성하니 마침내 우주적 大和〔大中和〕인 大理에 이르게 된다. 그러므로 나의 理는 우주적 理와 상통한다고 할 수 있으니, 나의 小中和의 理는 무리의 理와 상통하고, 무리의 理는 더 큰 우주적 理인 大中和의 理와 통하는 것이다. 내가 小中和의 理 · 象 · 數를 품은 小

---

6) 프리초프 카프라, 김용정 · 이성범 공역, 『현대 물리학과 동양사상』, 범양사, 2017, p.185.
7) 폴 데이비스, 류시화 역, 『현대물리학이 발견한 창조주』, 정신세계사, 2020, pp.171-172.

器物이라면, 우주는 大中和의 理·象·數를 품은 大器物이 되어 서로가 전일적으로 하나(一)를 이루는 것이다.

음양이라는 상반된 양면성을 지닌 氣의 굴신·왕래·소식 작용으로 物은 수리적으로 조직되고, 내부는 그 기물의 특성인 理와 사물의 바탕이 되는 象이 내장된다. 사물이란 물질과 물질이 아무런 수리적 이치 없이 무작위로 뭉쳐진 덩어리가 아니다. 음과 양이 태극의 문양처럼 대소·장단·강약이라는 미세한 수량의 차이마다 서로 다른 중화를 이룸으로써 다양한 기물을 내는 것이며, 그러므로 기물은 기물마다 서로 다른 독특한 물성인 理·象·數를 갖추게 된다.

기물이란 음과 양이 상호작용을 통해 생하는 원자와 원자, 분자와 분자, 물질과 물질이 상충과 화해, 굴신과 왕래를 끊임없이 반복함으로써 합일의 과정에서 만들어지는 중화의 산물이니, 내재된 理·象·數도 시의적절하게 기물에 최적화된 '윤리적 장치'라 할 수 있다. '윤리적 장치'라 함은 그 기물의 생존방식에 적정하게 시스템화된 최고의 '도덕적 범주'라 정의할 수 있다. 다시 말하자면 도덕이란 인간의 생존을 위한 최적의 유리한 조건을 만들기 위한 상호합의 시스템를 의미하는 것이다.

> 만물이란 음양이 우연히 응취한 것이다.[8]

실체가 없는 추상적인 도덕적 理의 선재는 주관적 유심론에

---

8) 王夫之, 『張子正蒙注』, 「太和」, "萬物爲陰陽之偶聚."

불과할 뿐 과학적으로 증명할 수 있는 사안은 아니다. 괘상과 물상은 음양의 상호작용에 의한 중화작용의 결과물이다. 모든 만물은 기본적으로 음양에 근본하는 것이니, 모든 것은 우연이라는 선택적 정의에 의해 규정될 수 있을 뿐이다. 그러므로 추상적 개념에 불과한 理에 의한 통어(統御)로써 氣의 작용이 일어나 物이 생겨난 것이라기보다는, 오히려 氣의 상호작용으로 우연한 선택이 이루어짐으로써 物이 생겨난 것으로 볼 수 있다.

그런데 거시세계에서는 우발성이 아니라 결정성으로 나타나는 이유는 미시적 우발성이 만들어내는 변동이 일상생활에서 알아차리기에는 너무 작다는 사실 때문이라고 할 수 있다.[9]

物이란 아무런 규칙 없이 무작위로 조직된 것이 아니라 중화를 이루어 가는 과정에서 시의적절한 理와 정밀한 數를 갖춘 물상을 구축함으로써 생존에 유리한 형질을 갖춘 것이라 정의할 수 있다. 그러므로 氣가 없으면 器가 없고, 器가 없으면 理 · 象 · 數가 거처할 데가 없다고 하는 것이다.

천하에 理 없는 氣란 없고, 또 氣 없는 理란 없다. 氣로써 形을 이루면 理도 역시 부여되어 있다.[10]

개체 기물 밖의 理는 없지만, 기물이 무리〔群〕를 이루고 있

---

9) 카를로 로벨리, 김정훈 역, 『보이는 세상은 실재가 아니다』, ㈜쌤앤파커스, 2018, p.125.
10) 朱熹, 『朱子語類』 卷75, "天下未有無理之氣, 亦未有無氣之理. 氣以成形, 而理亦賦焉."

는 집단[種]의 理는 개별적인 理의 유무와 관계없이 선재(先在)한다. 그러므로 개체 사물이 무너지면 개체의 理는 무너지지만, 개체가 속한 동종군(同種群)의 理는 여전히 존재한다. 이것은 모든 것에 선재하여 기물 밖에 理가 존재한다는 정이(程頤)의 리본체론(理本體論)에 대한 설명이 될 수 있다. 정이의 理는 氣에 앞서 선재하면서 氣의 작용을 지시하여 소이연(所以然)의 정당성을 잃지 않고 바르게 작용하도록 자율규제하는 내재적인 조리(條理)로서의 理를 말한다.

"일상적인 생명의 단위는 이른바 유기체라 불리는 개체생물이다. 이러한 개체의 유기체 구조가 파괴될 때 생명이 소멸되는 것이다. 그런데 현대과학에서는 생명의 기본단위는 '세포'라고 하는 인식이 생겨난다. 세포이든 유기체이든 이들은 반드시 보다 높은 또 다른 단위 생명을 구성하는 구성요소가 된다. 어떤 유기체도 종(species)이라는 생명 단위의 구성체이며 이러한 종들은 다시 '생태계'라고 하는 좀 더 큰 생명 단위 속에서 존재한다. 이러한 생명 개체들은 결국 자연이라는 전체 생명 하에서 하나의 유기적 구조를 이루며 생존하고 있다. 따라서 모든 생명 개체들은 모두 전체 생명 안에서만 생존이 유지될 수 있다."[11]

그러므로 氣의 응취가 풀려 器物이 무너져도 그 理가 사라지지 않는다는 것은 무너진 개체 사물이 속한 더 큰 단위의 범

---

11) 심귀득, 「周易의 生命觀에 관한 硏究」, 성균관대학교대학원 박사학위논문, 1996. pp.17-18.

주인 종족(種族)의 理가 여전히 존재하고 있음을 의미한다. 즉, 인간인 나의 理는 나의 器物과 함께 사라져버려도 인간의 무리〔群〕가 형성한 종족의 理는 여전히 존재하기 때문이다. 그러므로 인간 개체인 나라는 器物이 무너져 나의 理와 함께 사라져버릴지라도 인간 종족이 무너져 멸종하기 전까지는 나의 존재 유무와 상관없이 인간 종족의 理는 사라지지 않는다.

즉, 개체 사물의 理는 그 器物이 무너지면 함께 사라지지만 개체 사물의 理를 포함하고 있는 더 큰 범주의 理는 여전히 존재한다. 최종적으로 우주라는 大器物이 무너지지 않는 이상 최고 범주의 大理는 존재한다. 우주를 구성하고 있는 구성요소들의 理가 무너져 사라진다 해도 만물의 씨앗이 함유된 우주 가득한 에너지장인 태허지기(太虛之氣)가 존재하는 이상 우주적 大理는 사라지지 않는 것이다. 이것은 "천지 산하가 다 함몰한다 해도 필경 理는 여기에 있다."[12]라고 한 주희(朱熹)의 리선재론(理先在論)에 대한 설명이 될 수 있다.

器物을 구성하는 氣는 그 器物이 무너진다고 해서 사라지는 것은 아니다. 태허라는 氣의 바다로 회귀하여 하나로 융합되는 것일 뿐이니, 氣와 분리할 수 없는 理도 이치는 氣와 같다. 그러므로 "理와 氣는 결코 한 가지가 아니지만, 品物의 관점에서 보면 理와 氣는 혼돈되어 분리될 수 없고, 그러므로 그들이 각각 별개라고 말하지 않는다."[13]라고 하는 것이다

---

12) 朱熹,『朱子語類』卷1, "萬一山下天地都陷了畢竟理却在這里."

음양의 기화(氣化) 작용으로 만물이 맺히고, 만물만상에는 만리(萬理)가 존재한다. 한 포기의 풀과 한 그루의 나무도 모두 理를 지니고 있으므로 만물(萬物)은 만리(萬理)를 품고 있는 것이다.14) 그러므로 천하의 사물들은 모두 理로써 비출 수가 있으니, 사물이 있으면 반드시 규칙이 있고 하나의 사물마다 반드시 하나의 理가 있다고 하는 것이다.15)

『주역』의 상수(象數)는 천지의 법상(法象)을 본뜬 것이다.16)

物이 생겨나서는 象이 있고, 象이 이루어져서는 數가 있다.17)

그러므로 象과 數는 서로 의존하며 象이 數를 낳고 數도 象을 낳는다. 象이 數를 낳음은 象이 있음에 그것을 헤아려 數가 됨이며, 數가 象을 낳음은 數가 있어 마침내 그것이 象을 이룸이다.18)

---

13) 『晦菴先生朱文公文集』 卷46, 「答劉叔文」, "所謂理與氣, 此決是二物, 但在物上看, 則二物渾淪, 不可分開各在一處, 然不言二物之各爲一物也."
14) 『河南程氏遺書』 卷18, 「伊川先生語四」, "一草一木皆有理."
15) 『河南程氏遺書』 卷18, 「伊川先生語四」, "天下物皆可以理照, 有物必有則, 一物須有一理."
16) 王夫之, 『周易內傳』 卷5, 「繫辭傳上」 第4章, "易之象數, 天地之法象也."
17) 王夫之, 『周易外傳』, 乾, "物生而有象, 象成而有數."
18) 王夫之, 『尙書引義』, 「洪範」 卷1, "是故象數相依, 象生數, 數亦

- 176 -

理는 사물의 소이연(所以然)으로 사물의 고유한 특성이 되고, 象은 물상(物象), 즉 사물의 형상으로 사물의 본바탕이 된다. 物은 단순한 물질의 덩어리가 아닌 수리적 법칙성을 근거로 정밀하게 조직화된 물리학적 존재이다. 『주역』의 상수(象數)는 천지의 법상(法象)을 본뜬 것이니, 그러므로 象이 있으면 반드시 數가 있다.

왕부지에 따르면, 우주의 어떤 사물이든 象과 數는 모두 함께 결합되어 있음을 전제로 하므로 象과 數는 서로 의지하는 관계에 있다. 그러므로 사물 본연의 상태에 대해 말하자면 象과 數에는 앞뒤의 구별이 없다고 할 수 있다. 즉, 象과 數는 형이상학적 개념이 아니라 바로 사물 자신들의 고유한 물성(物性)으로서 자연과학의 영역에 속하는 개념이라 할 수 있는 것이다.[19]

과학적 방법이 성공한 까닭은 여기에 있다. 수학을 언어로 사용함으로써 과학은 인간 존재의 상상력을 완전히 초월한 것들을 설명할 수가 있다. 실제로 대부분의 현대물리학은 이 범주 안에 포함된다. 수학이 제공하는 추상적인 설명이 없이는 물리학은 단순히 역학(力學)을 넘지 못했을 것이다.[20]

生象. 象生數, 有象而數之以爲數, 數生象有數而遂成乎其爲象."
19) 朱伯崑, 김학권 외4 공역, 「역학철학사7」, 소명출판, 2012, pp.284-286.
20) 폴 데이비스, 류시화 역, 『현대물리학이 발견한 창조주』, 정신세계사, 2020, p.45.

궁극적으로 物의 理, 지구의 理, 성운의 理, 더 나아가 우주의 理가 있으니, 器物에 따른 理의 크기는 모두가 서로 다르다. 개별적인 器物은 우주라는 大器物의 한 부분으로서 개체가 품은 理는 결국 우주라는 전체의 大理와 상통한다.

  「계사전」은 "모양을 이루고 있는 것을 器라 이른다(形器)."[21]라고 했으며, 왕부지는 "천하에는 오직 器뿐이다(天下惟器)."[22]라는 명제를 제시했다. 즉, 개체의 器物은 더 큰 우주라는 器物의 구성요소 중의 하나로서 '부분과 전체'의 관계를 맺고 있는 것이니, 그러므로 개체 器物이 품은 理 · 象 · 數는 우주라는 大器物이 품은 理 · 象 · 數와 서로 감통(感通)한다.[23]

  이는 우주라는 전일성으로서의 전체와 그 구성요소인 부분으로서의 나(我)와의 관계를 "하늘과 사람은 하나인데 잠깐 살면서 취하기도 하고 버린다고도 하니 어찌 하늘을 안다고 할 수 있겠는가?"[24]라고 통찰한 장재의 "天人一物", 즉 우주 만물과 나는 유기적 일체라는 인즉천(人卽天) 사상과도 그 맥락을 같이 하는 것이다.

  ---

  21) 『周易』, 「繫辭傳上」第11章, "形乃謂之器."
  22) 王夫之, 『周易外傳』卷5, 「繫辭傳上」第5章, "天下惟器而已矣."
  23) 『周易』, 「繫辭傳上」第10章, "易無思也, 無爲也, 寂然不動, 感而遂通, 天下之故, 非天下之至神, 其孰能與於此."
  24) 張載, 『正蒙』, 「乾稱」, "天人一物, 輒生取舍, 可謂知天乎."

(2) 음양의 편재와 사물의 특성

역학적 의미의 기(氣)는 양자물리학적 장(場)에 해당한다. 氣[場]의 응집으로 기물(器物)이 만들어지면서 器 안에는 그 物의 자기동일성(identity)인 理와 그 형기(形器)의 본상(本象)이 내장된다. 기물은 우연히 아무런 조리없이 뭉쳐진 물질 덩어리가 아닌 음양의 상호작용을 통해 균형과 조화를 이루는 과정에서 수리적으로 조직된 물리체이다. 즉, 기물이란 음양이 상호작용을 통해 신묘한 이치로써 理·象·數가 내재하여 합일을 이룬 품물이라 할 수 있다.

理는 구성원 간의 생존에 최적화된 '윤리적 장치'로 드러난다. 인간 종족[群]의 理는 개개인의 소이연(所以然)이 되어 생존에 유리하도록 상호합의된 윤리적 장치로 발현되어 스스로를 자율규제한다. 이는 理氣가 시간적 선후의 구별이 없으며 또한 서로 다르지 않음을 말해준다.

그러므로 왕부지의 기물론(器物論)25)은 소옹의 리수론(理數

---

25) 왕부지의 器物論: 장재의 氣本體論을 바탕으로 하며, 象이 있어야 道가 있으며, 道나 理는 物象의 밖에 존재하지 않는다고 주장한다. 즉, 象의 밖에 道가 없고, 陰陽을 떠나서도 道가 없다고 본다. 器는 形과 象이 있는 개체로서 器가 없으면 道는 있을 곳이 없다(道器合一說). 道는 器를 근거로 삼으며, 그러므로 器物이 사라지면 道는 거처할 곳이 없는 것이니 道란 모든 것에 앞서 선재하는 추상적 개념이 아니라 陰陽의 상호작용의 과정에서 드러나는 구체적 개념으로 보았다.

論), 정이의 리본체론(理本體論)과 장재의 기본체론(氣本體論)이 서로 조화를 이룬 종합시스템이라 할 수 있다. 주희가 '理는 별개의 품목이 아니라 氣 속에 존재하는 것이며, 그러므로 氣가 없으면 理도 걸쳐 있을 데가 없다'라고 한 것은 대립인자인 음양의 상호작용으로 중화를 이룬 器物에서 理 · 象 · 數가 자연스럽게 하나로 융합될 수 있음을 말해준다. 器物이란 음양의 상호작용으로 중화를 이룬 산물이며, 理 · 象 · 數가 조화를 이룬 최종 중화지물(中和之物)이라 할 수 있다.

태허는 기가 온 천하에 가득하여 어느 한 편으로 편재한 상대적 상태가 아닌 음양의 혼륜(渾淪) 상태라 할 수 있다. 태극은 음양이 상대성으로 분별된 기의 상태를 의미한다. 기가 서로를 상대하며 상호작용하는 것을 음양이라 하니 태극과 음양이란 관점에 따른 개념상의 차이에 불과한 것이다. 음양이 강유상추(剛柔相推) 작용을 통해 만물을 생화하는 것은 음양의 대소·장단·강약의 미세한 차이가 만들어내는 다양한 불균형이 다양한 상호작용을 일으킴으로써 변화무쌍한 변화를 낳는 것을 의미한다. 음양이 모두 일정하게 동량이라면 음양의 상호작용은 일어나지 않는다. 만물이란 음양의 상대적 불균형이 발생되면서 역동적인 상호작용이 일어나 만들어지는 변화체를 가리킨다. 즉, 다양한 양태의 불균형은 다양한 형태의 중화를 이룸으로써 다양한 형상의 기물을 만들어내는 것이다.

「태극음양도」를 보면, 태극의 S-Line을 따라 형성되는 음양의 대소 · 장단 · 강약의 미세한 차이가 무수하고 다양한 양태의 접점을 만들어내고 있음을 알 수 있다. 온 우주에 존재하는 만물만상은 이러한 다양한 음양의 상호작용에 의해 천차만별를 이루는 것이므로 어느 하나라도 동일한 것이 있을 수 없다. 즉, 음이 많거나 양이 많거나 만물은 각기 다른 다양한 특성을 지닌다. 우주적 통일체인 태극의 관점에서 보면, 일체를 이루고 있는 음양은 부분적으로는 기의 편재와 편중을 경험하고, 이러한 불균형은 상호작용을 통해 중화(中和)를 이루며, 중화와 중화는 상호작용을 통해 더 큰 지향점인 대화(大和)를 이루면서 태극도(太極圓)이라는 하나(一)를 이루어가는 것이다.

> 어떤 상태가 한쪽으로 치우쳐 머무는 일이 없어야 무방무체(無方無體)의 상태라 할 수 있다. 낮과 밤, 음과 양에 치우쳐 머무는 것이 物이다.[26]

物이란 음양의 치우침, 즉 음과 양의 불균형으로 잠시 머무는 일시적인 상태, 즉 "변형과 변화의 끝없는 흐름 속에 있는 일시적인 단계"[27]를 의미한다. 양자 물리학적으로 말하면 '소립자들은 단지 양자장(場)의 국부적인 일시적 응결에 불과'한 것이다.

음양의 대소 · 장단 · 강약의 미세한 차이가 만든 미묘한 불균형 음양의 편재가 다양한 중화의 형태, 즉 다양한 사물의 특성

---

26) 張載, 『正蒙』, 「乾稱」, "體不偏滯, 乃可謂無方無體. 偏滯於晝夜陰陽者物也."
27) 프리초프 카프라, 김용정 · 이성범 공역, 『현대물리학과 동양사상』, 범양사, 2017, p.269.

을 내재한 복잡다단한 품물(品物)의 형상을 만든다. 완전한 균형과 조화는 작용이 멈춘 상태로 무방무체의 상태가 된다.

　사물이란 음과 양이 한쪽으로 편재되어 치우쳐 잠시 머무는 변화의 일시적 형태〔客形〕를 가리킨다. 음양의 상호작용은 음양의 치우침으로 인한 상호모순에서 비롯되며, 이러한 음양의 편재와 편중으로 인한 불균형이 만물의 창조와 생멸의 원동력이 된다. 음양의 불균형은 균형을 이루기 위한 에너지의 역동적인 이동을 불러일으키고, 이는 만물을 생장성쇠시키는 동인이 되는 것이다.

　　하나의 기가 나뉘어 음과 양이 분별된다. 양이 많은 것이 하늘이고 음이 많은 것이 땅이다. 그러므로 음과 양이 나뉘어 형질을 갖추게 된다. 음과 양이 한쪽으로 편재되어 성정이 나누어진다. 형질도 나뉘면, 양(陽)이 많은 것은 강(剛)이 되고 음(陰)이 많은 것은 유(柔)가 된다. 성정도 나뉘면, 양이 많은 것은 양의 끝이 되고 음이 많은 것은 음의 끝이 된다.28)

　양의 부류의 사물이든지 혹은 음의 부류의 사물이든지 간에, 음과 양의 성분은 어느 한쪽의 하나만 있는 것이 아니라 음 속에 양이 있고 양 속에 음이 있는 것이므로 사물 간의 차이는 음과 양의 성분이 많고 적음에 달려있다.29)

---

28) 邵雍, 『欽定四庫全書』, 「皇極經世書」 卷13, 觀物外篇上, "一氣分而陰陽判, 得陽之多者爲天, 得陰之多者爲地. 是故陰陽半(判)而形質具焉. 陰陽偏而性情分焉. 形質又分, 則多陽者爲剛也, 多陰者爲柔也. 性情又分, 則多陽者陽之極也, 多陰也者陰之極也."

예를 들면 인간이라는 기물보다 더 큰 초인적 존재라 할지라도 결국은 음양이기의 상호작용이라는 틀을 벗어나지 않는다. 아무리 복잡하고 강력한 기운을 가진 초정밀 조직체일지라도 대소·장단·강약에 따른 미세한 불균형과 모순에 의한 상호작용, 균형과 조화를 이루려는 에너지의 이동과 상충작용 등에 의해 다양한 양태의 중화를 이뤄가는 과정에서 다양한 유형의 기물로 조직화된 것에 불과할 뿐이다. 이러한 조직화 과정을 통해 기물 내에 다양한 理·象·數가 내재하면서 인간의 지각범위를 벗어나는 초월적인 기물, 그것이 비록 창조자 신(神)이라 할지라도 음양의 상호작용이라는 큰 틀을 벗어나지 않는 것이다. 현대 물리학자들은 궁극적 실재란 오직 대극(對極)이 합일된 상태로밖에 달리 생각할 수 없다고 주장한다.30)

신(神)이라는 것은 만물의 변화를 묘리(妙理)로써 작용케 하는 것을 이르는 말이다.31)

음양이 대립(對立)과 대대(對待)라는 상호작용으로 중화를 이룸으로써 만물을 생화하는 것은 기에 내재된 신의 공능이다. 즉, 기에 내재된 묘리가 음양의 상호작용을 통해 공능을 발휘하는 것이다. 여기에서 신이라고 하는 것은 만물 속에 내재되어

---

29) 朱伯崑, 김학권 외4 공역, 「역학철학사3」, 소명출판, 2012, p.267.
30) 켄 윌버, 김철수 역, 『무경계』, 정신세계사, 2022, p.57.
31) 『周易』, 「說卦傳」 第6章, "神也者, 妙萬物而爲言者也."

만물의 생로병사를 운용하는 묘리, 즉 물리법칙을 의미한다.

　　그 밀쳐 나아감을 말하여 도(道)라 하고, 그 헤아릴 수 없음
을 말하여 신(神)이라 하고, 그 낳고 낳음을 말하여 역(易)이
라 하니, 기실은 모두 하나로서 가리키는 이름이 다를 뿐이
다.[32]

　왕부지에 의하면, 도(道)라는 것은 어떤 특정한 실체라기보
다는 대립자인 음양(氣)의 상호작용을 통해 理·象·數가 器
物에 내재되어 법칙성을 갖추고 신묘함으로 조직화되어 가는
전 과정을 통칭하는 표현이다. 그러므로 器를 떠나서는 道가
걸칠 곳이 없으니, 道와 器는 서로 분리되지 않는다(道器合一
說).[33] 道가 행해지지 않으면 음양은 폐기되고, 또 음양이 갖추
어지지 않으면 道도 없다.[34] 즉, 도는 음양이 얽힌 공능이라는
점에서 바로 음양의 실체 속에 존재하는 것이며, 그러므로 음양
을 떠나서는 도가 있을 곳이 없는 것이다.[35]
　"器에 의거하여 道는 존재하고, 器와 분리되면 道는 허물어
진다.[36]" 즉, 왕부지는 개체 사물 이전에 세계의 본원으로서의

---

32) 張載, 『正蒙』, 「乾稱」, "語其推行故曰道, 語其不測故曰神, 語其
　　生生故曰易, 其實一物 指事而異名爾."
33) 王夫之, 『周易內傳』 卷5下, 「繫辭傳上」 第12章, "道與器不相
　　離."
34) 王夫之, 『周易外傳』, 「繫辭傳上」 第5章, "道不行而陰陽廢, 陰陽
　　不具而道亦亡."
35) 주백곤, 김학권 외4 공역, 「역학철학사7」, 소명출판, 2012, p.383.

道가 선재하고 있다는 것을 반대한다. "말하자면 氣가 化하여 만물이 되는 데서 법칙으로 작동하는 道는 形을 지닌 器를 통해야만 비로소 본성이 드러날 수 있다는 것이다. (……) 形을 지닌 器가 있어야 道의 공능이나 작용이 비로소 확정된다는 것이다."37)

사물이 형성되어 가는 과정에서 理·象·數가 내장됨으로써 器物의 참된 형태를 갖추는 것은 신묘한 '陰陽不測之謂神음양불측지위신'의 공능이라 할 수 있으니, 이 모든 것을 한마디로 '生生之謂易생생지위역'이라 정의할 수 있겠다.

(3) 혼돈과 질서

태허(太虛)는 음양이 미분된 혼륜 상태를 말하고, 태극(太極)은 음양이 상대성으로 분별된 질서 상태를 가리킨다. 그리고 태극이 상대성으로 대립하며 상호작용하는 것은 음양(陰陽)이라 한다. 태허에서 태극으로, 태극에서 음양으로의 전화는 혼돈에서 질서를 세우며 만물을 생화하는 과정으로서, 왕부지는 이러한 신묘한 과정을 통칭하여 도(道)라고 정의했다.

객형(客形)은 음양이 상호작용함으로써 생성되어 일시적으로 형태를 갖춘 사물의 모습이니 태허의 무질서 속에서 질서를 세

---

36) 王夫之, 『周易外傳』, 「大有卦」, "據器而道存, 離器而道毁."
37) 주백곤, 김학권 외4 공역, 「역학철학사7」, 소명출판, 2012, p.297.

운 기물(器物)이라 할 수 있다. 이는 진공에 내재한 에너지장이 일시적 집중을 통해 형상을 갖춘 器物로 뭉쳐지는 것과 비교할 수 있다.

동양철학의 공(空)은 쉽게 아원자 물리학의 양자장과 비교된다. 즉, "진공(眞空)이란 완전히 비어있는 것이 아니라 끊임없이 생겨나고 사라지는 무수한 입자들을 함유하고 있으며, 동양의 허(虛)와 같이 물리적 진공 -장(場)이론에서 이렇게 불림-은 단순하게 아무것도 없는 상태가 아니라 소립자 세계의 모든 형태를 지닐 가능성을 갖추고 있다."[38] 말하자면, 器物이란 아무런 이치 없이 뭉쳐진 氣의 덩어리가 아니라 음양의 상호작용에 따른 신묘한 합일 과정을 통해 적정하게 理 · 象 · 數가 내장된 신물(神物)이라 할 수 있는 것이다.

만물을 앙관부찰(仰觀附察)하여 세운 괘상의 관점에서 보면, 음양이 나뉘지 않은 혼돈 상태가 태허이며, 음양이기로 분별되어 음효(--)와 양효(一)로 나뉜 질서 상태가 태극이다. 이 두 개의 효가 강유상추·굴신왕래(剛柔相推 · 屈伸往來) 상호작용을 통하여 사상(四象)과 팔괘(八卦)로 점차 질서를 세워가며 괘상(卦象)이라는 기물(器物)을 이뤄 가는 것이다. 사물이란 아무런 수리적 이치 없이 우연히 기가 뭉쳐 만들어진 물질 덩어리가 아니듯, 괘상도 그 안에 理 · 象 · 數라는 정밀한 이치가 내재한 것으로서 물리학적 분석이 가능한 과학

---

38) 프리초프 카프라, 김용정·이성범 공역, 『현대물리학과 동양사상』, 범양사, 2017, pp.289-290.

적 실체라 할 수 있다.

하나의 인간존재가 수십억 개의 세포들의 집합에 지나지 않으며, 세포들 자신은 다시 DNA와 그 밖의 것들의 집합에 지나지 않고, 이것들은 또다시 원자들이 꿰어진 것에 지나지 않으며, 따라서 생명은 아무런 의미가 없는 것이라고 결론을 내리는 것은 멍청한 짓이다. 생명은 하나의 통합적인 현상이다.[39]

원자 하나하나를 벽돌 쌓듯이 쌓아 올린다고 해서 저절로 생명이 생겨나지 않는다. 생명 없는 원자들의 집합이 생명을 갖는 이치는 과학적으로 밝혀진 바는 없다. 폴 데이비스(Paul Davis)는 "낱낱의 알갱이들이 모여 하나의 시스템을 이룰 때, 그 알갱이 하나하나에서는 찾아볼 수 없는 독특한 성질을 그 전체 시스템이 갖게 된다는 것이다. 이 독특한 성질은 낱낱의 구성 성분의 차원에서 볼 때는 의미가 없는 것이다."[40]라고 '부분과 전체'의 개념을 통합적 현상으로 설명하고 있다.

데이비드 봄(David Bohm)은 "미분리된 전체(undivided wholeness)"[41]라는 개념으로 이러한 통합적 질서의 의미를 설

---

39) 폴 데이비스, 류시화 역, 『현대물리학이 발견한 창조주』, 정신세계사, 2020, p.108.

40) 폴 데이비스, 류시화 역, 『현대물리학이 발견한 창조주』, 정신세계사, 2020, p.104.

41) 데이비드 봄, 이정민 역, 『전체와 접힌 질서』, 도서출판 마루벌, 2010, p.166.

명하고 있다. 즉, 생명이란 개개의 원자 낱개에서는 발견되지 않으며, 그것들이 결합되는 분자의 구조에 따라 조직화되는 수리적 이치에 의해 전체성 속에서 발견되는 것이라 할 수 있다. 결국 생명 현상이란 음양의 상호작용에 따른 氣의 일시적인 응취에 따라 理와 數가 하나로 조직화되는 과정 속에서 생성되는 그 器物의 독특한 자기동일성(identity)이 드러나는 것이라 할 수 있겠다.

그러므로 理와 氣와 數는 별도로 분리되 것이 아니라 사실은 器物을 조직하는 분리될 수 없는 동일체 요소들이다. "본질적으로 현대과학과 동양사상의 커다란 유사성은 양쪽 모두 실재를 경계나 분리된 사물로서가 아니라, 분리할 수 없는 패턴의 비이원적 네트워크, 하나의 거대한 원자이자 무경계의 천의무봉(天衣無縫)으로 보고 있다."[42]

장재(張載)는 상대적 양면성을 가진 대립인자, 즉 음양이 대립과 화해라는 상호작용을 통하여 합일의 과정을 이루지 않으면 만물이 나올 수 없다는 것을 다음처럼 역설적으로 표현하고 있다.

> 만물은 홀로 존재할 수 있는 이치가 없다. 같거나 다름, 굽어지거나 펴짐, 끝과 시작으로써 그것을 발하여 밝히지 않으면 비록 物이라도 참된 物이 아니다.[43]

---

42) 켄 윌버, 김철수 역, 『무경계』, 정신세계사, 2022, p.83.
43) 張載, 『正蒙』, 「動物」, "物無孤立之理. 非同異屈伸終始以發明之,

사물이 음양의 상호작용을 통한 수리적 질서를 갖춘 물건이듯, 음효(--)와 양효(一)가 그 나름의 내부적인 질서를 갖추어 세운 것이 괘상이다. 즉, 氣〔場〕의 응취로 이루어진 사물은 그 안에 理·象·數를 갖춘 器物이며, 음양의 부호로 이루어진 괘상도 理·象·數를 갖춘 器物이다. 앞에서 다루었듯이 氣의 상대적 불균형이라는 무질서 속에서 '같거나 다름, 굽어지거나 펴짐, 끝과 시작'으로써 질서를 세우는 것이 만물의 생화 원리라 할 수 있는 것이다.

음양의 혼돈과 모순, 비대칭과 불균형은 만물 창조의 근원이며, 그러므로 혼돈에 눈과 귀를 달아주었더니 오히려 창조성이 죽어버리더라는 장자(莊子)의 우화[44]는 완전한 균형과 조화의 대화합에 도달하면 오히려 음양이 작용능력을 멈추고 신묘한 공능을 잃어버리게 된다는 의미이다.

완전한 균형이란 없다. 완전한 대중화(大中和)를 이루는 순간 균열이 일어나 또다시 빅뱅(bigbang)은 시작된다. 균형이 깨지는 순간 만물을 묘운(妙運)하는 신(神)의 창조본능이 깨어나는 것이다.

則雖物非物也."

[44] 『莊子』, 「應帝王」, "故事大意為, 南海的帝王叫「儵」, 北海的帝王叫「忽」, 中央的帝王叫「浑沌」. 儵和忽在浑沌的地方相會, 浑沌對待他們很好. 儵和忽想報答浑沌, 見大家都有眼耳口鼻, 用來看聽吃聞, 浑沌沒有七竅, 就為他鑿七竅, 每天鑿一竅, 七天後, 七竅出 而浑沌則死了."

3. 중화론적 공통성

1) 분열과 통일

기본체론적 관점에서 본원과 작용의 세계로 양분할 때 본원은 음양이 조화와 균형을 이루고 있어 작용이 없는 상태로 이해해 볼 수 있다. 이것은 음양미분의 상태를 의미하는 태허지기(太虛之氣)로서 개념적으로 공무空無(절대없음)가 아닌 공즉묘유(空卽妙有)가 된다. 즉, 음양의 균형이 어긋나는 순간 내재한 天地人의 DNA〔理〕가 폭발하는 작용의 본원이라 할 수 있다. 음양의 균형이 어긋나기 시작하면서 상호작용을 시작하고, 균형을 이룸으로써 작용이 멈추니 곧 본원이 되는 것이다. 그러므로 본원과 작용은 동일한 실체를 체용의 관점에서 칭하는 것이라 할 수 있다. 본원은 天地人 삼재라고 하는 理를 머금고 있는 본체이니 음양이 작용하는 순간 기화(氣化)함으로써 理를 품은 만물을 드러낸다.

정이(程頤)는 '理는 형태가 없으므로 象으로 말미암아 理를 밝힌다'고 하여, '그러므로 뜻을 얻으면 象과 數가 그 속에 있다'라고 하였다.[1]

음양의 대립과 상호작용은 무엇을 목적으로 하는가? 그것은

---

1) 程頤, 『答張閎中書』, "理無形也, 故因象以明理, 理見辭矣 則可由辭以觀象. 故曰, 得其義則象數在其中矣."

강유상추 작용을 통해 중화라는 합일의 과정을 이룸으로써 새로운 변화를 창출함에 있다.[2] 즉, 天地人이라는 DNA〔理〕를 품은 음양은 상호작용을 통해 중화를 이룸으로써 만물만상을 펼쳐낸다. 物이란 무작위로 원자(atom)를 벽돌 쌓듯이 조직한 것이 아니라 음양의 상호과정을 통해 중화를 이루어 가는 과정에서 理와 數를 갖춘 물상을 이룬 것이라 할 수 있다. 즉, 물상은 단순한 물질 덩어리가 아닌 수리적 법칙성, 즉 理와 數를 갖춘 물리학적 존재인 것이다. 주희(朱熹)는 이것을 "천하에 理 없는 氣란 없고, 또 氣 없는 理란 없다. 氣로써 形을 이루면 理도 역시 부여되어 있다."[3]라고 정의하고 있다.

장재(張載)는 일물양체 기화(一物兩體 氣化)의 개념으로 이를 설명하고 있다.

> 일물양체는 氣이다. 하나이기 때문에 神이 되고 둘이기 때문에 化가 되니 이것은 천지가 뒤섞이는 까닭이다. 둘이 없으면 하나를 볼 수 없고 하나를 볼 수 없으면 둘의 작용은 멈춘다. 양체(兩體)라는 것은 허실, 동정, 취산, 청탁이다. 그것은 결국 하나(一)일 뿐이다.[4]

---

2) 『周易』, 「繫辭傳上」 第2章, "剛柔相推而生變化."

3) 朱熹, 『朱子語類』 卷75, "天下未有無理之氣, 亦未有無氣之理, 氣以成形, 而理亦賦焉."

4) 張載, 『易說』, 「說卦傳」, "一物兩體者氣也. 一故神兩故化, 此天地所以參也. 兩不立 則一不可見, 一不可見, 則兩之用息. 兩體者, 虛實也, 動靜也, 聚散也, 淸濁也, 其究一而已."

일물(一物)이란 본체로서의 태허즉기(太虛卽氣)를 의미한다. 양체란 대립하면서도 분리될 수 없는 상호의존적인 관계, 즉 음양지기(陰陽之氣)를 말한다. 태극은 一物로서의 양체이고 양체로서의 一物이다.[5] 하나이기 때문에 상반된 성질의 음양으로 나뉘어 상호작용을 함으로써 天地人 삼재를 화생시킨다. "神은 化의 내재적 근거이며, 化는 神의 외재적 표현과 형상이다. 그래서 神은 은장(隱藏)된 무형적인 것이며 化는 드러난 유형적인 것이다."[6] 神이 변화의 체라면 化는 神의 작용적 측면으로 이해할 수 있다. 그러므로 神이라는 것은 만물에 내재된 신묘한 이치가 음양의 작용을 통하여 만물의 변화를 묘운(妙運)하는 것이라 할 수 있다.

에너지 전변의 관점에서 보면 무극은 음양이 조화로운 균형 상태를 이루어 더는 균형을 이루기 위한 작용이 필요 없는 상태, 즉 에너지가 제로(0)인 상태를 의미한다. 우주에 충만한 에너지 입자가 모두 크기에 차이가 없어 전체가 균일하게 팽창해 있다면 안정된 조화로부터 만물만상은 이루어지지 않는다. 우주는 안정을 원하지 않으며, 혼돈 속에서 변화가 일어나 질서가 창조되기를 원한다.[7]

태극(1)은 그 자체가 음양작용(2)을 의미한다. 태극은 전체로서는 1

---

5) 張載, 『易說』, 「說卦傳」, 『正蒙.大易』, "一物兩體者, 其太極之謂歟."
6) 김대수, 「張載의 有的 세계관에 입각한 氣一元論」, 『철학논총』 73, 새한철학회, 2013, p.369.
7) 김상일, 『현대물리학과 한국철학』, 고려원, 1991, p.314.

이지만 작용적 측면에서는 음양으로 나뉘어 2가 된다. 「태극음양도」
는 음과 양이 한쪽으로 치우쳐 있어 불균형한 부분을 서로 보완하며
하나(1)의 체를 이루는 상보적인 모습을 보여준다. 음이 적으면 양이
보완하고 양이 적으면 음이 보완하여 하나의 원(圓)은 변하지 않는다.
통일된 원, 즉 1을 이루기 위하여 음양은 서로 대립하면서도 의존하며
끊임없이 상호작용하는 것이다.

> 음양의 영허(盈虛)와 왕래(往來)에는 변역(變易)은 있어도
> 생멸(生滅)은 없고, 유명(幽明)은 있어도 유무(有無)는 없다.[8]

음양은 강유상추 작용을 함에 있어 대소 · 장단 · 강약의 치우
침이 있을 뿐 증가도 없고 손실도 없으니 氣는 소멸하지 않는
다. 왕부지는 이것을 "그러므로 왕래(往來)라 하고 굴신(屈伸)
이라 하며, 취산(聚散)이라 하고 유명(幽明)이라 하지 생멸(生
滅)이라 하지 않는다."[9]라고 하였다.

장재는 "氣는 대립된 양체가 하나로 통일되어있는 一物이니,
하나로 통일되어있기에 신묘한 것이며, 대립된 양체를 지니고
있으므로 변화하게 된다."[10]라고 만물을 낳는 태극(1)의 상대
성이 갖는 신묘한 이치를 설명하고 있다. 대립적 성질의 음양이
혼일(混一)한 상태로서 하나의 氣를 이루고 있음은 나뉠 수 있

---

8) 王夫之, 『周易內傳』, 「繫辭傳上」, "陰陽之盈虛往來有變易而無生
滅, 有幽明而無有無."
9) 朱伯崑, 김학권 외4 공역, 「역학철학사7」, 소명출판, 2012, p.358.
10) 張載, 『正蒙』, 「參兩」, "一物兩體氣也, 一故神兩故化."

고 나뉘어 있으므로 다시 하나로 합할 수 있다는 것을 의미한다. 즉, 일태극(一太極)은 둘(二)인 음양이기(陰陽二氣)를 미분된 혼돈의 상태로 자기 안에 숨기고 있는 관계, 二가 一 속에 내재되어 있는 관계11)를 의미한다. 왕부지는 이를 "오직 그것들이 본래 하나이기 때문에 합할 수 있고 오직 그것들이 다르기 때문에 반드시 서로를 필수로 하여 이루어서 합하게 된다."12)라고 음양의 분열과 통일에 관한 신묘한 이치를 정리하고 있다.

합(合)이란 음양이 시초에는 본래 하나임을 말하는데, 움직임이 고요함으로 말미암아 이것이 나뉘어 둘로 되고, 그 성취에 이르러서는 또 음양이 하나로 합친다.13)

태극(1)의 중심부는 음양이 대소·장단·강약의 상호 균형을 이루고 있는 지점으로서 작용이 없는 무극(0)의 자리가 된다. 예를 들어 시소(seesaw)는 좌우 불균형에 의해 작동하며, 좌우가 균형을 이루면 수평이 되어 작용을 멈춘다. 평형을 이룬 중심부가 부동의 자리인 무극이며, 균형이 조금이라도 어긋나 무

---

11) 황종원, 『張載의 太虛와 氣개념에 대한 고찰』, 동서철학연구 제23호, 한국동서철학회, p.222.
12) 王夫之, 『張子正蒙注』, 「乾稱下」, "惟其本一, 故能合, 惟其異, 故必相須, 以成而有合."
13) 王夫之, 『張子正蒙注』, 「太和」, "合者陰陽之始本一也, 而因動靜分而爲兩, 迨其成又合陰陽於一也."

너지면 시소는 그 본연의 동작을 시작한다.

삼태극(三太極)은 중심부의 무극이 품고 있는 天地人을 펼쳐내는 모습을 보여준다. 휘몰아치는 기의 흐름 속에서도 중심부는 태풍의 눈처럼 균형을 이루는 부동의 상태를 유지한다. 음양이 상호작용하면서 천지인이라는 만물을 펼쳐내는 중심부는 언제나 무한한 창조적 가능성을 지닌 부동의 근본이자 묘공(妙空)의 자리라 할 수 있다.

> 천지인 삼재가 모두 각각 둘로 분화되니, 건곤(乾坤)의 도가 있지 않은 곳이 없다. 14)

> 역에서는 일물(一物)이면서 삼재(三才)를 합한다고 말하므로 天地人은 하나(一)이다. 음양은 그것의 기운이다.15)

태극은 음양을 낳고 음양은 상호작용을 통해 천지인 만물을 낳으니, 태극은 음양의 작용적 측면을 의미하고, 삼태극은 태극이 품은 실체, 즉 삼재라는 理를 가리킨다. 一物은 삼재를 합한 것이니(三太極), 이는 곧 天地人은 하나(一)라는 것을 의미한다. 理는 氣에 내장된 씨앗(DNA)에 비유할 수 있다.

> 氣가 응집하였을 때 理는 그 속에 존재한다. 이를테면 천지간의 인간과 초목과 금수가 생겨나면 모두 씨가 있게 마련이다. 씨 없이 이유도 없이 품물(品物)을 낳는 일이란 결코 있을

---

14) 張載, 『張載集』, 「正蒙·大易」, "三才兩之, 莫不有乾坤之道."
15) 張載, 『正蒙』, 「大易」, "易一物而合三才, 天地人一, 陰陽其氣."

수 없다.[16)

氣가 응취하면 形을 갖추고, 사물은 理와 그 본바탕인 象을 갖춤으로써 정밀하게 조직화된 器物이 된다. 器物이란 음양의 대립과 상호작용을 통해 생성된 중화의 결과물로서 理·象·數가 결합한 분리할 수 없는 동일체이다. 태극에서 발화된 天地人 삼재가 각각 음양으로 분화되어 건곤(乾坤) 육효로 표상되니 一物이면서도 그 안에는 천지의 도가 있지 않음이 없는 것이다.[17)

---

16) 『朱子語類』 卷1, "只此氣凝聚處理便在其中. 且如天地間人物草木禽獸, 其生也莫不有種. 定不會無種子, 白地生出一個物事 這個都是氣."

17) 박규선·최정준, 「음양의 대립과 통일에 관한 인문학적 고찰」, 『동양문화연구』 제36집, 동양문화연구원, 2022, pp.109-110.

2) 중화의 양태

알파벳의 같은 글자를 사용해 희극도 비극도 쓸 수 있는 것처럼, 이 세계의 극도로 다양한 사건들은 동일한 원자가 서로 다르게 배열되고 운동하면서 현상계에 펼쳐지는 것이라 할 수 있다.[1] 즉, 물리학적으로 보면 원자 배열의 작은 오류에서 만물의 다양성이 생겨나는 것이고, 역학적으로는 음양의 대소·장단·강약의 미세한 수량의 차이에 의해, 즉 음양이 부딪히는 다양한 면의 서로 다른 마찰로 인하여 다양한 양태의 중화가 일어나는 것이라 할 수 있다. 장재(張載)가 『정몽』에서 "조화로 이루어진 것은 하나라도 서로 닮은 것이 없다."[2]고 했듯이, 수십억 년에 걸친 음양의 상호작용은 지구 내에서의 시공간적 위치에 따른 다양한 양태의 중화를 형성한다. 사물마다 위치에 따른 저마다의 시공간이 존재한다는 것은 각기 다른 음양의 강유상추 작용이 발생한다는 것을 의미하고, 이것은 사물마다 무리마다 자기만의 독특한 중화작용을 만들어낸다는 것을 의미한다. 이러한 다양한 양태의 중화작용은 천태만상의 물리적 중화와 그 물리적 중화의 다양성이 만들어내는 개체와 무리(群)들의 다양한 인문적 중화로 나타난다.

---

1) 베르너 하이젠베르크, 조호근 역, 『물리와 철학』, 서커스출판상회, 2018, p.79.
2) 張載, 『正蒙』, 「太和」, "造化所成, 無一物相肖者."

(1) 물리적 중화

　음양의 상호작용을 통하여 어떤 물(物)을 이루는데, 그것은 굴신·왕래의 과정을 통해 밀고 당기고 깎이고 더함으로써 시의적절한 합일에서 나온다. 음양은 우주 전체적으로는 1:1의 균형과 조화를 이루지만, 시공간이라는 환경적인 조건의 차이마다 대소·장단·강약의 수량은 서로 다를 수밖에 없다. 그러므로 음양이 접촉하여 굴신(屈伸)·왕래(往來)하며 소식(消息)하는 음양의 상호작용은 각자가 처한 환경적 조건에 따라 다양한 형태로 일어나며, 이에 따라 무수히 다양한 변화가 일어나게 된다. 무수한 변화란 음양의 상호작용으로 균형과 조화의 접점을 이룬 중화의 산물, 즉 천지를 가득 채운 만물만상을 의미한다. 사물 개체는 음양의 대소·장단·강약이라는 미묘한 차이에 의해 발생하는 상호작용을 통해 행한 신묘한 조화의 산물이며, 그러므로 조화로 이루어진 것은 하나라도 서로 닮은 것이 없으니 어떤 물(物)도 완전히 똑같은 것은 없다.

　하늘은 아무런 사심 없이 조화를 이루며 어느 곳이라 하여 인색하게 아끼지 않고 또 어느 곳이라 하여 풍부하게 주지 않는다. 그저 적당하게 양에 맞추어 작용하는데 굽혔다 폈다 함이 때에 맞게 행해지며 변(變)과 화(化)가 드러나 상을 이루니, 그것을 근거로 이러한 수를 얻은 것이다. 음양이 인온(絪縕) 운동을 하며, 때에 맞게 응취하기도 하고 흩어지기도 하므로 그 상이 한결같지 않기 때문에 헤아릴 수 있는 수들도 그에

따라 특수하게 달라지는 것이다.[3]

　천지는 의지를 가지고 만물의 변화에 관여하지 않는다. 음양의 수량에 따른 대소·장단·강약의 편재에 맞추어 무심하게 상호작용할 뿐이다. 다양한 유형의 음양 편재에 따른 대립과 화해의 반복은 다양한 변화를 일으키고, 그에 따라 物은 적정한 象과 數를 내장한다. 象이 있으면 헤아릴 수 있는 數가 있는데 그 象이 한결같지 않기 때문에 수(數)들도 같지 않다. 이는 음양의 인온(絪縕) 운동이 그 편재된 양에 따라 굴신·왕래가 달라지기 때문에 변화의 다양성이 생기며, 다양한 유형의 물상을 만들어내기 때문이다. 그러므로 만물(萬物)에는 각각의 만상(萬象)과 만리(萬理)가 들어있는 것이며, 또한 타자와 차별화되는 각각의 수리적 이치를 최적화하여 내장하고 있는 것이다.

　"계절에 따라 달라지는 환경은 인간에게 자연과 일체로 움직일 것을 요구한다. 자연환경은 순응하지 않으면 생존하기 어렵고, 때로는 극복해야 할 대상이었다. 농경 생활에서 자연은 절대적 영향력을 행사하는 삶의 의지처였으므로 융합되어 함께 움직이는 분리될 수 없는 일체의 생명으로 인식되었다. 따라서 농경 생활을 중심으로 하는 동아시아 지역에서는 다른 지역과 달리

---

3) 王夫之, 『周易內傳』 卷5下, 「繫辭傳上」 第9章, "天地無心而成化, 非有所吝留, 有所豊予. 酌而量用之, 乃屈伸時行而變化見, 則成乎象, 而因以得數. 陰陽之絪縕, 時有聚散, 故氣象不一, 而數之可數者以殊焉."

우주 삼라만상을 하나의 살아있는 거대한 유기적 통일체로 보는 관점을 자연스럽게 습득하게 된다. 지역에 따라 생활방식이나 문화적 성격이 다르게 나타나는 것은 서로 다른 환경적 조건들이 상충과 상호작용을 통해 각기 생존에 유리한 다양한 접점을 낳는 것으로 이해할 수 있다. 접점은 『주역』에서 균형과 조화를 의미하는 중화로 대치된다."[4]

　　이런 까닭에 하나에서 시작하여 만 갈래의 중간 단계를 거치고 하나로 끝난다. 하나에서 시작하므로 '근본이 하나이되 만 가지로 다르다'고 한다. 하나에서 끝나고 다시 시작하므로 '귀착점을 같이하되 길이 다르다'고 한다.[5]

만물을 앙관부찰하여 세운 괘상은 만물을 그대로 담은 것이다. 즉, 역은 천지 만물을 준거하여 세운 것이므로 천지와 똑같다.[6] 그러므로 384효로 이루어진 64개의 괘상은 복잡다단한 자연의 변화와 인사 문제를 표상하고 있으며, 그 기저에는 근원적으로 음양이기라는 대립자의 상호작용이 자리하고 있다. 만물만상을 표상하는 64괘는 음양이기가 상호작용을 통해 발현된 모습을 표상한 것으로서, 이것은 음양의 상호작용이 중화를

---

4) 박규선 · 최정준, 「음양의 대립과 통일에 관한 인문학적 고찰」, 『동양문화연구』 제36집, 동양문화연구원, 2022, pp.91-92.
5) 王夫之, 『周易外傳』 卷6, "是故始於一, 中於萬, 終於一. 始於一, 故曰, 一本而萬殊. 終於一而以始, 故曰, 同歸而殊途."
6) 『周易』, 「繫辭傳上」 第4章, "易與天地準."

이룸으로써 팔괘를 형성하고, 팔괘의 상호작용은 64괘라는 중화를 형성한 것으로 이해할 수 있다. 상반된 성질의 대립자인 음양이기가 상호작용을 통해 64괘를 만들어가는 신묘한 작용은 곧 중화를 이루어가는 과정으로서 천지 만물의 생성과 변화의 원리라 정의할 수 있다.

역(易)과 만물의 존재 원리는 음양의 대립과 상호작용이다. "우주의 모든 변화는 우주를 구성하는 음양이기의 상반된 성질이 있기 때문이며 이것이 사물을 변화시키는 내재적 원인이 된다."7) "이로써 만물은 비록 다양하지만 사실 그 가운데 어떤 物도 음양이 없음은 없다는 것을 안다."8)라고 하는 것이다.

(2) 인문적 중화

우주의 변화는 작게는 인간을 비롯한 만유의 변화를 의미하며, 시간의 흐름 속에서 만물은 자연스럽게 생로병사의 단계를 밟으며 변화해간다. 자연의 변화나 인간 만사를 보면 상호불균형적이고 도덕률에 어긋나는 것처럼 보이지만 실상은 그러한 상태가 오히려 만물의 변화나 사회적인 변혁을 유발하는 계기가 된다. 음과 양은 서로 상대적이지만 상보적이며, 무질서하게 변하는 것 같지만 음양은 일점일획 틀림없는 질서의 이치를 내

---

7) 김대수, 「張載의 有的 세계관에 입각한 氣一元論」, 『철학논총』 73, 새한철학회, 2013, p.368.
8) 張載, 『正蒙』, 「太和」, "以是知萬物雖多, 其實一物無無陰陽者."

재하고 있다. 그러므로 상생과 상극은 반대되는 것 같지만 서로를 의지하며 존재하는 것이니 인간 만사도 이를 벗어나지 않는다. 음이든 양이든 홀로 존재할 수 있는 이치는 없으며, 대립하면서도 공조하며 서로 대대 관계를 유지하면서 통일체로 공존한다.

사물에 대한 정의가 이루어지면 사물을 대하는 인간의 시각이 생겨나고, 사물에 대한 시각은 사물을 대하는 인간의 태도를 규정함으로써 인간의 존재 이유와 목적, 만물에 대한 관점 등 존재에 대한 철학적 논리가 형성된다. 만물 구성원 중의 하나인 인간은 같은 시공간 대의 사물의 변화와 영향을 주고받으며 상호관계망 속에 존재하는 것이다.

인문적 중화의 다양한 양태는 중화를 이룬 구성원들 간의 상호 합일된 윤리적 장치 - 도덕, 종교, 법, 관습, 철학, 선악, 윤리 등등 - 가 서로 다름을 의미한다. 구성원들은 각자가 처한 시공간에 따라 다양하게 설정된 룰rule〔윤리적 장치〕에 의해 자율적 규제를 받음으로써 생존에 유리한 최적의 사회 형태를 유지한다. 언급한 도덕, 종교, 법, 관습, 철학, 윤리 등등은 구성원 간의 공존을 위한 유리한 조건〔환경〕을 만들기 위하여 상호 합일된 공공의 장치로서, 문명과 문화, 그리고 그 구성원들의 생존을 지탱하기 위한 보편적인 시스템이라 할 수 있다.

천지 만물은 서로 대대(對待)하지 않는 것이 없으니, 한 쪽이 음이면 다른 한 쪽은 양이요, 한 쪽이 선이면 다른 한 쪽은

악이며, 양이 자라면 음이 사라지고, 선이 자라면 악이 소멸되는 것이니 이것이 이치이다.[9]

음기(陰氣)와 양기(陽氣)는 서로 다르지만, 오히려 다름 때문에 서로를 의존하며 상호교감한다. 양의 존재는 음의 존재를 전제하고 음의 존재는 양의 존재를 전제하기 때문에 서로 다르지만 서로 버리거나 서로 분리되지 않으며, 서로 허물어 버리거나 서로 멸절시키지도 않는다. 오히려 합치하고 서로 도와주며 서로 말미암고 서로 통함으로써 화합하여 하나가 된다.[10] 장재가 "(음양이) 교감한 이후에 통함이 있으니 둘〔음양〕이 없으면 하나(一)도 없다."[11]라고 하였듯이, 그러기 때문에 만물은 타자의 존재에 상호의존함으로써 서로 공존하는 것이다.

물상(物象)에는 선악이 없다. 다만 자연의 변화를 바라보는 인간의 득실에 근거한 관점에 따라 선악으로 구분될 뿐이다. 자연은 음양의 상호작용으로 변화를 만들어내고 있을 뿐, 거기에는 자연의 의도가 개재되어 있지 않다. 음양의 상호작용이 물상을 만들고, 이를 표상한 음효(--)와 양효(—)가 괘상을 세우니, 성인은 괘·효사를 통해 선과 악, 옳고 그름 등 도덕적 기준을 제시한다. 도덕적 기준이란 자연의 변화를 통해 최적의 생존조

---

9) 程顥·程頤, 『二程遺書』卷25, "萬物莫不有對, 一陰一陽, 一善一惡, 陽長則陰消, 善長則惡滅, 斯理也."
10) 朱伯崑, 김학권 외4 공역, 「역학철학사7」, 소명출판, 2012, p.361.
11) 張載, 『正蒙』, 「太和」, "感而後有通, 不有兩則無一."

건을 만들어내면서 자연스럽게 상호교감을 통해 설정된 윤리적 장치를 의미한다.

　수십 수백억 년에 걸친 음양의 상호작용은 시간의 흐름에 따라 지역적인 공간을 변화시키면서 다양한 유형의 중화를 만들어내듯이, 음양의 변화는 사물의 변화를 일으키고 사물의 변화는 동시에 인사의 변화에 영향을 미친다. 미시의 영역인 사물의 근원에서 일어나는 음양의 상호작용은 거시세계 현상의 변화를 주도한다. 그러므로 음양의 대립과 상호교감, 그리고 상호의존은 상호공존을 위한 기본 법칙이라 할 수 있으니, 보이지 않는 미시영역에서의 음양의 상충과 화합은 거시영역에서 천지 만물이 생장수장(生長收藏)의 이치를 순환하는 데 있어서도 동일하게 적용되는 생존의 기본법칙이라 할 수 있는 것이다.

제Ⅳ장

역학적 상수체계와 중화론

1. 역리(易理)와 괘효에 내재된 중화론적 성격

  1) 태극(太極)의 대립과 상호작용

  2) 효(爻)의 대립과 상호작용

  3) 괘(卦)의 대립과 상호작용

  4) 괘효(卦爻)의 변화로 표현하는 대립과 상호작용

  5) 대립과 화해의 인문학

  6) 시공간으로 연결된 괘상

2. 물상(物象)의 중화론

  1) 괘(卦)와 물(物)의 상관성

  2) 괘(卦)의 시생 원리

  3) 원자(atom)와 天人地(陽中陰) 三才

4) 상호연결성

5) 원자와 괘상의 물리학적 공통성

6) 불확정성의 원리

7) 미시세계와 거시세계

3. 역수(易數)의 중화론

1) 상(象)과 수(數)

2) 건(乾)·곤(坤)의 대립과 상호작용

3) 오행도에 배치한 상수(象數)

IV. 역학적 상수체계와 중화론

1. 역리(易理)와 괘효에 내재된 중화론적 성격

1) 태극의 대립과 상호작용

태허(太虛)가 음양미분의 혼일한 상태라면, 태극(太極)은 음양으로 분별된 통일체를 말한다. 음양은 상반된 대립인자의 동체양면을 작용적인 측면에서 바라본 것이다. 양이 늘어나면 음이 줄어들고 음이 늘어나면 양이 줄어드는 음양의 상호작용적 관점에서「태극음양도」는 전체적인 양은 변하지 않고 일정함을 유지하고 있음을 보여준다. 이것은 한번은 음이 되고 한번은 양이 되는 것이 도라는『주역』의 기본 사상을 개괄한다. 음양의 변화를 떠나서는『주역』의 법칙은 성립할 수가 없으며, 또한 음양이 상호 대립과 대대를 떠나서는 64괘의 변화 또한 존재할 수가 없다.

「설괘전」은 "음양의 변화를 관찰하여 괘(卦)를 세우고 강유를 발휘하여 효(爻)를 내었으며,[1] 음과 양으로 나누고 유(柔)

---

1) 『周易』, 「說卦傳」 第1章, "觀變於陰陽而立卦, 發揮於剛柔而生爻."

와 강(剛)을 번갈아 쓰기 때문에 역(易)의 여섯 자리가 문장을 완성한다."2)라고 하여, 一陰一陽의 대립과 대대를 통한 상호작용이 변화를 일으키고, 그 변화는 상호 균형과 조화를 추구함으로써 만물(중화)을 생한다고 보았다. 『순자』는 "천지가 합함에 만물이 생겨나고, 음양이 교제함에 변화가 일게 된다."3)고 하여, 만물이 생겨나고 변화하는 기저 원리가 음양임을 통찰하고 있다.

<그림 5> 태극음양도

우주 전체로는 에너지 보존의 법칙4)이 적용된다. 우주적 관점에서 보면 지엽적으로 에너지의 불균형이 야기되더라도 전체적으로는 항상 치우침 없는 균형을 이루고 있다. 이것을 설명하는 도식이 팔괘를 펼쳐내는 「태극음양도」이다. 태극이 펼쳐낸 팔괘의 상은 물극필반(物極必反)의 이치에 따라 음양이기가 늘어나고 줄어드는 소식(消息) 과정을 표상한다.

「태극음양도」를 보면 양이 줄어들면 음이 늘어나고 음이 줄

---

2) 『周易』, 「說卦傳」 第2章, "分陰分陽, 迭用柔剛, 故易六位而成章."
3) 『荀子』, 「禮論」, "天地合而萬物生, 陰陽接而變化起."
4) 열역학 제1법칙: 전체 에너지의 총량은 항상 일정하게 유지된다는 에너지 보존 법칙으로서, 고립된 물리계에서의 에너지는 이동하기도 하고 다른 형태로 전환되기도 하지만 결코 생성되거나 소멸되지는 않으며, 전체 에너지 총량은 변하지 않는다.

어들면 양이 늘어나 전체 크기는 항상 일정한 원을 이룬다. 이 것은 음양이 서로 대립하면서도 상대가 없으면 나도 존재할 수 없는 상호보완적인 의존 관계에 있음을 말해준다. 즉, 상대는 내가 존재하기 위한 필수적인 전제조건이 된다. 대립하면서도 상대가 줄어들면 내가 늘어나 보완하고, 상대가 늘어나면 내가 줄어들어 항상 원(圓)의 균형을 적정하게 맞춘다. 만물은 이렇게 음양이라는 상반된 성질이 만나 상호 대립하면서도 대대하며 균형과 조화를 이루어가니, 이는 만물의 생장성쇠를 순환하는 중화의 원리가 되는 것이다.

우주의 한 부분(fractal)인 지구의 관점에서 보면 지역적으로는 음양의 불균형이 발생하면서 질서가 흐트러지고, 그로 인해 다시 균형을 이루기 위한 에너지의 이동이 발생함으로써 역동적인 기후의 변화가 일어난다. 이러한 에너지의 역동적인 이동과 변화는 지구 전체적으로 보면 만물을 순환시키는 생장수장의 동인이 된다. 그러므로 음양의 불균형은 만물을 생육하는 기본원리라 할 수 있으며, 만물만상이란 불균형을 해소하기 위한 음양의 다양한 상호작용이 만들어내는 중화의 결과라 할 수 있는 것이다.[5]

---

5) 박규선 · 최정준, 「음양의 대립과 통일에 관한 인문학적 고찰」, 『동양문화연구』 제36집, 동양문화연구원, 2022, pp.96-97.

2) 효(爻)의 대립과 상호작용

(1) 음양의 평등

우주의 온갖 사물은 시시각각 혁신하고 시시각각 변화한다. 역은 우주 간의 사물을 모방하고, 그 변화를 모방한 것이다.

효(爻)란 우주 간 사물의 변화(動)를 본뜬 것이다.[1]

효(爻)란 괘효(卦爻)의 변동을 의미하고, 동(動)이란 사물의 변화를 의미한다. 즉, 사물의 변화를 효가 본받은 것이므로 괘효의 변동을 통해 사물의 변화를 예측할 수 있다.

사물의 근저에서 생장수장의 이치로써 생명을 순환시키는 물리 법칙인 음양은 역에서는 음효(--), 양효(—)라는 2개의 부호로 전화되어 사물의 상을 구현한다. 이것이 우주 만물을 8개의 극성으로 범주화한 팔괘(八卦)이다.

음양은 성질이 상반상성(相反相成)하는 관계로서 상대가 없으면 나도 존재할 수 없는 상호의존적인 대대 관계를 맺고 있다. 이것은 음이든 양이든 혼자서는 어떤 기능도 어떤 작용도 할 수 없으며, 음양의 상호작용이 없다면 사물의 존재 자체가 불가능하다는 것을 의미한다. "『주역』에서는 모든 사물이 전체에서 보면 하나(一)를 이루지만 내적으로는 상반된 양면의 상

---

1) 『周易』, 「繫辭傳下」 第3章, "爻也者, 效天下之動者也."

호작용을 통해 하나(一)를 지향하는 것으로 여긴다. 마치 하루가 낮과 밤이라는 대립적 양면의 화합으로 이루어지는 것처럼 모든 사물은 자체의 대립적 양면성의 상호작용을 통해 생성되고 변화하는 것이다."[2]

天과 地의 대립이 상호작용을 통하여 만물(人)을 생하듯, 만물을 표상한 음효(--)와 양효(一)의 대립은 상호작용을 통하여 만물의 상인 괘상(卦象)을 생한다. 음(--)과 양(一)이 중첩하여 상호작용을 함으로써 사상四象(☰ ☱ ☲ ☳)을 이루고, 사상에 또 한 번 음양이 중첩하여 팔괘八卦(乾☰ 兌☱ 離☲ 震☳ 巽☴ 坎☵ 艮☶ 坤☷)를 이루니, 팔괘는 복잡다단한 우주 만물을 8개의 극성으로 단순하게 범주화시켜 놓은 것이다. 음양이 중첩하여 상호작용함으로써 괘상을 이루듯, 만물을 단순하게 범주화한 팔괘를 상하로 중첩하여 굴신·왕래 상호작용을 하게 함으로써 64개로 표상된 다양한 물상을 통하여 만물의 변화를 이해할 수 있다. 역은 인간의 지각 능력으로는 통섭하기 어려운 천지 만물을 64괘 384효로 구성한 음효(--)와 양효(一)의 변화를 통해 만물과 인간의 득실과 길흉을 드러낸다. 그러므로 만물의 기본 구성요소인 음효(--)와 양효(一)로 구성된 8괘가 상하로 중첩하여 상호작용을 함으로써 64괘라는 만상을 펼쳐내니, 그 64괘의 변화를 통하여 천하만리(天下萬理)를 이해할 수 있

---

2) 김학권, 「주역의 우주관」, 『공자학』 제25권, 한국공자학회, 2013, p.130.

는 것이다.

음양은 서로 대등하면서도 대립적 성향을 띤 양면성을 가지고
있다. "한번은 음하고 한번은 양하는 것을 도라 한다(一陰一陽之
謂道)"는 말의 뜻은 음양이 서로 치우치지 않는 동등한 위상이 있
음을 의미한다. 즉, 태극은 음만으로 이루어질 수 없고 또한 양만
으로도 이루어질 수 없듯이, 양만 있고 음이 없으면 도를 이룰 수
없고, 역시 음만 있고 양이 없어도 도는 이루어지지 않는다.

> 음과 양의 몸은 하나를 고집하여 정할 수 없다. 팔괘에서 형
> 상은 양이 음에 갈마들고 음이 양에 갈마들어 두 기운이 서로
> 감응하여 그 몸을 이루니, 혹은 숨고 혹은 드러난다. 그래서 「
> 계사전」은 '한번 음하고 한번 양하는 것이 도다'라고 말한 것
> 이다.3)

이와 같은 경방의 풍괘(豐卦䷶)에 대한 해석은 동체양면으로서
음양의 상반된 성정을 말해준다. 괘는 음효와 양효가 서로를 이뤄
줌으로써 형성된다. 음은 양을 받아들이고 양은 음을 받아드림으
로써 음양으로 구성된 팔괘를 완성하는 것이다. 즉, 음양은 대립자
이면서도 하나의 통일체, 즉 태극을 이룬다.

> 양은 스스로 세울 수 없고 반드시 음을 얻은 다음에야 세워
> 진다. 그러므로 양은 음을 기본으로 한다. 음은 스스로 드러날
> 수 없고 반드시 양에 기댄 다음에야 드러난다. 그러므로 음은

---

3) 京房, 『京氏易傳』, "陰陽之體, 不可執一爲定. 象於八卦, 陽蕩陰,
陰蕩易, 二氣相感而成體, 或隱或顯. 故繫云, 一陰一陽之謂道."

양을 맞이한다. 양은 그 시작을 알며 그 완성에 형통하고, 음은 그 법칙을 본받아 그 힘씀을 마친다.[4]

양은 음과 대립하면서 상충하지만 음 없이는 홀로 서지 못한다. 역시 음은 양과 대립하면서 상충하지만 양 없이는 홀로 존재할 수가 없다. 서로 배척하지만 상대를 멸하지 않는다. 오히려 화해를 통한 합일을 추구함으로써 중화를 지향한다. 그러므로 양은 음을 기본으로 하고 음은 양을 기댄 다음에야 자신의 성정을 드러내는 것이다.

건도(乾道)는 양(男)이 되고 곤도(坤道)는 음(女)가 되니, 乾은 큰 시작을 주장하고 坤은 물건을 완성한다.[5]

양은 시작이며, 음은 양을 맞이하여 그 법칙을 본받아 완성한다. 서로가 다르지만 자기 자신만의 공능으로 서로를 이루어 줌으로써 상존(相存)할 수가 있는 것이다.

양 속에 음이 있고, 음 속에 양이 있으니 서로 그 뿌리를 간직하고 있는 것이다.[6]

---

4) 邵雍, 『欽定四庫全書』, 「皇極經世書」 卷14, 觀物外篇下, "陽不能自立, 必得陰而後立. 故陽以陰爲基. 陰不能自見, 必待陽而後見. 故陰以陽爲唱, 陽知其始而享其成, 陰效其法而終其勞."

5) 『周易』, 「繫辭傳上」 第1章, "乾道成男, 坤道成女, 乾知大始, 坤作成物."

6) 朱熹, 『朱子語類』 卷77, "陽中之陰, 陰中之陽, 互藏其根之義."

천지간의 만물은 이렇게 음양이라는 상반된 성질이 만나 상호대립하면서도 서로를 품으며 서로를 의존한다. 상충과 화해를 거듭하면서도 상대를 멸하지 않고 상호작용하면서 중화를 이루어가니, 이것이 바로 천지 만물을 생육하는 원리라 할 수 있다.

(2) 효위(爻位)의 차등

괘를 구성하는 음효(--)와 양효(—)는 서로 동등한 위상을 가지고 있지만 작용적 측면에서는 공능의 차이가 있다. 6개의 효로써 사물의 극성을 표상한 것이 모두 64의 괘이니 이는 만물의 다양성을 의미한다. 효는 괘상에서 차지하는 위치에 따라 발휘하는 기능과 기세가 다르다. 이로 인하여 상호 간에 복잡다단한 상호작용을 일으키며 사물의 생장성쇠를 표상한다.

> 하늘은 높고 땅은 낮으니 건곤(乾坤)이 정해지고, 낮음과 높음으로 진열되니 귀천(貴賤)이 자리하고, 동정(動靜)에 떳떳함이 있으니 강유(剛柔)가 결단된다.[7]

음과 양은 서로 평등하지만 작용에 있어서는 그 역할에 귀천과 고저가 있다. 귀천과 고저의 대조처럼 짝이 되는 것 사이에는 위계가 있지만 그 질서는 상호보완적이다. 귀천과 고저란 상

---

7) 『周易』, 「繫辭傳上」 第1章, "天尊地卑, 乾坤定矣, 卑高以陳, 貴賤位矣, 動靜有常, 剛柔斷矣."

대적인 조건에서의 역할 분담을 의미한다. 즉, 음과 양은 절대적인 것이 아니라 상대적 관계로서, 노인은 여자와의 관계에서는 양일 수 있지만 젊은 사람과의 관계에선 음으로 표현될 수가 있다.[8]

효위에 따른 작용의 차등에 관하여 『주역』은 어떻게 말하고 있는지 살펴보자. 「게사전」에서는 "도가 변동함이 있으므로 효(爻)라 말하였고, 효가 차등이 있으므로 물(物)이라 말하였고, 물이 서로 섞이므로 문(文)이라 말하였고, 문이 자리에 마땅하지 않으므로 길흉이 생겨난다."[9]라고 하였으니, 이는 도가 변동한다는 것은 효위(爻位)에 변동이 일어남으로써 발생하고, 효위에 따른 차등은 사물의 극성을 정의하며, 사물이 섞임으로써 문물이 일어난다. 또한 문물이 서로 마땅하지 않으면 서로 다투게 되니 길흉이 일어나게 된다는 것을 의미한다.

음양은 서로 동등하나 양은 상향하고 음은 하향하는 성질이 있으니, 작용성에 있어서는 수승화강(水升火降)의 논리에 따라 양은 아래로 내려갈수록 상향성이 커지고, 음은 위로 올라갈수록 하향성이 커진다. 고저(高低)에 따라 작용하는 힘이 달라지기 때문에 원근(遠近)과 귀천(貴賤)이 있는 것이며, 괘체(卦體)를 이루는 효위(爻位)가 마땅한가(正位), 마땅하지 않은가

---

8) 박규선·최정준, 「음양의 대립과 통일에 관한 인문학적 고찰」, 『동양문화연구』 제36집, 동양문화연구원, 2022, pp.103-104.
9) 『周易』, 「繫辭傳下」 第10章, "道有變動, 故曰爻, 爻有等, 故曰物, 物相雜, 故曰文, 文不當, 故吉凶生焉."

(不正位)에 따라 서로 균형을 이루고자 하는 작용이 일어나게 됨으로써 다양한 인사길흉을 표현하게 되는 것이다.

'하늘은 높고 땅은 낮으니 건곤이 정해지고, 낮은 곳과 높은 곳이 진열되니 귀천이 자리한다'는 것은 존비(尊卑)와 귀천(貴賤)은 그 자체로서 효의 우열을 가리는 것이 아니라 위치에 따른 기능과 역할을 의미한다. 주희(朱熹)는 이것을 『주역본의』에서 "비(卑)와 고(高)는 천지 만물의 높고 낮은 자리이고, 귀(貴)와 천(賤)은 역 가운데 괘효의 위·아래의 자리이다."10)라고 주석했듯이 효위에 따른 역할과 그에 따른 작용은 서로 다르기 때문에 이로써 강과 유가 서로 부딪히고 팔괘가 서로 섞이며 길흉을 만들어 내게 되는 것이다.

괘효는 위치에 따라 작용하는 힘이 달라진다. 예를 들어 진괘(震卦☳)의 初九와 간괘(艮卦☶)의 上九는 하나의 같은 양효이지만 작용하는 힘은 서로 차이가 있다. 진괘의 초구는 2개의 음효를 뚫고 상승하여 나아가려는 동적인 힘이 강한데 반하여, 간괘의 상구는 상승하는 힘이 2개의 음효에 잡혀 멈춰 서 있는 뜻이 있다. 하나의 동일한 양효이지만 효의 위치에 따라 진괘☳는 동(動)의 뜻이 되고, 간괘☶는 지(止)의 뜻이 되어 서로 작용하는 힘이 다르게 발휘되는 것이다.

음효와 양효가 3개로써 한 괘체를 이루니 음양은 서로 위치에

---

10) 朱熹, 『周易本義』, "卑高者, 天地萬物上下之位, 貴賤者, 易中卦爻上下之位也."

따른 차등이 생길 수밖에 없다. 「계사전」은 괘효가 귀천으로 정해지는 것이 위(位)에 있음을 분명히 하고 있다.[11] 그러므로 天地人 삼효로써 균형을 이루고 두 개의 괘체가 상괘와 하괘를 이루니, 상하의 효가 각각 짝을 지어 응하는 구조인 6효로써 天地人의 작용을 이루는 것이다.[12]

즉, 괘효가 귀천으로 나뉘어 차등이 생기는 것은 여섯 개의 효가 각각 서로 다르게 위치하기 때문이다. 효의 고저에 따라 기세가 다르고, 또한 각각 음효와 양효의 자리가 마땅한지 당위의 여부, 상응(相應)과 적응(敵應)의 관계에 따라 효의 공능이 다르게 발휘되며 그에 따라 상호작용력은 달라지는 것이다.[13]

괘상은 6개의 효가 초효부터 상효까지 단계별로 채워지며, 만물을 표상하는 팔괘를 가리킨다. 나무를 예로 들면, 새싹이 자라 점차 장성한 나무가 되고 열매를 맺은 후 기운이 다하면 열매와 나뭇잎을 떨구고 그 열매를 씨앗으로 저장하는 과정의 순환을 반복하듯이, 이처럼 괘상도 물극필반의 이치를 6개의 효에 내장하여 사물 변화의 순환 이치를 설명하고 있다. 괘효도 '初 · 二 · 三 · 四 · 五 · 上'으로 아래에서부터 시작하여 위로 명칭을 부여

---

11) 『周易』, 「繫辭傳上」 第3章, "列貴賤者, 存乎位, 齊小大者, 存乎卦, 辨吉凶者, 存乎辭."

12) 朱熹, 『周易本義』, "三劃已具三才, 重之故六, 而以上二爻爲天, 中二爻爲人, 下二爻爲地."

13) 박규선 · 최정준, 「괘효의 수리화에 따른 역의 과학적 해석연구」, 『동양문화와 사상』 제10집, 동양학연구소, 2021, pp.17-21.

하고 있다. 초(初)와 상(上)의 의미는 맨 아래와 맨 위라는 시작(始)과 끝(終)을 상징하는 표현이다. 일반적으로 64괘의 괘·효사를 관통하는 기본적인 해석의 원리는 중천건(重天乾䷀)괘 효사의 차등적 의미를 기준으로 이해한다.

> 시작과 끝을 크게 밝히면 괘의 여섯 자리가 제각기 때에 맞게 이루어지니, 때에 맞게 여섯 마리의 용[爻]을 타고서 천도를 다스린다.14)

주희(朱熹)는 『주역본의』에서 "건도(乾道)의 종(終)과 시(始)를 크게 밝히면 괘의 육위(六位)가 각기 때를 따라 이루어지며 여섯 양(陽)을 타고 천도(天道)를 행함을 볼 수 있다."15)라고 해석하여 "여섯 효가 서로 뒤섞여 있는 것은 오직 시대적인 상황에 맞춘 것"16)이라 하였다. 즉, 효의 위치에 따른 길흉은 그것이 처해있는 시간적 위치에 따라 다르게 작용한다는 것이다.17) 육룡(六龍)은 여섯 효를 은유하는 것으로서 初에서 上에 이르기까지 위(位)에 따른 공능은 서로 다르게 나타난다. 그러므로 여섯 효는 각각 자신만의 위치에 따른 규정성과 의의를

---

14) 『周易』, 「象傳」重天乾卦, "大明終始, 六位時成, 時乘六龍, 以御天."
15) 朱熹, 『周易本義』, "大明乾道之終始, 則見卦之六位, 各以時成, 而乘此六陽, 以行天道."
16) 『周易』, 「繫辭傳下」第9章, "六位相雜, 唯其時物也."
17) 朱伯崑, 김학권 외4 공역, 『역학철학사1』, 소명출판, 2012, p.138.

가지고 있으며, 상호작용을 통해 건(乾)으로 상징되는 만물만사(萬物萬事)를 드러낸다. 즉, 때를 따라 六龍[六爻]을 타고 하늘을 통어(統御)하니,[18] 여섯 효가 때를 쫓아서 궁극적으로 건(乾)을 이룬다는 것이다.[19] 이는 여섯 단계의 효위(爻位)별로 음효가 오는지 또는 양효가 오는지에 따라 다양한 조건과 작용이 발생하게 되고, 그럼으로써 길흉·득실은 때를 따라 다르게 일어난다는 것을 말하는 것이다.

<표 1> 중천건(重天乾 ䷀)괘 효사

효위	핵심 의미	차등
初九	잠룡물용 (潛龍勿用)	은둔하는 용 잠룡(潛龍)
九二	현룡재전 (見龍在田)	출사하는 용 현룡(見龍)
九三	종일건건 (終日乾乾)	분투하는 용 건룡(乾龍)
九四	혹약재연 (或躍在淵)	도약하는 용 약룡(躍龍)
九五	비룡재천 (飛龍在天)	비상하는 용 비룡(飛龍)
上九	항룡유회 (亢龍有悔)	후회하는 용 항룡(亢龍)

---

18) 『周易』, 「文言傳」 乾卦, "時乘六龍, 以御天也."

19) 荀爽, 『周易集解』 乾, "六爻隨時而成乾."

초구(初九)는 시간적으로는 '처음(始시)', 공간적으로는 '맨 아래(微미)'의 의미로서, 사물의 초기이며 어떤 일을 하기에 미약한 상태를 의미한다.

　구이(九二)는 하괘의 중위(中位)로서 초효의 은둔하던 용이 세상의 중심으로 나아가는 모습이며, 지위(地位)로서 중도의 가치를 지닌 대인을 상징한다.

　구삼(九三)은 하괘의 맨 위에 위치한 자로서 상괘로의 진입을 시도하기 직전의 모습이다. 그러므로 삼효(三爻)는 세상의 시련과 도전 그리고 주어진 환경과 부딪히며 고군분투하는 수고로운 효를 상징한다. 상괘를 향해 나가야 할지 말지 진퇴를 결정해야 하는 위치에 있어서 항상 자신을 되돌아봐야 하는 위태로운 자리이다.

　구사(九四)는 하괘에서 상괘로 진입한 자로서 상괘의 하위(下位)에 위치한다. 자신을 시험하며 단련하는 자리로서 비상을 위해 끊임없이 도약을 시도하는 위치를 상징한다.

　구오(九五)는 상괘의 중위(中位)로서 최고의 인문학적 중도의 가치를 지닌 천위(天位)이자 존위(尊位)를 상징한다.

　상구(上九)는 시간적으로는 '마침(終종)' 공간적으로는 '맨 위(極극)'라는 개념을 가진 자리로서 사물의 이치가 궁극에 도달하는 물극필반(物極必反)의 이치가 작동하는 자리이다.

3) 괘(卦)의 대립과 상호작용

태극에서 시작한 음효(--)와 양효(—)는 상반된 성질의 대립 인자이면서도 상대가 없으면 나도 존재할 수 없는 상호의존적 관계를 맺고 있다. 태극은 음양이기의 통일체로서 이기(二氣) 의 상호작용을 통해 삼변(三變)함으로써 팔괘를 형성한다.

음양의 대립은 「선천복희팔괘도」에서 그대로 드러난다. <그림 6>를 보면 음양이기로 구성된 팔괘가 서로 마주 보며 음양 의 대칭을 이루고 있음을 알 수 있다. 즉, '1乾☰天-8坤☷地, 2 兌☱澤-7艮☶山, 3離☲火-6坎☵水, 4震☳雷-5巽☴風'은 '양 괘-음괘'의 관계로 서로 대립하면서 배합괘를 이루고 있다. 수 리적으로 보면 '1-8, 2-7, 3-6, 4-5'로 짝을 이루어 합이 일정 하게 9를 만드는 수리적 질서를 보여준다. 이 수의 합에 팔괘를 펼쳐낸 중앙의 태극(1)을 합하면 10이 된다. 선천팔괘도와 상수적 관점에서 연관해 볼 때 하도(河 圖)의 중앙수는 10이며 이는 완 성을 상징한다. 우주 삼라만상은

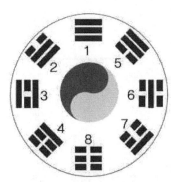

<그림 6> 태극과 복희팔괘도

만물의 근본인 하나(1)에서 비롯 되어 10이라는 완성을 향해 끊임없이 나아가는 것이니, 선천팔 괘도는 천역(天易)으로서 기본적으로 만물이 비롯되는 근원이

태극(1)에서 시작하고 있음을 표상하고 있다.[1]

　선천팔괘도는 음양의 대대 원리를 체(體)로 해서 배역되었다. 대대(對待)란 마주하여 기다린다는 뜻으로 공간적 상대성의 원리이다. 상대해서 마주 보는 괘끼리는 '乾☰과 坤☷, 兌☱와 艮☶, 離☲와 坎☵, 震☳과 巽☴을 이루어 서로 음양이 정반대인 음양배합의 관계를 이루고 있다. 이렇듯 공간적 상대자가 상호 교통함으로써 천지간의 모든 조화가 이루어진다.[2]

「설괘전」은 우주를 8개의 괘로 범주화한 「선천복희팔괘도」가 대립과 대대를 통한 상호작용으로써 만물을 생하는 이치를 다음처럼 설명하고 있다.

　천지가 자리를 정함에 산과 못이 기운을 통하며, 우레와 바람이 서로 부딪히며, 물과 불이 서로 해치지 아니하면서 팔괘가 서로 섞여 있다.[3]

이것은 우주의 극성을 범주화한 팔괘가 자리를 정함에 본체가 대립하고 대대하며 상호작용하는 근원적인 성질을 구명하고 있다. 복희역은 만물이 시생하는 근본적인 원리가 바로 대립과 대대를 통한 음양의 상호작용임을 말해준다.[4] 즉, 어떤 사물이

---

1) 박규선·최정준, 「음양의 대립과 통일에 관한 인문학적 고찰」, 『동양문화연구』 제36집, 동양문화연구원, 2022, pp.95-96.

2) 최정준, 『주역개설』, 비움과 소통, 2014, p.37.

3) 『周易』, 「說卦傳」 第3章, "天地定位, 山澤通氣, 雷風相薄, 水火不相射, 八卦相錯."

4) 박규선·최정준, 「음양의 대립과 통일에 관한 인문학적 고찰」, 『동

나 현상도 밖으로 드러난 모습과 달리 그와 상반된 사물이나 현상과 상호 긴밀히 관계하면서 더불어 존재하고 있음[5]을 알 수 있다.

복희역의 선천팔괘도를 보면 음양의 대립과 대대의 원리가 팔괘의 배열과 조합과정에도 그대로 적용이 되고 있다. 주백곤(朱伯崑)은 『역학철학사』에서, 음양의 대립적인 성질이 팔괘의 대립적인 관계의 배열에 그대로 드러나고, 건괘(乾卦☰)에서 미제괘(未濟卦☷☵)에 이르는 64괘의 배열에도 뒤의 괘는 앞의 괘에 의지하여 혹은 상인(相因) 혹은 상반(相反)관계를 이루며 서로 인과적(因果的) 관계를 맺고 있음을 말하고 있다. 괘상(卦象)과 괘서(卦序)에는 "대립적인 면의 배열과 조합과 같은 일종의 논리적 사유방식이 암암리에 갖추어져 있다. 팔괘는 기우(奇偶)의 대립적 양획으로 각각 구성되어 4개의 대립적인 면을 가지게 되고, 64괘는 8괘의 대립적인 괘상으로 각각 구성되어 32개의 대립적인 면을 가지게 된다. 괘서(卦序)로 말하면 64괘는 또한 '두 괘씩 짝을 이루고 있음(二二相偶이이상우)'으로써 대립적인 괘상이 상호배합되어있는 체계를 이루게 된다. 이러한 종류의 사유는 괘상에 대립적인 면이 존재하는 것을 인정하는 것이며, 아울러 대립적인 면으로 구성되어있기 때문에 그 변화도 그 가운데의 기본요소인 음(--) 양(—) 양획의 배합 위에서 표현되고 있음을 인정한 것"[6]이라고 하여 음양의 대

양문화연구』 제36집, 동양문화연구원, 2022, p.103.

5) 김학권, 「주역의 우주관」, 『공자학』 제25호, 한국공자학회, p.127.

립과 대대라는 관점에서 8괘와 64괘의 배열을 설명하고 있다.

또한 공영달(孔穎達)은 『주역정의』에서 통행본 64괘의 배열 방식은 복(覆)이 아니면 변(變), 즉 엎어놓은 것이 아니면 전부 변한 것이라는 설을 제기하고 64괘의 배열은 '두 괘씩 서로 짝을 이룬다'고 보았다. 예를 들면 둔(屯䷂)과 몽(蒙䷃), 수(需䷄)와 송(訟䷅), 사(師䷆)와 비(比䷇) 등은 괘상이 전도된 복(覆)의 형태가 되고(도전괘), 변(變)은 건(乾䷀)과 곤(坤䷁), 감(坎䷜)과 리(離䷝), 대과(大過䷛)와 리(頤䷚), 중부(中孚䷼)와 소과(小過䷽) 등이 괘상의 6효가 전부 효변한 상반된 형태가 된다(배합괘).7)

「선천복희팔괘도」가 각각 음양의 대립 관계로써 4개의 괘로 8괘를 이루듯이, 64괘도 32가지의 대립면으로 구성되어 있다는 것은 한번은 음이 되고 한번은 양이 되는 음양의 대립과 대대 관계를 떠나서는 8괘와 64괘는 존재할 수가 없으며, 역 또한 성립할 수가 없다는 것을 말해주는 것이다.

> 천하의 만 가지 리(理)는 한번 동(動)하고 한번 정(靜)하는 데서 나오고, 천하의 만 가지 수(數)는 한 번 기(奇)하고 한번 우(偶)하는 데서 나오며, 천하의 만 가지 상(象)은 한 번 모나고(方) 한번 둥근 데서(圓) 나온다. 그 모든 것이 다만 건곤이 획(乾坤二畫)에서 비롯된다.8)

---

6) 朱伯崑, 김학곤 외4 공역, 『역학철학사1』, 소명출판, 2012, pp.63-64.
7) 朱伯崑, 김학권 외4 공역, 『역학철학사1』, 소명출판 2012, p.63.

8괘와 64괘는 태극(一)의 펼침이며, 음양이기(陰陽二氣)의 펼침이다. 그 모든 것은 건곤이획(乾坤二畫)에서 비롯된다. 이는 "양의·사상·8괘·64괘의 각각의 단계에서 모두가 음과 양이 있어 서로 대립한다는 것"9)을 말해준다. 즉, 태극(一)에서 비롯되어 만물의 극성을 범주화한 8괘, 그리고 만물의 다양한 작용을 표상한 64괘를 드러냄으로써, 우주 삼라만상이 펼쳐지는 근원에는 바로 음양이기의 대립과 대대를 통한 상호작용이 있다는 것을 의미하는 것이다. 그러므로 우주에 존재하는 일체의 사물은 그 어떤 것도 홀로 독립되어 개별적으로 존재하는 것이 아니라 상호작용을 통하여 모두가 서로 긴밀하게 연계되어 더불어 작용하고 있음10)을 알 수가 있다.

역은 사물의 대립하는 성질을 음양의 범주로 개념화하고, 더 나아가 대립하고 있는 성질이 서로를 의존하며 상호작용을 함으로써 새로운 변화를 만들어내는 것을 표상하고 있다. 그러므로 음양의 대립과 대대는 바로 사물의 본성과 변화의 기본원리라 할 수 있는 것이다.

---

8) 『朱子語類』 卷65, "天下之萬理, 出於一動一靜, 天下之萬數, 出於一奇一偶, 天下之萬象, 出於一方一圓, 盡只起於乾坤二畫."
9) 朱伯崑 김학권 외4 공역, 『역학철학사3』, 소명출판, 2012년, p.257.
10) 김학권, 「주역의 우주관」, 『공자학』 제25호, 한국공자학회, p.135.

4) 괘효의 변화로 표현하는 대립과 상호작용

『주역』은 "육효의 움직임은 천지인 삼극의 도다."[1]라고 정의하고 있으며, 또한 "천도(天道)가 있고 인도(人道)가 있고 지도(地道)가 있으며, 삼재(三才)를 겸하여 두 번하였으니 육(六)이다. 육은 다름이 아니라 삼재의 도다."[2]라고 하고 있다. 주희(朱熹)는 이를 "세 획에 삼재가 이미 갖추어져 있는데 거듭하였으므로 六이니, 위의 두 효는 天이 되고, 가운데 두 효는 人이 되고, 아래의 두 효는 地가 된다."[3]라고 주석하고 있다. 또한 "삼극(三極)은 天地人의 지극한 이치로서 삼재(三才)는 각각 일태극(一太極)"[4]을 품고 있으니, 태극(一)에서 비롯된 천지인 세 획으로 이루어진 소성괘(體)는 각각의 효가 하나의 태극(一太極)을 갖게 된다. 각각의 一太極은 음양(二)의 작용성으로 이를 합하면 六爻(用)가 되니, 처음 1·2효는 地, 중간 3·4효는 人, 마지막 5·6효는 天이 되어 천지 만물의 변화를 만들고, 변화는 길흉을 드러낸다고 하였다.

역학적으로 우주의 구성 재질은 천지인 삼재라 할 수 있다.

---

1) 『周易』, 「繫辭傳上」 第2章, "六爻之動, 三極之道也."
2) 『周易』, 「繫辭傳下」 第10章, "有天道焉, 有人道焉, 有地道焉, 兼三才而兩之, 故六, 六者, 非他也, 三才之道也."
3) 朱熹, 『周易本義』, "三畫已具三才重之, 故六而以上二爻爲天, 中二爻爲人, 下二爻爲地."
4) 朱熹, 『周易本義』, "三極天地人之至理, 三才各一太極也."

그러므로 음양미분의 혼일 상태인 무극의 경우는 작용에너지가 제로(0)이므로 천지인 삼재라는 정보를 품고 있으나 음양의 작용성이 없어 이를 드러내지 않는 상태를 의미하고, 태극은 음양으로 나뉘어 상호작용함으로써 품고 있는 천지인 삼재(DNA)를 발화시키는 공능이 있음을 의미한다. 즉 음양의 상대성이 상호작용하면 태극은 스스로 품고 있는 천지인 삼재를 발화시켜 우주에 펼쳐놓는 것이다.[5]

음효와 양효로 구성된 여섯 개의 효가 상하·좌우 상호 간에 대립과 대대, 그리고 시간의 흐름에 따라 유행(流行)하는 변화의 표현방식을 살펴본다.

(1) 중정응비(中正應比)

천인지(天人地) 3효로 구성된 소성괘가 상하로 중첩됨으로써 음양의 작용성을 표상하는 6효의 대성괘를 이루는데, 각각의 효는 그 위(位)에 따라 기세가 다르다. 그리고 이웃하고 있는 효의 상비(相比) 관계, 상하로 마주하고 있는 효의 응기를 통해 중화를 이루어가는 과정에서 사물의 길흉회린(吉凶悔吝)을 표상한다. 6단계의 위(位)로 이루어진 효위(爻位)에 음효가 오는지 또는 양효가 오는지에 따라 정(正), 부정(不正)으로 나

---

5) 박규선·최정준, 「괘효의 수리화에 따른 역의 과학적 해석연구」, 『동양문화와 사상』 제10집, 동양학연구소, 2021, p.10.

뉘고, 상하로 마주 보는 효끼리 응하는지 또는 배척하는지에 따라 괘상 전체가 영향을 받는다. 『주역』은 중정응비(中正應比)라는 원리로써 이와 같은 괘효의 대립과 상호작용을 설명하고 있다.

① 중(中)

하괘(내괘)의 2효와 상괘(외괘)의 5효는 각각 괘의 중위(中位)를 차지하고 있다. 괘효를 판단할 때 내괘의 2효와 외괘의 5효를 얻는 경우 중을 얻었다고 하여 가장 길하게 여긴다. "중(中)은 괘의 상수적(象數的) 위치에서 탄생했지만 의리적(義理的) 영역으로 사용되었으며 6효의 길흉을 분석할 때 가장 중요한 요인이기도 하다."[6] 중용(中庸), 중도(中道)라는 동양철학 사상의 정수는 바로 괘상의 中에서 비롯된 것이다.

> 중화에 이르면 (그 안에서) 천지가 제자리를 잡고 만물이 길러진다.[7]

「계사전」은 "천지가 자리를 잡으면 역은 그 중화를 행한다."[8]라고 했다. 즉 "역이란 만물을 간략함으로써 천하의 이치를 얻는 것이니 천하의 이치를 얻으면 그 중화를 이루는 것이다

---

6) 최정준, 『주역개설』, 비움과 소통, 2014, p.91.
7) 『中庸』 第1章, "致中和, 天地位焉, 萬物育焉."
8) 『周易』, 「繫辭傳上」 第7章, "天地設立, 而易行乎其中矣."

."9) 그러므로 음양의 대립은 中을 지향하고 天地의 대립은 人을 지향하니 人中의 조화는 천지·음양의 대립과 대대를 통한 상호작용의 결과물이라 할 수 있다. 음양의 대립과 대대는 서로 상충하고 화해하는 일련의 상호작용을 통하여 균형과 조화를 지향함으로써 중화로 표상되는 만물을 생화하는 것이다.

만물은 천지 음양의 대립과 대대를 통한 상호작용의 산물로서, 실재란 대극(對極)이 합일된 상태를 의미한다. 그러므로 天과 地, 陰과 陽이 그 성질을 달리하는 것은 상호작용을 통해 중화의 산물인 人中을 생화하기 위한 목적성에 있다고 할 수 있다. 『중용』은 음양의 강유상추 작용으로 中을 생하고, 천지의 교합으로 人을 생함으로써 중화를 통해 天地人이 하나의 체를 이룰 때 만물이 화육됨을 밝히고 있다. 즉 '중화의 단계에 완전히 도달하게 되면 천지가 온전히 자리를 잡게 되고, 따라서 만물도 순리대로 길러져 생장수장(生長收藏)의 이치를 순환한다'는 것이니, 상반된 성질의 음양이 대립과 상호작용을 통한 교감은 人中으로 상징되는 치중화(致中和)의 과정이라 할 수 있는 것이다.

> 만물의 본성을 체현할 수 있으면 천지 만물의 화육을 도울 수 있고, 천지 만물의 화육을 도울 수 있으면 천지와 더불어 삼재의 하나로 참여할 수 있다.10)

---

9) 『周易』, 「繫辭傳上」 第1章, "易簡而天下之理得矣, 天下之理得而成位乎其中矣."

중화란 천지·음양의 상합(相合)이 완전한 조화(harmony)를 이룬 교집합의 영역, 즉 天地人이 삼신일체를 이룬 삼태극(三太極)을 의미한다. 그러므로 만물의 본성을 체현할 수 있으면 人中으로 표상되는 우주 삼라만상은 '天(陽), 人(中), 地(陰)' 삼재가 일체가 됨이니, 이는 삼재가 공동으로 만물의 화육에 동참하는 '참여하는 우주(參贊天地之化育참찬천지지화육)'[11]라고 정의할 수 있다.

② 정(正)

만물 창조의 근원인 음양이기는 대소·장단·강약이라는 미세한 차이에 따라 발생하는 다양한 작용에 의해 천차만별의 중화를 이룸으로써 천지에 만물만상을 펼쳐낸다. 그러므로 효위의 차등에 따른 6효의 서로 다른 기세는 음양의 위(位)가 바르거나(正位), 또는 바르지 않음(不正位)에서 오는 다양한 길흉·득실을 발생시키게 된다.

정위(正位)란 양의 자리에 양이 오고 음의 자리에 음이 오는 것을 말한다. 그리고 부정위(不正位)란 양의 자리에 음이 오고, 음의 자리에 양이 오는 것을 말한다. 즉 一·三·五位는 홀수로서 양위(陽位)가 되고, 二·四·六位는 짝수로서 음위(陰位)가

---

10) 『中庸』第22章, "能盡物之性, 則可以贊天地之化育, 可以贊天地之化育, 則可以與天地參矣."

11) 『中庸』제22장, "可以贊天地之化育, 則可以與天地參矣."

된다. 그러므로 一·三·五位에 양이 오면 正을 얻은 것으로 길(吉)함이 되고, 음이 오면 不正이라 하여 흉(凶)으로 본다. 반대로 二·四·六位에 음이 오면 正을 얻은 것으로 길함이 되고, 양이 오면 不正이라 하여 흉함이 된다. 正을 얻은 경우는 中을 얻은 것 다음으로 좋다고 판단한다.

③ 응(應)

6효로 구성된 64괘는 상괘(외괘)와 하괘(내괘)로 구성되어 있으며, 상괘와 하괘는 서로 상호작용을 통해 중화를 모색하는 대립과 대대 관계에 있다. 즉 상·하괘를 구성하는 괘효는 서로 대대하는 음양상응(陰陽相應)의 관계가 된다. 하괘의 初爻는 상괘의 四爻와 응하고, 二爻는 五爻와 응하며, 三爻는 六爻와 응한다.

상하의 괘효가 음과 양의 관계로 서로 응하는 경우를 상응(相應)이라 하여 상호교감하는 관계로 보며, 음과 음 또는 양과 양의 관계로 응하는 경우를 적응(適應) 또는 불응(不應)이라 서로 배척하는 관계로 본다. 즉, 상응은 서로 호응하는 관계이고, 불응은 상충하는 관계가 된다. 또한 음양이 각각 자리가 바르면서(正位) 상·하괘가 음양으로 상응하면 정응(正應)이 된다. 즉 二爻(陰位)에 음이 오고, 五爻(陽位)에 양이 와서 中과 正을 얻음으로써 中正으로 상응하는 경우 바름(正)으로 상응한다고 하여 정응이라 하는 것이다.

④ 비(比)

상·하괘가 대대(對待) 관계를 이루며 서로 응하고 있는 상응과 달리, 삼효가 서로 음양의 관계로 이웃하여 협조하는 경우를 상비(相比)라고 한다. 음효가 양효 아래에 위치하고 있는 경우를 승(承)이라 하여 길하게 보고, 음효가 양효 위에 올라타고 있는 경우를 승(乘)이라 하여 불길하게 본다. 승(承)은 '받들다', 승(乘)은 '올라타다'의 뜻이다.

자연계에서의 음양은 서로 평등한 관계로 대소·장단·강약, 그리고 선악 등을 규정할 수 없지만, 인간계에서는 괘·효사를 인사로 통변하는 경우 일반적으로 양대음소(陽大陰小), 양강음약(陽强陰弱), 양선음악(陽善陰惡), 양남음녀(陽男陰女), 양고음저(陽高陰低), 양귀음천(陽貴陰賤) 등 대립 관계로 비유하여 풀이하고 있다. 그러므로 음양의 위치로 효를 분석할 때 음이 양을 타고 있는 승(乘)보다는 양 아래에 음이 위치하는 승(承)이 더 자연스럽고 올바른 것으로 해석한다.

만일 初九와 九二, 初六과 六二의 관계처럼 양과 양, 음과 음의 관계는 음양이 서로 이웃을 이루지 못하는 것으로 불비(不比)라고 하며, 서로 비협조 관계에 있다고 본다. 상괘와 하괘의 효 사이에 서로 응하고 있는 관계를 방해하는 역학관계를 설명할 때 주로 사용된다.

(2) 왕래(往來)와 상착(相錯)

① 효의 왕래(往來)

음양으로 이루어진 6효는 음양의 대소·장단·강약이라는 미세한 차이의 불균형으로 편재되어 있어 상호작용에 따라 사물마다 다양한 특성을 드러낸다. 음양의 대립은 부딪히는 마찰면의 불규칙성으로 인하여 서로 다른 유형의 중화를 발생시킨다. 즉, 다양한 유형의 대립과 대대는 다양한 중화를 발생시키며, 다양한 중화를 일으키는 음양의 불균형 또는 음양의 편재는 사물마다 가지고 있는 고유한 특성이 된다. 그러므로 사물을 구성하는 음효와 양효는 상호감응, 상호마찰, 상호왕래 등 여러 가지 유형의 상호작용을 통하여 중화를 지향하면서 길흉을 드러낸다.

64괘의 「단전」에 등장하는 이른바 강유왕래설은 괘상 내의 음효와 양효가 상호변화하는 과정을 설명한다.

수(隨)는 강(剛)이 내려와서 유(柔)의 아래에 있고,[1]

유(柔)가 나아가 위로 행하여 중(中)을 얻고,[2]

택뢰수(澤雷隨䷐)괘는 천지비(天地否䷋)괘에서 上九가 내려와 初六의 자리를 대신하니 음효인 二·三효 아래에 있다는 뜻

---

[1] 『周易』, 「象傳」 澤雷隨, "象曰, 隨, 剛來而下柔, 動而說, 隨."
[2] 『周易』, 「象傳」 火風鼎, "柔進而上行得中, 而應乎剛."

이다. 화풍정(火風鼎䷰)괘는 중풍손(重風巽䷸)의 六四가 위로 올라가 中(六五)을 얻는 경우와 천산돈(天山遯䷠)의 六二가 나아가 위로 행하여 中(六五)을 얻는 경우로 볼 수 있다.

이처럼 괘체 내에서 효의 이동은 사물마다 가지고 있는 특성(identity)을 규정짓는 음양의 불균형이 균형과 조화를 이루어 가는 과정에서 일어나는 변화로 이해할 수 있다. 계절에 따른 기온의 차가 일으키는 에너지의 부분적인 이동은 지역에 따른 사물들의 다양한 양태와 특성을 만들어내는 변화의 동인이 되듯이, 물상을 표상한 괘상이 효의 부분적인 이동을 통해 괘의 변화를 일으킴으로써 다양한 인사·길흉을 드러내는 것이다.

② 괘의 착종(錯綜)

음양의 대립은 자연계 및 인류 사회의 보편적인 법칙이다. 따라서 팔괘상착(八卦相錯)이라는 역리(易理)의 핵심은 바로 사물이 지닌 모순과 대립의 보편성을 반영한다.[3] 괘의 착종은 괘의 상하교역(上下交易)을 의미한다.

착(錯)은 '섞이다'의 뜻이고 종(綜)은 '모은다'는 뜻이다. 그러므로 착종은 '이리저리 섞어서 다시 모은다'는 뜻이다.[4] 자연에서 효의 이동은 에너지의 부분적인 이동으로 비유할 수 있

---

3) 廖名春 외2 공저, 심경호 역, 『주역철학사』, 예문서원, 1994, p.623.
4) 최정준, 『주역개설』, 비움과 소통, 2014, p.103.

고, 괘의 상착(相錯)은 상괘와 하괘의 자리바꿈이니 교역하는
에너지의 대이동으로 비유할 수 있다. 예를 들어 뇌천대장(雷
天大壯䷡)의 착종괘는 천뢰무망(天雷无妄䷘)이 되고, 천산도
(天山遯䷠)의 착종괘는 산천대축(山天大畜䷙)이 되어 대변혁
을 의미한다.

(3) 효변(爻變)

하나의 기가 음양으로 나뉘는 것은 양이 음을 낳고 음이 양
을 낳는 것으로 비유할 수 있다.[5] 즉, "양 속에 음이 있고, 음
속에 양이 있음이니, 서로 그 뿌리를 간직하고 있는 것이다."[6]
그러므로 "설령 양의 부류의 사물이든지 혹은 음의 부류의 사
물이든지 간에, 그 속에 있는 음과 양의 성분 또한 어느 한쪽의
하나만 있는 것이 아니라 음 속에 양이 있고 양 속에 음이 있
는 것이므로 그들 간의 차이는 음과 양의 성분이 많고 적음에
달려있다."[7] 음양은 대소·장단·강약의 미세한 비율의 차이에
따라 양극(兩極)에 다양한 양태로 배분되는 것이니, 예를 들어
음 속의 양이 비율이 커감에 따라 어느 순간 양이 동함으로써
음의 성질은 양의 성질로 변동하게 된다. 반대로 양 속의 음이

---

5) 邵雍, 『皇極經世書』, 「觀物外篇」, "陰伏陽而形質生, 陽伏陰而性
   情生, 是以陽生陰, 陰生陽."
6) 朱熹, 『朱子語類』第77卷, "陽中之陰, 陰中之陽, 互藏其根之義."
7) 朱伯崑, 김학권 외4 공역, 『역학철학사3』, 소명출판, 2012, p267.

비율이 커감에 따라 어느 순간 음이 동함으로써 양의 성질은 음의 성질로 변동하게 된다. 이처럼 물상에서의 음양의 변동을 괘로 표상한 것이 효의 변동, 즉 괘상에서의 효변이라 할 수 있다. 「괘사전」은 이것을 효는 천하의 동함을 본받는 것이라 하고 있다.[8] 즉 하나의 효가 동하면 괘가 변하는 것이니 천하가 동하는 것이다.

괘상에서의 효변(爻變)이란 양이 동하면 음으로 변하고 음이 동하면 양으로 효가 변하는 것을 말한다. 예를 들어 화천대유(火天大有䷍)의 3효가 동하면 지괘(之卦)는 화택규(火澤睽䷥)가 되고, 산지박(山地剝䷖)의 초효가 동하면 지괘(之卦)는 산뢰이(山雷頤䷚)가 된다.

(4) 음양의 진퇴(進退)

맹희(孟喜)의 12벽괘는 음양소식(陰陽消息)의 변화과정을 표상한 강유소장설(剛柔消長說)로서 사시의 변화에 따른 음양의 진퇴를 설명한다. 아래의 <그림 7>은 기운이 극에 달하면 반드시 변하는 물극필반의 원리를 보여준다. 십이벽괘는 상향하던 음기가 극에 달하면 내려와 양으로 효변하고, 상향하던 양기가 극에 달하면 내려와 음으로 효변하는 모습을 질서 있게 보여준다. 아래 <그림 7>과 <그림 8>에서 십이벽괘의 순환과

---

8) 『周易』, 「繫辭傳下」 第3章, "爻也者, 效天下之動者也."

「태극음양도」를 비교해보면 영허소장(盈虛消長)하는 음양의 진퇴 과정의 순환원리를 쉽게 알 수가 있다.

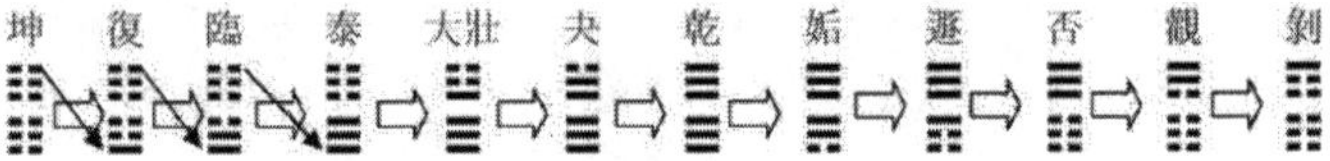

<그림 7> 십이벽괘의 순환원리

위의 음양의 진퇴를 표상한 음양소식의 도식을 통해 사물이 변하면 괘상이 변하고, 괘상이 변하면 사물이 변화하였음을 유추할 수 있다. 12벽괘는 시간의 흐름에 따른 음양소장(陰陽消長)의 이치로써 괘상이 변화해가는 과정을 그린 것이다. 건(乾☰)괘의 초효에서 차례로 음이 하나씩 발생하여 마침내 곤(坤☷)괘가 되면 다시 초효에 양이 하나씩 차례로 발생하면서 건(乾)괘로 되돌아온다. 이러한 물극필반의 과정은 다른 모든 괘에도 적용이 가능하다.

"해가 가면 달이 오고, 달이 가면 해가 와서 해와 달이 서로 미룸에 밝음이 생기며, 추위가 가면 더위가 오고 더위가 가면 추위가 와서 더위와 서로 미룸에 해가 이루어지니, 가는 것은 굽힘이요 오는 것은 펴짐이니, 굴·신이 서로 감동함에 이로움이 생긴다."[9]

---

9) 『周易』, 「繫辭傳上」 第2章, "剛柔相推而生變化."

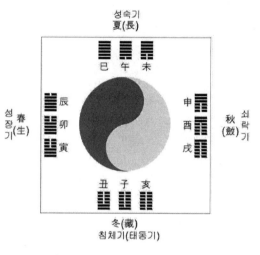

성숙기
夏(長)

巳 午 未

성 春
장 (生)
기

辰
卯
寅

申
酉
戌

秋
(斂)

쇠
락
기

丑 子 亥

冬(藏)
침체기(태동기)

「계사전」은 강유가 서로 밀고 담김에 변화가 일어나니,[10] 변화란 곧 중화에 있는 것이라 말하고 있다.[11]

<그림 8> 십이벽괘와 십이지지의 순환

<그림 8>을 보면, 자월(子月)에서 양효가 생겨 점차 자라나 사월(巳月)에서 양기가 극에 달하면서 오월(午月)에서 음효가 처음 생겨 점차 자라나니 해월(亥月)에서 음기가 극에 달하고 다시 자월(子月)에서 양효가 생겨난다. 이것은 사시순환을 따라 음양이 진퇴하는 영허소장(盈虛消長)의 과정을 그린 「태극음양도」와 비교할 수 있다.

---

10) 『周易』, 「繫辭傳下」 第1章, "剛柔相推 變在其中矣."

11) 『周易』, 「繫辭傳下」 第5章, "日往則月來, 月往則日來, 日月相推而明生焉, 寒往則暑來, 寒暑相推而歲成焉, 往者屈也, 來者信也, 屈信相感而利生焉."

5) 대립과 화해의 인문학

(1) 모순의 중화 지향성

음양이 서로 감응하고〔相感상감〕 서로 부비고〔相摩상마〕 서로 뒤흔 듦〔相蕩상탕〕에 따라서 대립자가 굴신(屈伸)·왕래(往來)·진퇴 (進退)·소식(消息)·영허(盈虛)를 낳아 사물의 모순운동이 전 개된다. 그리고 모순운동이 일정한 단계에 이르렀을 때 대립자 의 상호 뒤바뀜이 발생한다.1) "『주역』에서는 모든 사물이 전체 에서 보면 하나(一)를 이루지만 내적으로는 상반된 양면의 상 호작용을 통해 하나(一)를 지향하고 있는 것으로 여긴다. 마치 하루가 낮과 밤이라는 대립적 양면의 화합으로 이루어지는 것 처럼 모든 사물이 자체의 대립적 양면성의 상호작용을 통해 생 성되고 변화하게 된다는 것이다."2)

『주역』의 화택규(火澤睽☲)괘를 보면 상향하는 불(☲火)이 상괘에 처하고, 하향하는 물(☱澤)이 하괘에 있어 서로 지향하 는 바가 서로 어긋나 있음을 알 수 있다.

> 천지가 어긋나 있어도 그 하는 일은 같으며, 남녀가 어긋나 있어도 그 뜻은 통하고, 만물이 어긋나 있어도 그 목적하는 일 은 같다.3)

---

1) 廖名春 외2 공저, 심경호 역, 『중국철학사』, 예문서원, 1994, p.155.
2) 김학권, 「주역의 우주관」, 『공자학』 제25호, 한국공자학회, p.139.

그런데 하늘과 땅은 서로 등지고 떨어져 있으면서도 목적하는바 만물을 낳는 일은 같다고 말한다. 남자와 여자는 서로 다르지만 생생지도(生生之道)의 뜻은 서로 통한다. 만물은 각각 서로 다르지만 발생하고 성장하며 거두어서 갈무리하는 점에서는 유사하다.[4] 공자(孔子)는 「단전」에서 "규(暌)는 하나(一)에서 어긋나 둘(二)이 되어 서로 다른 길을 가지만, 어긋남은 결국은 일을 함께 이루고자 함이다(暌而其事同也)."라고 주석하고 있다. 인사(人事)에 있어서 '어긋난다' 함은 일의 끝이 아니라 완성을 위한 시작일 뿐이라는 것이다.

우주가 존재하면서 지속되는 원리는 무엇인가? 그것은 만물만상으로 어긋나 있어 서로가 다름으로 인하여 밀고 당기고 부딪히며 소음을 내면서도 중을 찾아 균형과 조화라는 접점을 만들어내는 데 있다. 즉, 음양은 서로를 갈마들며 밀고 당기고 대립과 화해를 반복하면서 변화를 펼쳐낸다.[5] 천지가 어긋남은 만물을 기르기 위함이니, 어긋남은 일의 완성을 위한 새로운 시작이다. 태양(☲火)이 바다(☱澤)와 어긋나 하늘로 향하는 것은 아래를 비추어 만물을 기르고자 함에 그 목적이 있는 것이다.

"그러므로 개체 사물의 측면에 있어서는 어느 일면에 치우친 작용

---

3) 『周易』, 火澤暌 「象傳」, "天地暌而其事同也, 男女暌而其志通也, 萬物暌而其事類也."
4) 廖名春 外2 공저, 심경호 역, 『중국철학사』, 예문서원, 1994, p.152.
5) 『周易』, 「繫辭傳上」 第2章, "剛柔相推而生變化."

이나 성질이 있다 하더라도 전체적으로는 상반된 양면의 상호작용을 통해 총체적 조화와 균형을 이루며 변화가 진행된다. 그래서 우주는 항상 어느 일면에 치우치거나 기울지 않고 한결같이 균형과 조화를 이루면서 질서정연한 우주의 운행을 지속하게 된다는 것이다."[6] 규(暌)의 어긋남이란 결국 일의 완성을 이루고자 함이니, 경방(京房)은 『경씨역전』에서 상호모순과 상호화해를 통한 만물의 생장성쇠의 이치를 대립과 대대라는 관점에서 음양이기의 본질을 명쾌하게 정의하고 있다.

> 두 기운, 즉 양은 음의 속으로 들어가고, 음은 양의 속으로 들어가니 음양 두 기운이 서로 바뀌는 과정이 멈추지 않으므로 '낳고 낳는 것이 역이다(生生之謂易)'라고 말한 것이다. 천지 안에 통하지 않는 것이란 없다.[7]

인간사를 비롯하여 동식물이나 모든 삼라만상은 그 속성을 들여다보면 근원에서는 음양이 서로 나뉘어 상반된 성질로 뒤엉켜 서로 밀고 당기며 상호작용하고 있음을 알 수가 있다. 모두가 양이거나 또는 모두가 음이라면, 즉 모두가 동일하다면 그 순간 우주는 아주 평화롭게 고요히 종말을 고하게 될 것이다.

"천지나 남녀라는 대대적(對待的) 존재는 상호교감을 통해 결

---

6) 김학권, 「주역의 우주관」, 『공자학』 제25권, 한국공자학회, 2013, p.128.
7) 京房, 『京氏易傳』, "二氣陽入陰, 陰入陽, 二氣交互不停, 故曰生生之謂易. 天地之內无不通也."

국 새로운 생명으로의 변화를 추구한다는 점에서 볼 때 유행적(流行的) 존재이다. 또 밤낮이라는 시간이 유행(流行)한다는 것을 단순히 일자(一者)의 일방적 흐름이 아닌 상호전변(相互轉變)된다는 의미로 이해한다면 유행은 곧 변역(變易)이 아닐 수 없다."[8] 그러므로 음양의 대립과 상호작용의 시공간성은 대대(對待)와 교역(交易), 유행(流行)과 변역(變易)의 다른 표현으로서 사물의 본질적 속성을 사귐(交)과 변화(變)를 바탕으로 한다. 교역〔공간성〕과 변역〔시간성〕은 우주적 시공성(時空性)을 역학적으로 이해한 것으로서 사귐(交)은 끊임없이 변화하는 가운데의 사귐이란 점에서 변역으로서의 교역이며, 마찬가지로 변화(變)는 끊임없이 타자와의 사귐 속에서 이루어지므로 교역으로서의 변역이라 할 수 있다.[9]

우주가 변화를 멈추지 않고 지속하는 까닭은 무엇인가? 그것은 만물만상으로 어긋나 있어 서로가 다름으로 인하여 부딪히고 부서지며, 소음을 내면서도 상호작용을 통해 중화를 이룸으로써 새로움〔변화〕을 만들어내는 데 있다. 음과 양이 갈마들며 서로를 밀쳐내면서도 대립과 화해를 반복하며 중으로 표상되는 생명을 창조하며 만물을 펼쳐내는 것이다. 세상이 혼란스러워 보이고 때로는 악이 득세하는 것 같지만 그것은 태극의 본성이 상반된 음양이기로 나뉘어 상호작용하기 때문이다. 그러므로

8) 최정준, 「여헌 장현광 역학사상의 철학적 탐구」, 성균관대학교대학원 박사학위논문, 2006, p.78.
9) 최정준, 「여헌 장현광 역학사상의 철학적 탐구」, 성균관대학교대학원 박사학위논문, 2006, p.78-79.

그 근원을 들여다보면 결국 본(本)은 하나(一)라는 것을 알 수 있다.

　천지의 모든 것은 대립적 상호관계를 갖는다. 음이 있으면 곧 양이 있게 되고, 선이 있으면 곧 악이 있게 된다.[10]

음과 양은 서로 대립하면서도 서로 교감하며 상호작용을 통해 중화를 이룸으로써 존재한다. 혼자서는 존재할 수 없다. 즉, 음양은 서로 성질을 달리하지만 홀로는 존재할 수 없고 상호의 존관계를 맺으며 존재한다.

　음양은 공평무사하다. 그러므로 서로 갈지자(之)로 갈마들면서 세상은 그렇게 만왕만래하며 표면상 끝없이 변화해가는 것 같지만 그 근본은 일체로서 변함이 없다. 상생(相生)과 상극(相剋), 대립(對立)과 대대(對待)는 우주 만물을 낳아 기르고 키워내 음양의 조화체(中)인 생명이 계속 이어지게 하는 생생지도(生生之道)의 법칙이라 할 수 있다. 즉, 대대 관계의 두 주체, 음과 양이 조화를 향해 끊임없이 진퇴하는 과정이 곧 '생명(中)'을 향한 신묘한 '변화'인 것이다.[11]

　음은 양을 낳고 양은 음을 낳아 그 변화가 무궁하다.[12] 변화

---

10) 程顥·程頤,『二程集』上冊, 卷15, "天地之間皆有對. 有陰則有陽, 有善則有惡."
11) 심귀득, 「주역의 음양의 조화에 관한 연구-오위를 중심으로], 『동양철학연구』 제35권, 동양철학연구회 2003, p.245.
12) 朱熹,『周易本義』, "陰生陽, 陽生陰, 其變無窮."

란 중화를 의미하며, 조화와 균형을 지향한다. 음양이라는 상반된 양면의 통일성은 천지 만물이 존재하는 보편적 법칙으로서, 모든 사물의 생성과 변화는 조화를 이루기 위한 사물에 내재된 대립적 양면의 상호작용에 불과한 것이다.

장재(張載)는 이와 같은 만물의 통일성에 대하여 "만물은 본래 하나(一)이므로 하나는 다른 것을 합할 수 있고, 다른 것을 합할 수 있으므로 감(感)이라 하니, 만약 다름이 없으면 합할 것이 없다. 하늘의 성(性)은 건곤(乾坤)과 음양(陰陽)이다. 두 가지 단서이므로 감(感)함이 있고 본래 하나(一)이므로 합(合)할 수 있다."13)라고 음양의 상호교감과 합일의 개념을 설명하고 있다.

『주역』 택산함(澤山咸䷞)괘의 「단전」은 "하늘과 땅이 서로 감응하여 만물이 화생한다."14)고 하였으며, 천풍구(天風姤䷫)괘 「단전」은 "하늘과 땅의 기운이 서로 만나 상호작용하니 온갖 사물이 갖가지로 창성한다."15)라고 하여 "하늘과 땅이 교합하지 않으면 만물이 흥성할 수 없음"16)을 밝히고 있다. 그러므로 "강과 유가 서로 밀고 당기면서 변화를 만들어내는 것이니,"17) "변

---

13) 張載, 『正蒙』, 「乾稱」, "以萬物本一, 故一能合異, 以其能合異, 故謂之感, 若非有異則無合. 天性乾坤陰陽也, 二端故有感, 本一故能合."

14) 『周易』, 澤山咸 「象傳」, "天地感而萬物化生."

15) 『周易』, 天風姤 「象傳」, "天地相遇, 品物咸章也."

16) 『周易』, 雷澤歸妹 「象傳」, "天地不交, 而萬物不興."

화란 강유가 서로 추동(推動)하는 가운데 일어나는 것이다."18)
강유상추(剛柔相推)는 임음일양(一陰一陽)의 동등한 상호작용을
의미하며, 이는 사물 변화의 기본 법칙이라 할 수 있다.

　『순자』는 "천지가 합함에 만물이 생겨나고, 음양이 교제함에
변화가 일게 된다."19)라고 하여 음양을 범주로 삼아 사물의 변화
를 설명하였고, 『노자』는 "만물은 음을 지고 양을 안으며 충기
(沖氣)로써 조화를 이룬다."20)라고 하여 음양의 상호작용이 중
(中)을 생함으로써 조화를 이루는 것임을 설파하였다. 『관자』는
"만물은 음양 양자가 서로를 낳으며 제삼자를 형성한다."21)고
하여 만물의 화생을 음양의 대대와 상호작용의 원리로 설명하였
고, 또한 『장자』는 "음양은 각각 천지에서 생겨나 음은 아래로 양
은 위로 향하다가 그 중간에서 만나 조화의 상태에 다다른다. 이렇
게 해서 만물이 생겨난다."22)라고 만물의 생성원리를 설명하고 있
다.

　이러한 개념은 한 번은 음이 되고 한 번은 양이 되는 음양이기
의 대립적 상호관계가 중화를 완성하기 위한 목적으로 작용하고

---

17) 『周易』, 「繫辭傳上」 第2章, "剛柔相推而生變化."
18) 『周易』, 「繫辭傳下」 第1章, "剛柔相推, 變在其中."
19) 『荀子』, 「禮論」, "天地合而萬物生, 陰陽接而變化起."
20) 『老子』, "萬物負陰而抱陽, 沖氣而爲和."
21) 『管子』, 「樞言」, "凡萬物陰陽, 兩生而參視."
22) 『莊子』, 「田子方」, "至陰肅肅, 至陽赫赫, 肅肅出於天, 赫赫發於地, 兩
者交通成和而物生焉."

있음을 보여준다. 그러므로 대립과 대대라는 상반된 음양의 상호작용 원리는 만물(中)을 낳고 낳아 영원히 지속하기 위한 생생지도(生生之道)라 할 수 있는 것이다.

(2) 동일성과 차별성

소옹(邵雍)은 "역에는 태극이 있으니 이것이 양의(음양)를 낳고, 양의는 사상(太陽〓·少陰〓〓·少陽〓·太陰〓〓)을 낳고, 사상은 팔괘(乾〓·兌〓·離〓〓·震〓〓·巽〓·坎〓〓·艮〓〓·坤〓〓)를 낳는다."[23]라고 하여 최고 본체로서의 태극이 순차적으로 만물을 생하는 과정인 '태극양의설'로 우주발생론을 전개하고 있다. 이에 대하여 왕부지(王夫之)는 '태극양의설'의 순차적인 발생 과정은 논리 전개상 필요한 것이며, 실제로 태극은 우주 본원으로서 '양의·사상·팔괘·64괘·384효'를 동시에 포괄하고 있는 본체라고 하였다. 즉, 태극은 양의·사상·팔괘·64괘·384효의 총합으로서, 태극은 이들을 낳은 부모가 아니라 양의·사상·팔괘·64괘·384효를 동시에 포괄하고 있는 동일체이며, 또한 양의·사상·팔괘·64괘·384효는 저마다 각각의 태극(一)을 소유하고 있는 총합인 것이다.

태극은 늘 하나(一)이면서 만 가지로 변하고, 만 가지로 변

---

23) 『周易』, 「繫辭傳上」 第11章, "易有太極, 太極生兩儀, 兩儀生四象, 四象生八卦."

화하면서 늘 그 본래의 하나(一)를 바꾸지 않는다.[24]

만물만상은 하나(一)에서 묘한 이치로써 천지에 펼쳐진 것으로서, 굴신·왕래·소식하며 끝없이 변화하고 순환하지만 하나(一)라는 근본은 움직이지 않는다. 64괘는 태극(一)이 펼쳐진 것으로서 태극의 현현이라 할 수 있다. 그러므로 만물을 표상하는 64괘는 각각 일태극(一太極)을 함유한다. 또한 각기 일태극을 함유하고 있는 만물은 유기적 일체로서 동일성(一)을 갖추고 있을 뿐만 아니라 천차만별로 흩어진 만물만상의 차별성(多)도 갖추고 있다. 그러므로 태극과 역, 즉 양의·사상·팔괘·64괘·384효의 총합 사이에는 결코 선후의 나뉨이 없는 '동일성과 차별성'을 동시에 함유하는 통일체임을 의미하는 것이다.[25]

태극이 흩어져서 64괘와 384효가 된다. 그러나 어느 한 괘 한 효도 하나의 태극을 갖추지 않은 것이 없다.[26]

만유를 태극의 현현으로 보면 일태극(一太極)이라는 동일성(一)은 만물만상이라는 차별성(多) 속에 자리 잡고 있다. 만물

---

24) 廖名春 외2 공저, 심경호 역, 『주역철학사』, 예문서원, 1994, p.594.
25) 朱伯崑, 김학곤 외4 공역, 『역학철학사7』, 소명출판, 2012, pp.496-497.
26) 朱熹, 『文集』, 「答黃直鄕」, "太極散爲六十四卦, 三百八十四爻. 而一卦一爻莫不具一太極"

은 천차만별이지만 일태극을 함유한 우주적 통일체로서 유기적 일체를 이루고 있다. 왕부지(王父之)는 "태화지기(太和至氣)를 본체로 여기고 천지 만물이 각각 본체인 태극(一)을 지니고 있다는 것으로 세계의 동일성을 설명"[27]하고 있다. 즉, 우주라는 유기적 일체로서의 동일성은 각각의 차별성(萬有)을 함유하고 있고, 동일성은 바로 차별성인 만유 속에 자리하고 있다. 그러므로 만물만상(多)은 저마다 일태극을 지니고 있으며, 태극(一)이라는 본체와 상호관계성을 이루면서 전일성으로 존재하는 것이다.

> 본래는 그저 하나의 태극일 뿐이다. 만물은 각기 부여받는데 각자는 다시 온전한 태극을 갖추게 된다. 비유컨대 달이 하늘에 있을 때는 그저 하나이지만, 그것이 모든 강과 호수에 드리워질 때는 모든 곳에서 볼 수 있다. 그렇다고 그것을 달이 나눠 가졌다고 할 수는 없는 것이다.[28]

"64괘 384효로 구성된 『주역』을 하나의 커다란 우주망(network)이라고 한다면, 매 일괘(一卦)는 64괘로 구성된 우주망의 구성성분이 되며, 매 일효(一爻)도 384효로 구성된 우주망의 구성성분이 된다. 따라서 어떤 한 부분의 변화는 곧 총체에 영향을 미치게 된다. 즉, 어떤 일괘(一卦)의 변화도, 일효(一

---

27) 朱伯崑, 김학곤 외4 공역, 『역학철학사7』, 소명출판, 2012, p.501.
28) 朱熹, 『朱子語類』卷94, "本只是一太極. 而萬物各有稟受, 又自各全具一太極爾. 如月在天, 只一而已, 及散在江湖, 則隨處而見. 不可謂月已分也."

爻)의 변화도 모두 64괘 384효의 총체에 곧바로 영향을 주게 된다는 것이다. 그런데 이처럼 상호 밀접한 유기적 관계에 있는 각각의 개체변화는 각개 변화의 총체적 균형하에서 진행하게 된다. 사실상 개별체적 변화는 불균형을 이룰지 몰라도 총체적 변화에서는 균형을 취하고 있기에, 우주 변화는 안정된 질서 위에서 진행하게 되는 것이다. 다시 말해 천지유행은 우주 만물의 대대하는 양면이 상반상성(相反相成)하여 조화를 이루면서 하나로 통합된다는 말이다."[29)

기물(器物)마다 형(形)과 상(象)이 다르고, 만상(萬象)에는 만리(萬理)가 내재하고 있다. 그러므로 각각의 기물은 저마다 서로 다른 차별성을 갖추고 있으나, 궁극적으로는 최상위의 태극(一)을 함유하고 있으므로 태극의 동일성을 유지한다. 즉, 사물은 제각기 만물의 본체라는 일태극(一)을 기본적으로 내장하고 있으므로 태극에서 비롯된 만물(多)은 제각기 천차만별의 차별성을 갖추고 있으면서도 전일성이라는 우주적 동일성(一)을 유지하는 것이다.

소백온(邵伯溫)은 부친인 소옹(邵雍)의 "하나(一)가 태극이다(一爲太極)."를 해석하여 "하늘과 땅 및 만물은 하나를 근본으로 하지 않는 것이 없으며, 하나를 근원하여 만 가지로 확장된 것이니, 세상의 모든 수를 궁구하여 다시 하나로 돌아간다."[30)라고 함

---

29) 김학권, 「주역의 우주변화에 관한 고찰」, 『중국학보』 34(0), 한국중국학회, 1994, pp.12-13.

30) 邵伯溫, 『宋元學案』, 「百源學案」, "天地萬物莫不以一爲本, 原於一而衍之爲萬, 窮天下之數復歸於一, 一者何也, 天地之心也, 造化

으로써 만물의 시원인 하나(一), 즉 태극의 이치를 설명하고 있다. 이것은 부분(多) 속에 전체(一)가 들어있고 전체(一)가 곧 부분 (多)으로서 일중다 다중일(一中多 多中一)의 뜻이 된다.[31)]

상반된 성정의 음양으로 분별된 태극(一)에서 천지인 삼재 (三)가 발현된다. 이것을 수리적으로 표현하면 태극은 일(一)이 되고 태극이 품고 있는 만물의 씨앗인 삼재(三)는 天一地一人 一이 된다. 태극(一)에서 비롯된 天地人은 제각기 일태극(一太 極)을 지니고 있으니 표현하면 天一地一人一이 되는 것이다. 주희(朱熹)는 『주역본의』에서 "삼극은 天地人의 지극한 이치 이니, 천지인 삼재는 각각 일태극(一太極)이 된다."[32)]라고 하 였다. 그러므로 천지인 각각의 일태극(一太極)은 합하여 삼태 극(三太極)으로 표상할 수 있다. 삼태극은 "하늘(天), 땅(地), 사람(人)은 모두 같은 일태극(一太極)이라는 에너지 입자를 지 니고 있음을 의미하며(天一地一人一), 입자수의 차이, 즉 불균 형으로 인해 만물을 다양하고 얼룩지게 만든다."[33)] 그러므로 태극(一)이 천차만별로 펼쳐낸 만물(多)은 최상의 본원인 태극 (一太極)을 저마다 내장하고 있으니, 우주 만물이란 그물망으 로 상호연결된 전일성을 띤 유기적 일체라 할 수 있는 것이다.

「계사전」은 "천하의 모든 변화는 항상 하나로 귀일된다."[34)]

之原也."

31) 義湘, 『華嚴一乘法界圖』, "一中一切多中一, 一卽一切多卽一."
32) 朱熹, 『周易本義』, "三極天地人之至理, 三才各一太極也."
33) 김상일, 『현대물리학과 한국철학』, 고려원, 1991, p.318.

라고 말하고 있다. 온갖 만물(多)을 다 이루었다가도 결국은 하나(一)로 되돌아가는 것이니,[35] 하나(一) 속에 만물(多)이 들어있고, 만물(多) 속에 하나(一)가 들어있는 것이라 할 수 있다(一中多 多中一). 만유란 서로 의존하며 상호관계망으로 연결되어 전일성을 이루고 있는 존재로서, 그러므로 "홀로 독존하는 이치를 가진 사물이란 없다."[36]라고 하는 장재(張載)의 말이 논리성을 갖는다. 세상의 모든 만물만상(萬物萬象)과 만법(萬法)은 하나에서 나와 흩어졌다가 다시 하나로 돌아가는 것이니(萬法歸一), 왕부지(王夫之)의 말처럼 "본래 모든 법은 하나(一)를 이루고 있기 때문이다(萬法一致)."[37]라고 할 수 있다.

---

34) 『周易』, 「繫辭傳下」, 第1章, "天下之動, 貞夫一者也."

35) 王夫之, 『周易外傳』, 「繫辭傳下」 第5章, "以萬而歸一."

36) 張載, 『正蒙』, 「動物」, "物無孤立之理."

37) 王夫之, 『周易外傳』, 「繫辭傳下」 第5章, "萬法一致 而非歸一也." : 왕부지는 만법귀일(萬法歸一)의 의미를 일체의 법을 하나(一)의 속에 소멸시키니, 이것은 '따로 한 골짜기에 두어 온갖 것을 끌어모아 집어넣고 소멸시킨다'는 것으로서 이는 모든 법의 다름을 없애는 것이라 하였다. 그러므로 '모든 법은 하나로 귀결된다(萬法歸一)'라는 무차별적인 귀결이 아니라 본래 '모든 법은 하나를 이룬다'라는 萬法一致를 주장하였다. : <참고> 朱伯崑, 김학곤 외4 공역, 『역학철학사7』, 소명출판, 2012, pp.509-510.

6) 시공간으로 연결된 괘상

현대물리학에 따르면, 우주는 독립된 개체들의 모임이 아니라 개체들이 전일적 관계성으로 연결된 그물망에서 상호의존하며 하나로 통합되어 전체를 이루고 있는 동일체라 할 수 있다. 장재(張載)는 이것을 "홀로 고립되어 존재하는 이치를 가진 사물은 없다(物無孤立之理)"라고 하여 '상호관계성'을 사물의 존재 원리로 규정하고 있다. 즉, 만물은 상호대립하면서도 대립자가 없으면 나도 존재할 수 없는 상호의존성을 기본원리로 한다. 그러므로 내가 생존하기 위해서는 상대와의 공존은 필수적이라 할 수 있다.[1]

　　홀로 고립되어 존재하는 이치를 가진 사물이란 없다. 동이(同異)와 굴신(屈伸), 그리고 시종(始終)으로써 이를 드러내지 않는 사물이 있다면, 설령 그런 사물이 있다 하더라도 그것은 진정으로 존재하는 사물이 아니다.[2]

우주를 8개의 극성으로 범주화하여 부호로써 표상한 것이 「선천복희팔괘도」이다. 여덟 개의 괘는 나름의 수리적 이치를 가지고 '乾☰(1) · 兌☱(2) · 離☲(3) · 震☳(4) · 巽☴(5) · 坎☵(6) · 艮☶(7) · 坤☷(8)'이라는 순서로 배열되고 있으며, 일반적으로 설명되고 있

---

1) 박규선 · 최정준, 「음양의 대립과 통일에 관한 인문학적 고찰」, 『동양문화연구』 제36집, 동양문화연구원, 2022, p.93.
2) 張載, 『正蒙』, 「動物」, "物無孤立之理, 非同異屈伸終始以發明之, 則雖物非物也."

는 팔괘도는 평면적으로 구성이 된 것이다. 우주를 하나의 기물(器物)이라고 한다면 복잡다단한 우주의 속성을 간략하게 범주화한 8 괘는 우주라는 기물을 구성하는 필수구성요소라 할 수 있다.

(1) 팔괘가 표현하는 우주의 기하학적 모형

우주를 구성하는 팔괘 중 어느 하나라도 누락이 된다면 우주라는 본체는 형성되지 않는다. 음과 양이 상호대립하면서도 의존하며 합일을 통해 천지에 물상을 세우는 것은, 음괘와 양괘로 상호대립하면서도 의존하며 합일을 통해 천지에 괘상을 구성하는 공존의 이치와 서로 같다. 서로 대립·상충하면서도 내가 존재하기 위한 필수적 전제조건으로 대립자를 인정함으로써 상호의존하지 않으면 양자는 상호 존재할 수 없다. 그러므로 대립은 상대를 배척하여 소멸시키고자 하는 충돌이 아니라 상호공존을 목적으로 중화를 이루기 위한 상호작용의 필수적 전제조건인 셈이다.

8괘도는 괘상을 평면적으로 펼쳐놓은 원도이지만 우주입체공간을 표상한 것이므로 입체적으로도 표현할 수가 있다. 소성괘의 3효는 가로·세로·높이로서 3차원 공간을 의미하며, 소성괘가 상·하로 중첩하여 구성된 대성괘는 공간을 채우는 6면체를 상징하는 6개의 효로 구성되어 만물의 작용을 표상한다.

가로와 세로가 만나면 면을 이루고, 높이가 추가되면 공간이 만들어진다. 공간이란 세 개의 선이 만나는 지점, 즉 공간을 형성하는 8개의 꼭지점(공간)과 꼭지점을 연결하는 12개의 선(시간)이 만나 6개의 면을 이루면서 6면체라는 변화(작용)를 만들어낸다.

괘상은 天人地라는 3개의 효로 구성된다. 평면도에 배치된 8괘를 우주 공간을 표현한 6면체에 배치하여보자. 그러면 3개의 선이 만나는 꼭지점이 3효로 이루어진 괘상이 되며, 8개의 꼭지점은 우주 만물을 8개의 극성으로 범주화시킨 8괘가 된다. 입체적인 「선천복희팔괘도」는 8꼭지 6면 12선으로서 상호네트워크로 연결된 6면체의 도형에 배치할 수가 있으니, 이로써 우주 만물이 유기적 일체를 이루는 '총체적 하나'임을 설명할 수가 있다.

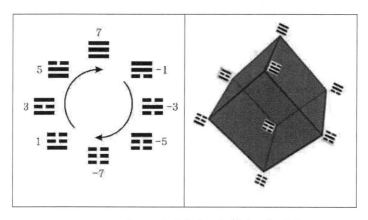

<그림 9> 복희팔괘도의 평면도와 입체도

3선: 3개의 선은 天人地 3효를 의미한다. 3개의 선이 만나

꼭지점(공간)을 이루니 공간을 구성하는 괘가 되며 모두 8개의 꼭지점(8괘)을 만든다.

8꼭지점: 8개의 꼭지점은 3개의 선(天人地)이 만나 합일되는 지점으로서 소성괘가 되며 8괘를 이룬다. 8괘는 우주 본체를 상징하며 시공간(時空間)을 구성한다.

6면: 6개의 면은 6효를 상징한다. 6개의 효가 64괘의 변화(작용)를 만든다. 8개의 꼭지점(8괘)이 12선으로 연결되어 6개의 면을 만들어내니 입체 공간(6효)의 변화, 즉 만물의 작용을 표상한다.

12선: 8개의 꼭지점인 8괘를 연결하는 선은 12개이다. 12는 사시 순환(12개월)을 의미하며 시간은 12개의 선을 따라 흐른다. 효는 12선을 따라 움직이며 이합집산을 거듭하고 서로 작용하면서 변화를 일으킨다.

모두 384개의 효가 64개의 괘를 만들어낸다. 8괘가 12선을 따라 상호중첩함으로써 64개의 대성괘를 만들어내듯이, 384효도 12선을 따라 순환하며 서로 작용하면서 괘를 구성해간다.

즉, 시간과 공간은 서로 분리된 것이 아니라 일체로서 우주 만물을 이룬다. 우주는 구성요소 하나하나가 그물망으로 연결되어 상호작용하지 않음이 없으니, 양자역학적 관점이나 불교의 인연법 또한 그렇다. 내(一爻)가 변하면 우주(一卦)가 변하하는 것이니 우주와 나는 일체로서 본래 하나이기 때문이다.

장재(張載)는 "만물이란 본래 하나"[3]라고 하여 "하늘과 사람은 서로 일물(一物)"[4]라 정의하고 있다. 이는 "하나의 작은 티끌 속에 우주가 있고, 모든 티끌도 역시 그러하다."[5]라는 신라의 고승 의상(義湘)의 말처럼, '티끌과 우주는 둘이 아니라 하나이니 티끌 하나가 변하면 우주가 변한다'라는 이치와 다름없는 것이다.

> 이것이 있으므로 저것이 있고, 이것이 생기므로 저것이 생기며, 이것이 없으므로 저것도 없고, 이것이 없어지므로 저것도 없어진다.[6]

384효의 이합집산을 통해 사물의 극성(3효)이 괘상(8괘)으로 범주화되고, 극성 간에 상호작용이 일어나 물상(6효)의 변화가 일어난다. 384효는 우주를 구성하는 기본요소이다. 그러므로 그 중에 하나가 변하면 우주 전체가 변한다. 즉, 내가 변하면 우주가 변하는 것이니, 존재하는 숫자 중에 어느 하나라도 빠지면 수리(數理)는 완성되지 않는다.

64괘: 8개의 괘상이 12선을 따라 순환하며 상호작용을 일으키니, 만왕만래하면서 64괘로 표상되는 만물만상의 변화를 일

---

3) 張載, 『正蒙』, 「乾稱」, "以萬物本一."
4) 張載, 『正蒙』, 「乾稱」, "天人一物."
5) 義湘, 『華嚴一乘法界圖』, "一微塵中含十方, 一切塵中亦如是."
6) 『華嚴經』, "此有故彼有, 此起故彼起, 此無故彼無, 此滅故彼滅."

으키며 끝없이 순환한다. 하나(一)에서 묘한 이치로 8괘 64괘 384효가 펼쳐져 한없이 가고 오며 끝없이 순환하며 변화하지만 하나(一)라는 근본, 즉 태극은 변함이 없는 것이다.

팔괘도의 12선을 따라 흐르는 모든 변화는 8꼭지 6면 12선으로 구성된 6면체라는 시공간에서의 변화이다. 모든 변화는 결국 태극이라는 하나(一)를 벗어나지 않는 것이니, 왕부지(王夫之)의 말처럼 본래 만법(萬法)은 하나(一)를 이루고 있기 때문이라고 할 수 있다(萬法一致).

공간이 존재하면 시간이 흐른다. 시간이 흐름으로써 공간이 존재한다. 양자역학적 관점에 따르면 시공(時空)은 양립하는 존재가 아니라 하나(一)로써 존재한다. 8괘가 우주 공간을 형성한다면 시간은 12선을 따라 흐르며 만물의 변화를 만들어낸다. 공(空)이 天(陽)이라면 시(時)는 地(陰)로서 人(中)을 생화하는 기본 질료라 할 수 있으니, 시간이 흐름에 따라 만물은 천변만화하며 천태만상〔人中〕을 만들어내는 것이다.

(2) 관계망으로 연결된 일체

우주 공간〔육면체〕에 입체적으로 배치된 8괘는 6면과 12선으로 연결이 되어있다. 이것을 통해 우주 삼라만상은 6효로써 天地人이라는 기둥〔공간〕을 세우고, 12개월〔시간〕이라는 빠져

나갈 수 없는 촘촘한 그물망(network)으로 상호연결됨으로써 하나의 유기체적 일체를 이루고 있음을 알 수 있다.

『주역』은 "천지가 사귀니 만물이 통한다."[7]라고 하여 건곤(乾坤)이 상호작용을 통해 만물의 변화를 일으키는 것을 통태(通泰)라 하고 있다. 통태란 천지가 상호작용하여 만물을 내는 가장 최적의 상태를 말한다.

정이(程頤)는 이것을 "천지·음양의 기운이 서로 사귀어 만물이 통(通)하니 태(泰)를 이룬다."[8]라고 해석하여, 천지 음양이 서로 교감과 교합의 과정을 거쳐 시의적절하게 다양한 만물을 생화하는 것이라 정의하고 있다. 이는 태극(一)을 품은 만물의 극성, 즉 만물의 씨앗이 되는 팔괘가 서로 대립하고 교감하는 교합의 과정을 거쳐 중화를 이루어가는 과정에서 만물이 나오는 것임을 의미한다.

> 문을 닫는 것은 곤(坤)이고, 문을 여는 것은 건(乾)이다. 한번 닫혔다 열렸다 하는 것이 바로 변화이니, 가고 오는 것이 다함이 없는 것을 통(通)이라 한다.[9]

장재(張載)는 "만물은 혼자 고립되어 존재하는 이치란 없다(物無孤立之理)"라고 하면서 "같음과 다름, 굽어짐과 펴짐, 끝

---

7) 『周易』, 地天泰 「象傳」, "天地交而萬物通也."
8) 程頤, 『易傳』, 「泰彖」, "天地陰陽之氣相交, 而萬物得遂其通泰也."
9) 『周易』, 「繫辭傳上」 第10章, "闔戶謂之坤, 闢戶謂之乾, 一闔一闢謂之變, 往來不窮謂之通."

과 시작으로써 그것을 발하여 밝히지 않으면 비록 物이라도 참된 物이 아니다."[10]라고까지 논리를 전개하고 있다. 이것은 대립하면서도 상호의존관계에 있는 팔괘가 서로 연결됨으로써 감통(感通)하면 상호작용이 일어나 만물이 생하고, 연결이 끊어져 불통(不通)이 되면 멸한다는 것을 말한다. 통(通)이란 중화로 가는 길이며 생과 멸이 통하는 문이니, 통하면 생이고 불통이면 멸이다. 즉, 천지인이 그물망으로 연결되어 전일성이 되면 '환존(環存)'[11]으로 생이 되고, 서로를 연결하는 관계망이 끊어지면 '독존(獨存)'으로 멸이 되는 것이다. 닐스 보어(Niels Bohr)의 말을 빌리면 "독립된 물질적 입자들이란 추상물로서 그들의 속성은 다른 체계들과의 상호작용을 통해서만 정의될

---

10) 張載,『正蒙』,「動物」, "物無孤立之理, 非同異屈伸終始以發明之, 則雖物非物也."

11) 카를로 로벨리는『모든 순간의 물리학』에서 우주 공간은 원자핵 중에서 가장 작은 원자핵보다 수백, 수천억 배나 작은 아주 미세한 크기의 공간원자로 이루어져 있으며, 그러므로 우주는 곧 공간 원자 그 자체라고 말한다. 즉, 우주는 양자(공간 원자)가 그물망처럼 상호연결된 전일적 하나(一)라 할 수 있다. 자연은 기본적으로 상호연결이 되어있으며 서로 고리를 지어 공간의 흐름을 이어주는 관계 네트워크를 형성하고 있다(루프양자중력이론). "루프(loop), 즉 고리(環)라고 부르는 이유는 모든 원자가 고립되어있는 것이 아니라 서로 비슷한 것들과 '고리(環)로 연결'되어 공간의 흐름을 이어주는 관계 네트워크를 형성하고 있기 때문이다"라고 하여 천지인이 서로 고리지어 관계망(關係網)으로 존재한다고 하였다. : <참고> 카를로 로벨리, 김현주 역,『모든 순간의 물리학』, ㈜쌤앤파커스, 2016, p.82.

수 있고 관찰될 수 있는 것이다."[12]

만물은 홀로 존재할 수 있는 이치란 없다. 서로 대립·상충으로 부딪히고 모순의 상쇄과정을 거치면서 합일을 통해 새로움을 만들어내는 것이 만물의 근원적 원리이기 때문이다. 상반된 대립인자인 음양이 대립과 상호작용을 통해 만물의 극성인 팔괘를 생하고, 팔괘는 서로 대립과 상호작용을 통해 64괘라는 만물의 다양한 양태를 생출하듯이, 우주 만물은 상호연결된 우주적 망 속에서 상충하면서도 대립자가 없으면 나도 존립할 수 없는 상호의존성으로 존재하는 것이다.

6효로 구성된 64괘는 천차만별, 만물만상을 표상한다. 괘상 하나하나, 괘효 하나하나가 만물의 다양한 양태와 작용을 가리킨다. 괘상은 기본적으로 대립인자인 음효와 양효로 구성된 天人地가 합일된 삼효의 형태를 취하고 있다. 『주역』은 이것을 "육효의 동함은 삼극의 도이다."[13]라고 정의함으로써, 각각 일태극(一太極)을 갖추고 있는 天一地一人一 삼재가 상호관계망으로 연결되어 삼태극(三太極)을 표상하는 것이라 하였다.

六爻는 初와 二는 地가 되고, 三과 四는 人이 되고, 五와 上은 天이 된다. 동(動)은 곧 변함이고 극(極)은 지극함이니, 삼극(三極)은 천지인의 지극한 이치이니, 삼재(三才)는 각기 일

---

12) 프리초프 카프라, 김용정·김성범 공역, 『현대물리학과 동양사상』, 범양사, 2017, 184.
13) 『周易』, 「繫辭傳上」第2章, "六爻之動, 三極之道也."

태극(一太極)을 갖추고 있다.14)

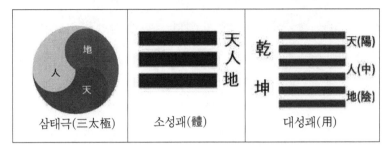

<그림 10> 천지인 삼재

모든 만물은 서로 아무런 관계없이 개별적인 개체로서 존재하는 것이 아닌 상호의존적인 개체로서 유기적 총체를 이루어 하나(一)로써 존재한다. 그러므로 우주를 구성하는 모든 사물과 사건들은 상호의존적이며 분리될 수 없는 상호관계의 완전한 망을 이루고 있는 '불가분의 전체(the oneness)'라 정의할 수 있다.15)

천지의 모든 움직임은 항상 하나(一)로 귀일된다.16)

즉, "우주는 만물만상이 제각기 '독존(獨存)'하는 것이 아니

---

14) 朱熹, 『周易本義』, "六爻, 初二爲地, 三四爲人, 五上爲天. 動卽變化也, 極至也, 三極天地人之至理, 三才各一太極也."

15) 프리초프 카프라, 김용정·김성범 공역, 『현대물리학과 동양사상』, 범양사, 2017, p.274.

16) 『周易』, 「繫辭傳下」 第1章, "天下之動, 貞夫一也."

라 서로 고리(環환)를 이루어 전일성으로 존재하는 '환존(環存)'이라 정의할 수 있다."17) 그러므로 어떤 사물이나 현상도 밖으로 드러난 개별적인 모습과는 달리 자신과 상반된 사물이나 현상들과 상호 긴밀히 관계하면서 더불어 존재하는 것이다.18)

---

17) 박규선·최정준, 「음양의 대립과 통일에 관한 인문학적 고찰」, 『동양문화연구』 제36집, 동양문화연구원, 2022, p.118.
18) 김학권, 「주역의 우주관」, 『공자학』 제25권, 한국공자학회, 2013, p.127.

2. 물상(物象)의 중화론

역(易)은 천지 만물에서 상(象)을 취하고 그 상에서 뜻(義)을 취하는 것이니 역과 사물은 그 이치가 똑같다(易與天地準). 즉, 역은 자연현상에 대한 모방에서 나온 것으로서 그 근원은 자연계에 있다고 할 수 있다.[1] 그러므로 역이란 "천지가 드러내 주면 성인이 이를 근거해서 완성한 것"[2]이니 "변화의 도를 아는 자는 신의 하는 바를 안다."[3]라고 할 수 있는 것이다.

음양의 상호작용은 물상을 낳고, 이를 표상한 음효와 양효의 상호작용은 괘상을 낳는다. "따라서 상은 자연에 대한 성인의 추상적 요약이며, 자연의 도와 인문의 도를 연결하는 매개체이다. 나아가 상은 자연의 도와 인문의 도를 모두 가지고 둘을 통일하게 된다."[4] 이는 「계사전」에서 언급한 "역은 천지와 똑같다. 그러므로 역은 천지의 도를 두루 다스릴 수 있다."[5]라는 말의 논거가 된다.

본 장에서는 "역은 천지와 똑같다(易與天地準)"라는 「계사전」의 명제 아래 사물과 괘상의 상관관계를 모색한다. 양자물리학이

---

1) 朱伯崑, 김학권 외4 공역, 「역학철학사1」, 소명출판, 2012, p.257.
2) 범려(范蠡), 『國語』, 「越語下」, "天地形之, 成人因而成之."
3) 『周易』, 「繫辭傳上」 第9章, "知變化之道者, 其知神之所爲乎."
4) 신정원, 「현대시스템 이론에서 본 주역의 6효 구조 연구」, 『인문학연구』 제36권, 경희대학교 인문학연구원, 2018, p.102.
5) 『周易』, 「繫辭傳上」 第4章, "易與天地準, 故能彌綸天地之道."

밝혀낸 미시세계의 원자(atom)는 기본적으로 양의 성질을 가진 원자핵을 이루는 '양성자(+)와 중성자(0), 그리고 음의 성질을 띤 전자(-)'로 이루어져 있으며, 괘는 '天(陽), 人(中), 地(陰)' 삼효로 구성된다.

괘는 성인이 천지자연을 본떠 세운 것이니 괘와 만물은 서로 같다. 그러므로 물질의 근원인 원자의 형상을 괘상으로 치환하면 삼효로 구성된 괘가 된다. 또한 원자의 상호작용으로 생화된 물질은 팔괘의 상호작용을 통해 변화를 드러낼 수 있으니, 이는 6효로 구성된 64괘로써 괘의 상하작용으로 표상된다.

그러므로 괘효의 변동을 분석하면 시간의 흐름에 따른 만물의 변화와 그에 따른 인사길흉을 예측할 수가 있다. 모든 사물과 현상들이 서로 하나로 연결된 전일적 일체 관계에 있다는 동양적 깨달음에 과학적 깊이를 더한다면 추상적 사색에 구체적 증거가 보태져 완전한 하나를 이룰 수 있을 것이다.

1) 괘(卦)와 물(物)의 상관성

인류는 이 땅 위에 존재하면서부터 '어디에서 왔는지, 어떻게 살 것인지, 또 어디로 가고 있는 것인지' 근원에 대한 철학적 의문을 끊임없이 제기해왔다. 『주역』의 괘상은 천지 만물을 단순하게 개념화시켜 범주화함으로써 무한무량한 우주를 이해하려는 고도의 철학적 사고를 내재하고 있다.

시간의 흐름에 따라 공간 속의 사물은 변화를 거듭하고, 그 변화는 물극필반의 이치로 한없이 순환한다. 하나(一)에서 묘한 이치로 천지인 삼재가 펼쳐지고, 만물은 굴신·왕래하며 한없이 변화하지만 근본인 하나(一)는 부동하다. 이는 지구가 태양을 공전하면서 발생하는 사시 순환을 통해 만물은 생로병사를 거듭하면서도 생장수장의 이치로써 순환하며 소멸하지 않는다는 뜻이다.

짐작할 수도 없는 광대무변한 우주에 비하면 티끌에도 미치지 못하는 존재로서의 인간이 지적인 탐구를 통해 우주 만물에 대한 철학적 이해를 궁구하는 수단으로서의 괘상은 우주와 인간, 사물과 현상에 대한 사색의 도구로서 매우 중요한 역할을 해왔다. 「계사전」은 복희씨가 "우러러 하늘의 상(象)을 관찰하고 구부려 땅의 법(法)을 관찰하며, 새와 짐승의 문(文)과 천지의 마땅함(宜)을 관찰하며, 가까이는 자신에서 취하고 멀리는 사물에서 취하여, 이에 비로소 팔괘를 만들어 신명의 덕(德)을 통하고 만물의 정(精)을 분류하였다."[1]라고 하였으니, 역은 만물에서 상(象)을 취하여 그 뜻(義)을 세운 것임을 가리킨다.

무엇 때문에 역이 천지와 똑같은 것일까? 주희(朱熹)는 "성인이 역을 지을 적에 괘.효상과 그 변화의 법칙은 음양의 실체에 근거하여 천지 만물의 형상과 그 변화의 과정을 본떠서 정한 것"[2]이라고 역을 정의하고 있다. 그러므로『주역』의 법칙은 천지의 법칙과 일치한다. 팔괘의 형상은 천지 만물의 형상을 관찰하여 그대로 모방한 것이기 때문이다.

그러므로 "우러러 위로는 천문(天文)을 관찰하고, 굽어 아래로는 지리(地理)를 살피니, 그윽하게 숨겨짐(幽)과 분명하게 드러남(明)의 이치를 알게 되고, 처음에서 시작하여 마치면 다시 본원으로 돌이키니 삶(生)과 죽음(死)의 이치를 알게 되며, 정기(精氣)가 엉겨 물(物)이 되고 유혼(遊魂)은 변(變)이 되니, 이런 까닭에 귀신(鬼神)의 정황을 알 수가 있는 것"[3]이다. 이는 광대무변한 만물의 이치와 변화는 짐작하기 어려우나 이를 범주화한 괘의 상을 살펴봄으로써 비로소 그 내면을 들여다볼

---

1)『周易』,「繫辭傳下」第2章, "古者包犧氏之王天下也, 仰則觀象於天, 俯則觀法於地, 觀鳥獸之文, 與地之宜, 近取諸身, 遠取諸物, 於是始作八卦, 以通神明之德, 以類萬物之情."

2) 朱熹,『周易本義』, "此言聖人作易, 因陰陽之實體, 爲卦之法象."

3)『周易』,「繫辭傳上」第4章, "仰以观於天文, 俯以察於地理, 是故知幽明之故, 原始反終 故知死生之说, 精气为物, 游魂为变, 是故知鬼神之情状."

수 있음을 의미한다. 그러므로 『주역』의 법칙을 이해하면 지혜는 만물에 두루 미치고 도가 천하를 구제하는 것이니 우주 만물의 이치를 알 수 있다고 하는 것이다.

본 장에서는 역이란 천지의 도를 망라하고 있으니 "역은 천지자연과 똑 같다(易與天地準)"라는 「계사전」의 명제를 근거로 괘상과 사물의 이치를 궁구하여 상통하는 바를 찾아 모형(논리)을 세움으로써 양자물리학으로 대변되는 현대과학과의 간극을 좁혀 그 접점을 모색해 보고자 한다.

2) 괘의 시생(始生) 원리

역은 천지와 똑같다(易與天地準). 이 말은 괘가 천지의 상을 담고 있으니 『주역』의 법칙과 천지 만물의 변화는 서로 일치한다는 것을 의미한다. 역은 천지의 법칙에 준거하여 사물에서 상을 취하여 세운 것이므로 "『주역』의 괘효는 천지의 도를 모두 갖추고 있어 천지와 더불어 똑같다."[1] "역의 법칙은 천지와 더불어 비슷하므로 서로 어긋나지 않는다."[2]라고 했으니 이는 역의 이치를 알면 천지운행의 이치와 그 변화를 알 수 있다는 뜻이다.

역은 천지 만물에서 상을 취하여 세웠기 때문에 괘상 속에는 만물의 이치와 그 변화의 원리가 들어있다. 그러므로 괘상은 천지의 모든 조화를 포괄하면서도 그 범위를 지나치는 법이 없다.[3] 우주 만물이 시생하여 변화하며 순환하고 작용하는 원리가 괘 속에 담겨있음을 정의한 것이다.

『주역』에서 하나(一)는 만물을 시생하는 근원인 태극(一)을 의미한다. 그리고 태극(一)은 天地人 삼재(三)를 포태하고 있으니, 삼재는 각각 일태극(一太極)을 품고 있는 것이 되므로 天一地一人一로 표현할 수 있다. 주희(朱熹)는 이것을 "삼극(三極)은 天地人의 지극한 이치이니, 천지인 삼재는 각각 일태

---

1) 朱熹, 『周易本義』, "易書卦爻, 具有天地之道, 與之齊準."
2) 『周易』, 「繫辭傳上」 第4章, "與天地相似, 故不違."
3) 『周易』, 「繫辭傳上」 第4章, "範圍天地之化而不過."

극(一太極)이 된다."[4]라고 정의했다.

　태극(一)은 일물양체(一物兩體)로서 곧 음양(二)의 작용성을 의미한다. 그러므로 태극의 속성인　天一地一人一도 각각 음양의 속성을 품고 있는 것이 되므로 이를 표현하면 天二地二人二가 된다. 태극(一)이 음양(二)의 작용으로 내재하고 있는 천지인(三)을 펼쳐내듯이, 천지인도 각각 음양(二)의 작용성으로 만물(六)을 펼쳐내니『노자』의 二生三의 의미가 드러난다.

　천지인 삼재의 음양을 수리로 표현하면 天二地二人二가 되고, 그 합은 6으로서 만물의 작용을 표상하는 육효(六爻)의 원리가 된다.「계사전」에서는 이를 "六爻之動 三極之道也"라 표현하고 있으며,「노자」는 "道生一 一生二 二生三 三生萬物"이라 표현하고 있다. 그러므로 만물의 시생 과정을 수리로 표현하면 '무극(0)·태극(1)·음양(2)·천지인 삼재(3, 三爻)·천지인 만물(6, 六爻)'로 표현할 수가 있다.

　『노자』는 "도(0)는 태극(1)을 낳고, 태극은 음양(2)을 낳고, 음양은 천지인 삼재(3)를 낳으니 삼재가 만물(6)을 낳는다."[5]라 하여, '도(0)에서 태극(1)이 나오고, 태극은 음양(2)을 낳고, 음양은 천지인 삼재(3)를 낳으니 삼재가 천지 만물(6)을 이룬다'라고 하였다.

　도생일(道生一)의 일(一)을 태극으로, 이(二)를 음양으로 보

---

4) 朱熹,『周易本義』, "三極天地人之至理, 三才各一太極也."

5)『老子』第42章, "道生一, 一生二, 二生三 ,三生萬物."

면 괘의 생성원리가 도출된다. '하나(一)가 둘(二)을 낳는다(一生二)'는 것은 「계사전」의 '태극(一)이 음양(二)을 낳는다(太極生兩儀)'라는 것과 의미가 같다. 태극(一)이 음양(二)의 작용으로 내재하고 있는 천지인 삼재(三)를 펼쳐내듯이(二生三), 천지인(三)도 각기 음양(二)의 작용으로 만물(六)을 펼쳐내니 삼생만물(三生萬物)의 뜻이다. 이것은 『노자』의 二生三의 원리로 天地人의 음양성(二)으로 표현되며, 『천부경』은 이를 天二三 地二三 人二三으로 정의하고 있다. 천지인 삼재는 삼효(三爻)로 표상되어 8개의 소성괘가 되고, 삼재(三)의 음양성(二)이 낳은 만물의 작용성은 육효(六爻)로 표상되어 64개의 대성괘가 되는 것이다. 소성괘(8괘)가 체(體)라면 대성괘(64괘)는 용(用)의 관점이 된다.

"만물은 음을 지고 양을 안으며 충기로써 조화를 이루는 것"[6]이니, 음양이기가 서로 교감하여 천지인 삼재를 낳는다(二生三). 그러므로 천지인은 각각 음양 양면의 성질을 갖추게 된다. 『추언』에서도 "만물은 음양 양자가 서로를 낳으며 제삼자를 드러낸다."[7]라고 하여, 음양의 범주로 만물의 생성과 변화의 과정을 정의하고 있다.

도는 무극과 같은 개념으로 모든 유무를 품고 있는 근원으로서 태극의 본바탕이다. 무극(0)은 天地人(3) 삼재를 품고 있으나 음양(2)으로 나뉘지 않은 혼륜 상태이며 작용성이 없으므로

---

6) 『老子』 第42章, "萬物負陰而抱陽, 沖氣而爲和."
7) 『管子』, 「樞言」, "凡萬物陰陽, 兩生而參視."

이를 드러내지 못하지만, 태극(1)은 음양(2)으로 분별된 상태로서 상호작용을 통해 천지인 삼재(3)를 발화시킨다. 무극에서 정보로만 존재하던 천지인 삼재가 태극에서 비로소 지기(至氣)로 발현되는 것이다. 그러므로 무극은 태극이 발원하는 본원이라 할 수 있다. 즉, 태극은 음양이 작용하는 상태로 '태극=음양=천지인'의 등식이 성립된다. 부언하면 만물 속에는 '태극·음양·천지인'이 동시에 하나의 동일성(一)으로 내재하고 있는 것이다.

「계사전」을 보면 "역에 태극이 있으니, 태극은 양의를 낳고, 양의는 사상을 낳고, 사상은 팔괘를 낳는다."[8]라고 하여, '太極(1)-兩儀(2)-四象(4)-八卦(8)'의 순서로 가일배법(加一倍法)의 분화과정을 제시하고 있다. 복희팔괘차서도는 음과 양이 3단계에 걸쳐 차례로 삼변하여 분화하고 겹침으로써 세 개의 효로 하나의 괘체를 만드는 과정을 표상하고 있다. 즉, 태극이 음양으로 분화되고, 음양은 다시 분화되어 사상으로 확장되고, 사상은 한 번 더 음양이 분화됨으로써 '건(乾)-태(兌)-리(離)-진(震)-손(巽)-감(坎)-간(艮)-곤(坤)'의 순서로 팔괘가 나오는 과정을 보여준다. 이렇게 삼변하여 세워진 괘체 8개는 천지 만물을 8개의 극성으로 범주화함으로써 우주에 대한 이해를 쉽게 해준다.

---

8) 『周易』, 「繫辭傳上」 第11章, "易有太極, 是生兩儀, 兩儀生四象, 四象生八卦."

그런데 괘상은 천지인을 정의하면서도 정작 괘 · 효사에는 삼효, 또는 육효가 천지인을 규정하고 활용하는 구절을 찾아보기 어렵다. 복희팔괘차서도에서는 음양의 삼변으로 팔괘가 생성되는 과정을 설명하고 있을 뿐 천지인의 위(位)는 제대로 드러나지 않는다.

다만 「계사전」에 "육효의 움직임은 천지인 삼극의 도다(六爻之動 三極之道也)"라는 구절이 있고, 또 "天道가 있고 人道가 있고 地道가 있으니 삼재를 겸하여 두 번하였다. 그러므로 六이니 六은 다름이 아니라 삼재의 도다."9)라고 언급하고 있을 뿐이다. 주희(朱熹)는 이를 "세 획(畵)에는 三才가 이미 갖추어져 있는데 거듭하였으므로 六이니, 위의 두 효는 天이 되고, 가운데 두 효는 人이 되고, 아래의 두 효는 地가 된다."10)라고 주석하고 있으나, 실제 『주역』 64괘를 풀이한 『역경』의 괘 · 효사에는 효위(爻位)의 차등에 따른 천지인의 의미는 제대로 드러나지 않는다. 그렇다면 「계사전」에서 "역은 천지와 똑같으니, 그러므로 역은 천지의 도를 두루 다스릴 수 있다."11)라고 말하는 논거는 무엇일까?

"한번 음이 되고, 한 번 양이 되는 것12)"은 『주역』을 형성하

---

9) 『周易』, 「繫辭傳下」 第10章, "有天道焉, 有人道焉, 有地道焉, 兼三才而兩之, 故六, 六者非他也, 三才之道也."

10) 朱熹, 『周易本義』, "三畵已具三才重之, 故六而以上二爻爲天, 中二爻爲人, 下二爻爲地."

11) 『周易』, 「繫辭傳上」 第4章, "易與天地準, 故能彌綸天地之道."

12) 『周易』, 「繫辭傳上」 第5章, "一陰一陽之謂道."

는 기본원리라 할 수 있다. 이것은 음과 양이 서로 대립하면서도 대대하는 상호작용을 통해 괘를 세운다는 것을 의미한다. 「계사전」은 이것을 "강과 유가 서로 밀고 당기면서 변화를 만들어낸다."13)라고 하였으니, 음양이 진퇴를 거듭하며 '상호작용'을 통해 '변화'를 생한다는 것은 천지(天地)의 교감으로 인(人)을 생하고, 음양(陰陽)의 작용으로 중(中)을 생하는 것을 가리킨다. 즉, 음양의 상충과 화해의 과정인 상호작용이 천지 만물의 변화 원인이 되는 것이니, 음양의 대립이 없다면 어떤 변화도 일어나지 않는다는 것을 의미한다.

그러므로 음양의 상호작용을 떠나서는『주역』의 법칙은 존재할 수가 없다. 음양은 서로 대립하면서도 상대가 없으면 나도 존재할 수 없는 대대 관계를 통해 변화를 만들어내는 것이니, 음양은 서로 상대적이면서도 상보적인 상호관계로서 천지 만물의 변화를 일으키는 동인이 되는 것이다. 이는 음양의 상호작용이 사물 변화의 기본법칙이라는 것을 의미하며, "대대 관계의 두 주체, 음양이 조화를 위해 끊임없이 진퇴하는 과정이 곧 생명을 향한 변화"14)라는 것을 말해준다.

서로 밀친다는 것은 한쪽으로 밀어내는 것일 뿐만 아니라 다른 한쪽을 불러오는 것으로, 마치 굽힐 수 있기에 펼 수 있고

---

13)『周易』,「繫辭傳上」第2章, "剛柔相推而生變化."
14) 심귀득, 「『주역』의 음양의 조화에 관한 연구-五位를 중심으로], 『동양철학연구』제35권, 동양철학연구회 2003, p.245.

추위가 가기에 더위가 오는 것과 같다.[15] 그러므로 음양의 대립과 대대를 통한 상호작용은 천지 만물이 생하는 변화의 기본 법칙으로서, 음양의 대립과 대대를 떠나서 주역 64괘는 존재할 수가 없는 것이다.

예를 들면 남과 여가 교합하여 자식을 낳고, 陽과 陰이 상호작용하여 中을 생하며, 天과 地가 상교(相交)하여 人(物)을 생하니, 이러한 법칙은 우주가 스스로 영속해 나가는 "一陰一陽之謂道"의 원리라 할 수 있다. "음이 생겨나면 양이 줄어들며, 양이 생겨나면 음이 사멸해가니, 두 기운이 서로 어우러져 만물이 생겨난다."[16] 귀매(歸妹䷵)괘 「단전」에서는 "하늘(天)과 땅(地)이 교합하지 않으면 만물(人)이 흥성하지 못한다."[17]라고 하였으니, 人(物)은 천지가 교합하여 생한 천지합일의 결과물임을 말하는 것이다.

『주역』에서 밝힌 괘의 생성원리를 통해 천지인 삼재의 원리와 사물의 초극미 영역인 원소(atom)와의 상관관계를 살펴 역리(易理)과 물리(物理)의 상통하는 바를 모색해 보자.

---

15) 朱伯崑, 김학권 외4 공역, 「역학철학사1」, 소명출판, 2012, p.206.
16) 京房, 『京氏易傳』, "陰生陽消, 陽生陰滅, 二氣交互, 萬物生焉."
17) 『周易』, 雷澤歸妹 「彖傳」, "天地不交而萬物不興."

3) 원자〔atom〕와 天人地〔陽中陰〕삼재

(1) 음양의 분화

현대물리학이 발견한 극미의 영역은 거시세계의 인과론이 철저하게 무시되는 마술과 같은 세계를 보여준다. 입자이면서 동시에 파장이 되고 또한 파장이면서 입자가 된다. 전자는 하나가 둘처럼 동시에 활동하며, 동에 번쩍 서에 번쩍 논리와 이치를 무시하고 나타난다. "역은 천지와 같다(易與天地準)"는 명제 아래 현상으로 드러난 거시세계가 '천인지 삼재'로 범주화되면 사물의 근원인 미시세계도 거시세계와는 물리적 현상이 다를지라도 거시세계를 발현시킨 근원으로서 '천인지 삼재'로 개념화할 수 있을 것이다.

"무(無)는 무극(無極)으로 음양이 구분되지 않는 혼돈(chaos)이며, 유(有)는 태극(有極)으로 음양은 분별되지만 하나(一)로써 존재하는 질서(cosmos)를 의미한다. 하나(一)에서 음양이 분화되니 양의(2)가 되고, 양의는 다시 음양으로 분화되어 사상(4)이 되며, 사상은 다시 음양의 분화로 팔괘(8)가 된다. 이것을 수리로 나타내면 (0·1·2·4·8)이 되어 이진법 수리논리체계가 드러나게 되고, 계속하면 (16·32·64)로 64괘가 나타난다. 음양이 음양을 낳는 방식으로 계속해서 분화해간다면 끝없는 미세의 세계로 들어서게 되고 더는 나뉘지 않는, 더는 나뉠 것이 없는 초극미 영역으로 진입하게 됨으로써 양자역학으로 대변되는 현대물리학과 조우하게 될 것이다."[1]

음과 양은 분화되어 배가될수록 더욱 은미하게 세분된다. 소옹(邵雍)은 이것을 "1이 나뉘어 2가 되고 2가 나뉘어 4가 되고 4가 나뉘어 8이 되고 8이 나뉘어 16이 되고 16이 나뉘어 32가 되고 32가 나뉘어 64가 되니, 뿌리에 줄기가 있고 줄기에 가지가 있는 것과 같아서 더욱 커질수록 더욱 적어지고 더욱 세세해질수록 더욱 많아진다."[2]라고 하였고, 이로부터 미루어 나가면 백천만억(百千萬億)의 무궁함에 이른다[3]라고 하였다.

0과 1이 만드는 이진법 체계는 2^n으로 거듭하여 분화돼 갈수록 더욱 은미하게 세분되어 초극미의 세계로 흐르며, 음양(二)은 서로 대립하면서도 대대하며 우주 만물을 일체의 생명으로 바라보는 양자(atom)의 영역에서 하나(一)로 통합되어 갈 것이다. 2^n으로 숫자가 끝없이 커질수록 사물 입자는 더욱 초미세해지고, 세세해질수록 입자의 수는 늘어나지만 결국은 백천만억의 무궁함에 이르게 되면 더는 나뉘지 않는 전일적 하나(一)

1) 박규선·최정준 「괘효의 수리화를 통한 역의 과학적 해석연구」, 『동방문화와 사상』 제10집, 동양학연구소, 2021, p.24.

2) 최영진 외3 공역, 『주역전의』元, 「譯本義圖」, 전통문화연구원, 2021, p.69, "一分爲二, 二分爲四, 四分爲八, 八分爲十六, 十六爲三十二, 三十二分爲六十四, 猶根之有榦, 榦之有支, 愈大則愈少, 愈細則愈繁."

3) 최영진 외3 공역, 『주역전의』元, 「譯本義圖」, 전통문화연구원, 2021, p.71, "自是而推, 四而八, 八而十六, 十而三十二, 三十二而六十四, 以至於有百千萬億之無窮."

인 동일체로 귀결되는 것이다.

이는 입자이면서 동시에 파동이라는 양자역학적 이중성과 접점을 이룬다. 즉, 0과 1의 대대(對待)는 결국 10이라는 통합의 세계를 지향해 간다. 이것은 天과 地의 대대가 人(物)을 생하고, 陰과 陽의 대대가 中이라는 합을 이루어내는 것을 의미한다.[4]

"만물은 음양 양자가 서로를 낳으며 제삼자를 형성하는 것"[5]이니, 『노자』는 이것을 "만물은 음을 짊어지고 양을 끌어안아 충기로써 조화를 이루는 것"[6]이라 했다. 그러므로 人(物)은 天地가 하나(一)로 합일된 中의 자리로서, 천지와 음양이 대대를 통해 생발되는 人中의 조화는 『주역』과 양자물리학이 만나 접점을 이루는 논거를 제공한다.

(2) 괘와 원자의 상관성

물질세계는 분자를 구성하는 원자라는 초미세 입자들이 응집하여 이루어진다. 현대물리학에서 밝힌 물질의 최소 단위인 분자를 이루고 있는 원자(atom)는 종류와 관계없이 중심에 양전하(+)를 띠고 있는 양성자(陽)와 전하가 0인 중성자(中)로 이

---

4) 박규선·최정준, 「괘효의 수리화를 통한 역의 과학적 해석연구」, 『동방문화와 사상』 제10집, 동양학연구소, 2021, p.25.
5) 『管子』, 「樞言」, "凡萬物陰陽, 兩生而參視."
6) 『老子』 第42章, "萬物負陰而抱陽, 沖氣以爲和."

루어진 핵이 있고, 그 주변을 음전하(-)를 띤 전자(陰)가 위치하여 불확정한 상태로 움직이고 있는 구조를 이루고 있다. 핵을 구성하는 양성자(+)와 핵의 주위에 있는 전자(-)의 수는 동일하며, 양성자 1개의 (+)전하량과 전자 1개의 (-)전하량이 같아 모든 원자는 전기적으로 중성을 이룬다.

원자는 자신만의 고유한 양성자의 수를 가진다. 예를 들면 수소 원자의 핵 속에는 양성자 1개가 들어있다. 양성자가 2개인 원자는 헬륨이고, 3개이면 리튬이 된다. 양성자와 중성자로 되어있는 원자핵은 원자의 중심부에 있는데 부피는 작지만 질량이 매우 크며 원자의 질량 대부분을 차지한다. 원자의 크기를 대형 야구장으로 비유하면 원자핵은 그 안의 모래알 정도의 크기이니 사실상 원자의 대부분은 텅 빈 공간으로 이루어져 있다.

양성자는 서로 같은 전하를 띠고 있어 반발하는 기운으로 흩어지려 하나 중성자가 핵력으로 묶어 원자핵을 유지한다. 더는 작은 것으로 쪼개질 수 없는 가장 가벼운 입자인 전자는 양성자의 수에 의해 결정되며, 외부의 다른 원소와의 특징을 구분 짓는 역할을 한다. 양전하(+)인 양성자는 원자의 핵심 위치에서 창조적인 역할을 수행하고, 핵의 외곽에서는 음전하(-)인 전자가 바쁘게 움직이며 업무를 수행한다. 중성자는 중심에서 반발하는 양성자를 묶어서 안정시키는 조절자로서 다양한 원소를 만드는 2차적인 역할을 수행한다.

만물의 형상을 본떠 만든 괘상은 天人地 3개의 효로 이루어져 있다. 天(陽)은 생명을 창조하는 생기이고 地(陰)는 씨앗을 받아 생육하니 만물을 의미하는 人(中)이 천지 사이에서 생겨 난다. 人(中)은 天地(陽陰)가 교합하여 하나(一)를 이룬 것으로서 중성적 성질이 있다.

사시 순환과 이에 따른 생장수장의 이치를 표상한 「후천문왕 팔괘도」를 보면 양은 만물이 생장하는 건도(乾道)를 시작하고, 음은 양기를 수렴하는 곤도(坤道)를 시작한다. 간토(艮土☶)는 잠자고 있는 양기(坎水☵)를 깨워 건도를 시작하고(土克水), 곤토(坤土☷)는 화기(火氣☲)를 수렴하고 금기(金氣☱)를 생하는 금화교역(金火交易)을 통해 곤도를 시작한다(火生土-土生金). 즉, 토(土)는 선천 건도와 후천 곤도, 상극과 상생, 양과 음을 연결함으로써 상호 순환하도록 하는 중토(中土)의 성질이 있다.

양(+)의 창조 원리, 음(-)의 화육 원리, 중(0)의 중재 원리는 양성자(+), 중성자(0), 전자(-)로 이루어진 원자와 天(+), 人(0), 地(-)로 이루어진 괘상이 서로 그 원리를 같이하고 있음을 보여준다. 양이 생기를 주면 음이 양육을 담당한다. 「계사전」은 "乾道는 男(陽)이 되고, 坤道는 女(陰)가 되니, 乾은 큰 시작을 주관하고 坤은 물건을 이룬다."[7]라고 했다. 건괘 「단전」은 "건원(乾元)이여, 만물이 의뢰하여 시작하니 이에 하늘을 통섭

---

7) 『周易』, 「繫辭傳上」 第1章, "乾道成男, 坤道成女, 乾之大始, 坤作成物."

하도다."8)라고 했으며, 곤괘 「단전」은 "곤원(坤元)이여, 만물
이 의뢰하여 생겨나니 이에 순히 하늘을 받든다."9)라고 했다.
주희(朱熹)는 이것을 "시(始)는 기운의 시작이요, 생(生)은 형
체의 시작이다. 하늘의 시행을 순히 받드는 것은 땅의 도리이
다."10)라고 하여 양과 음의 역할에 대해 구분하고 있다.

그러므로 "하늘은 상(象)을 이루고 땅은 형(形)을 이루니 만
물의 변화가 드러난다."11) 양은 생기가 되어 만물의 씨앗이 되
고 음은 이를 받아 실체[변화]를 만드니, 이는 양성자(+)가 창
조하고 전자(-)가 사물의 변화를 특징 지우는 것으로 비교할
수 있으며, 중성자는 양성자의 무한한 확장력을 중재하여 치우
치지 않게 하는 역할을 수행한다.

양성자(+)와 전자(-)의 수는 똑같다. 이것은 양[乾]과 음
[坤]이 서로 동등하다는 "一陰一陽之謂道"의 의미와 일치한
다. 다만 양과 음의 위치에 따라 작용에 있어서 역할에 차등이
있을 뿐이다.12) 음이든 양이든 홀로는 존재할 수 없으며, 대립
하면서도 공조하며 서로 대대 관계를 유지하면서 통일체로 공

---

8)『周易』, 重天乾 「象傳」, "大哉乾元, 萬物資始乃統天."
9)『周易』, 重地坤, 「象傳」, "至哉坤元, 萬物資生, 乃順承天."
10) 朱熹,『周易本義』, "始者, 氣之始, 生者, 形之始, 順承天施, 地之
    道也."
11)『周易』, 「繫辭傳上」 第1章, "在天成象, 在地成形, 變化見矣."
12)『周易』, 「繫辭傳上」 第1章, "天尊地卑, 乾坤定矣, 卑高以陳, 貴
    賤位矣."

존한다. 天은 地가 없으면 人을 생하지 못하고, 地 또한 天이 없으면 人을 기르지 못한다. 마찬가지로 陽은 陰이 없으면 中을 생하지 못하고, 陰 또한 陽이 없으면 中을 세우지 못하니 음양의 대립과 대대는 천지 만물을 영속시키는 근원적인 동인이라 할 수 있는 것이다.

『노자』는 이를 "만물은 음을 짊어지고 양을 끌어안아 충기로써 조화를 이룬다."13)라고 표현하고 있다. 음양은 우주 만물의 근원으로 생명을 작동시키는 원동력이다. 사물의 초미시적인 근원으로 들어가 보면 양과 음이 플러스(+) 마이너스(-) 동력으로 작동됨으로써, '天(陽), 人(中), 地(陰)'가 서로 하나의 체를 이루고 있음을 알 수 있다.

물질세계를 (+)라고 하면, 반물질세계는 (-)가 된다. 물질세계를 이루는 양성자, 중성자, (음)전자가 (+)라면 그와 반대되는 반양성자, 반중성자, (양)전자는 반물질(-)이라 할 수 있다. 그러므로 태극(有)이 +1로 물질세계를 의미한다면, 반대로 -1(無)의 영역은 반물질 세계라 정의할 수 있다. 양의 속에도 음양이 있고 음의 속에도 음양이 들어있듯이, +(有)인 물질에도 음양이 들어있고 -(無)인 반물질에도 어떤 형식으로든 대립적 성질의 음양이 들어있다고 판단할 수 있다. 이것은 태극(有)에서 음양이 분화되고, 음양은 각각 다시 음양으로 분화되어 사상을 이루고, 또 사상은 다시 각각 음양으로 분화되어 팔괘를 이

---

13) 『老子』第42章, "萬物負陰而抱陽, 沖氣以爲和."

루는 것과 같은 원리로서, 음양이기의 대칭성을 벗어나서는 그 어떤 것도 존재할 수가 없기 때문이다. 아직 현대과학은 물질과 반물질 사이의 근본적인 대칭성을 정확하게 파악하고 있지는 못하지만, 역학적으로는 태극(有)과 반대의 개념으로 범주화할 수가 있을 것이다.

물질의 최소 단위인 원자는 '양성자(+), 중성자(0), 전자(-)', 즉 '陽中陰' 3개의 요소로 이루어져 있고, 이것을 괘상으로 치환하면 '天人地' 삼효로 구성된 괘체로 표상할 수 있다. 그리고 원자와 원자가 상호작용함으로써 형성하는 사물은 천지인 삼효가 상하로 중첩되어 육효로써 상호작용하는 64괘로 표상할 수 있다.

입자는 자갈처럼 구분되어 뭉쳐있는 것이 아니라 입자이면서 동시에 파장으로 상호연결되어 하나(一)로써 존재하는 유기적 일체의 생명을 의미한다. 음효와 양효도 각각 홀로는 존재할 수 없으며 어떤 의미도 부여될 수 없지만 상호작용을 통해 세 개의 효가 일체가 되어 하나의 괘를 세울 때 비로소 사물의 극성을 나타낸다. 이는 天地가 하나된 人, 陰陽이 하나된 中을 이룰 때 비로소 우주는 일체 생명(一)이라는 인문·철학적 의미를 갖게 된다는 것을 의미한다. 이것은 우주를 "분리된 부분들의 집합체라기보다 통합된 전체로 보는 전일적 세계관(holistic worldview), 또는 생태학적 세계관(ecological worldview)"[14]이

14) 프리초프 카프라, 김용정·이성범 공역, 『현대물리학과 동양사상』, 범양

라고 정의할 수 있다.

陽中陰으로 구성된 원자가 상호작용함으로써 분자라는 변화를 만들어내듯이, 天人地 삼효로 이루어진 소성괘는 상하로 중첩되어 상호작용을 함으로써 만물의 변화를 표상해 내는 것이다.

전자들은 전기적인 힘에 의하여 원자핵에 붙들어 매어져 있다. 원자핵은 양전기를 띠고 있으며, 음전기를 띤 전자들은 붙들어 매는 전기적인 힘에 의하여 둘러 쌓여있다. 이미 오래전에 원자핵 역시 그 자체가 하나의 합성체(보따리 구조)라는 것이 밝혀졌다. 원자핵은 두 가지 형태의 입자들로 구성되어 있다. 양전기를 띤 양성자와 전기적 중성인 중성자로 불리는 입자들이 그것이다. 양성자와 중성자는 둘 다 전자보다 1800배 정도 무겁다.[15]

그런데 과학의 진전에 따라 이러한 입자는 전혀 기본적인 것이 아니라 또다시 더 작은 입자들의 합성체(보따리 구조)를 이루고 있음이 밝혀지고 있다. 원자는 원자핵과 전자로 이루어져 있으며, 원자핵은 양성자와 중성자로 이루어져 있고, 양성자와 중성자는 각각 여러 개의 쿼크(quark)로 이루어져 있으며, 또한 앞으로 과학의 진전에 따라 더 깊은 미세의 영역에서 새로운 발견이 이루어질 수 있음도 간과할 수 없다.

사, 2017, p.408.

15) 폴 데이비스, 류시화 역, 『현대물리학이 발견한 창조주』, 정신세계사, 2020, p.215.

이러한 미세입자들을 작동시키는 근본원리는 무엇일까? 그것은 바로 복잡한 초미세 영역인 원자 세계 이하의 기저에 있는 대칭성이다. 대칭성이 갖는 철학적 의미는 대립과 대대를 기본 원리로 하는 태극의 음양성이다. 폴 데이비스는 물질 내부작용의 비밀을 알려주는 대칭성의 신묘한 아름다움에 대해 "갈수록 대칭성이 밝혀짐에 따라 입자물리학자들은 태고적부터 원자 깊은 곳에 묻혀서 비밀로 남아있던 이러한 신비한 규칙성에 깊은 감동을 받게 되었다. 이제 그것들은 진보된 기술과 어지러운 도구들의 도움을 받아 처음으로 인간 존재에 의하여 목격된 것이다."16)라고 표현하고 있다.

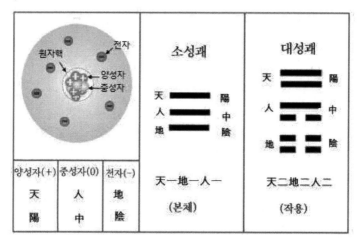

<그림11> 원자<物)과 괘상(易)의 비교

16) 폴 데이비스, 류시화 역, 『현대물리학이 발견한 창조주』, 정신세계사, 2020, p.221.

괘상은 음기를 표상한 음효와 양기를 표상한 양효로 이루어
져 있다. 즉, 음효와 양효로 만물의 근원인 원자를 표상한 소성
괘(三爻)와 괘의 상하작용을 통해 만물의 작용과 변화를 표상
한 대성괘(六爻)가 그것이다. 그러므로 6개의 효로 이루어진
64괘는 근본적으로 음양의 상호작용을 통해 변화하고 움직이
면서 사물의 변화와 길흉을 드러내는 것이다.

4) 상호연결성

물질을 뚫고 들어가 보면 볼수록 자연은 어떤 독립된 기본적인 구성체를 보여주지 않고 오히려 전체의 여러 부분 사이에 있는 복잡한 그물(網)의 관계로 나타난다.[1] 즉, 물질의 구성요소들은 상호연결이 되어있으며 고립된 실체가 아니라 전체의 부분으로 나타난다. 즉, '부분과 전체'라는 관점에서 보면 부분은 전체를 구성하는 유기적인 존재로서 전일성의 현시가 된다. 양자론은 소립자들이 낱낱이 떨어진 물체의 알갱이들이 아니라 불가분해한 우주적 망(網) 속의 확률모형이며 상호연결임을 밝히고 있다.[2] 즉, 아원자의 세계는 기본적으로 그물망처럼 상호연결이 되어있는 파동으로서 소립자는 나 홀로 존재할 수 없고 통일된 천체의 한 부분으로 상호작용함으로써 존재할 수 있을 뿐이다.

> 하나의 사물에 있는 두 가지 체는 기(氣)이다. 하나이기 때문에 신묘하고 (둘이 있기 때문에 헤아릴 수 없고), 둘이기 때문에 화한다 (하나에서 미루어 행한다).[3]

---

1) 프리초프 카프라, 김용정·이성범 공역, 『현대물리학과 동양사상』, 범양사, 2017, p.98.
2) 프리초프 카프라, 김용정·이성범 공역, 『현대물리학과 동양사상』, 범양사, 2017, p.267.
3) 張載, 『正蒙』, 「參兩」, "一物兩體 氣也, 一故神, (兩在故不測), 兩故化, (推行於一)."

사물을 이룬 기는 음양 두 기로 분별되어 상호작용하면서도 또한 분리될 수 없는 하나의 체를 이루고 있다. 그러므로 모든 사물과 사건들은 상호의존적이고 분리될 수 없는 상호관계의 완전한 망을 이루고 있는 '불가분의 전체'(the oneness)라 할 수 있다. 데이비드 봄(David Bohm)은 "따라서 세계를 상호작용하는 개별 부분으로 나눌 수 있다는 고전적 관념은 근거도 의미도 없다. 우리는 우주 전체를 단절이 없는 미분리된 전체로 보아야 한다. 입자 아니면 입자와 장으로 분할하는 일은 조잡한 추상이나 근사일 뿐이다. 따라서 우리는 갈릴레오나 뉴턴과는 뿌리부터 다른 질서, 미분리된 전체(undivided wholeness)라는 질서에 이르렀다."4)라고 하고 있다.

이러한 연결성은 멀리 떨어진 항성과 은하계들에 까지 우주 전체에 미치며, 그리하여 미시적 세계뿐만 아니라 거시적인 세계에서도 우주의 근본적인 통일성으로 나타난다.5)

그리하여 현대물리학은-그것과 이번엔 거시적인 단계에서-물질적 대상은 뚜렷한 실체가 아니라 그 주위 환경과 불가분적으로 연결되어 있다는 것을, 즉 성질은 세계의 온갖 나머지 것과의 상호작용의 견지에서만 이해될 수 있다는 것을 밝혀주었다. 마흐의 원리에 의하면 이러한 상호작용은 멀리 떨어진

4) 데이비드 봄, 이정민 역, 『전체와 접힌 질서』, 도서출판 마루벌, 2010, p.166.
5) 프리초프 카프라, 김용정・이성범 공역, 『현대물리학과 동양사상』, 범양사, 2017, p.274.

항성들과 은하계들까지 우주 전체에 미친다. 그리하여 미시적 세계뿐만 아니라 거시적인 세계에서도 우주의 근본적인 통일성이 나타난다. 이러한 사실은 현대 천체 물리학과 우주론에서 점점 더 분명해지고 있다.

천문학자 프레드 호일(Fred Hoyle)의 말을 빌리면 이렇다.

오늘날에 있어서 우주론의 발전은 멀리 떨어진 우주의 부분들이 없다면 일상적인 상황들은 지속될 수가 없다는 것을, 즉 만일 멀리 있는 우주의 부분들이 제거된다면 공간과 기하학에 관한 우리의 모든 개념은 완전히 소용없게 된다는 것을 강력하게 시사하기에 이르렀다. 우리의 일상적인 경험은 가장 미세한 부분에 이르기까지 우주의 대규모적인 현상과 매우 밀접하게 통합되어 있으므로, 그들을 분리시켜 생각한다는 것은 거의 불가능한 일이다.[6]

이러한 인식의 확장은 '부분이 곧 전체가 되고, 전체는 부분에서 온전히 그 모습을 드러낸다'라는 유기적 동일체의 전일성으로 나타난다. 그러므로 이것은 부분을 알면 전체를 아는 일이관지(一以貫之)의 정신적 통찰을 경험하는 철학적 논리로 귀결된다.

카를로 로벨리는 그의 저서 『모든 순간의 물리학』에서 '우주 공간은 원자핵 중에서 가장 작은 원자핵보다 수십, 수천억 배나 작은 아주 미세한 크기의 공간원자로 이루어져 있으며, 그러므로 우주는 곧 공간원자 그 자체'라고 말한다. 즉, 우주는 양자

---

6) 프리초프 카프라, 김용정·이성범 공역, 『현대물리학과 동양사상』, 범양사, 2017, p.274.

(공간원자)가 그물망처럼 상호연결된 전일적 하나(一)라 할 수 있다. 자연은 기본적으로 상호연결이 되어있으며 서로 고리(loop, 環)를 지어 공간의 흐름을 이어주는 관계 네트워크를 형성하고 있다.

카를로 로벨리(Carlo Rovelli)는 루프양자중력이론(The Loop Quantum Gravity Theory)에서, 현재 기술로는 측정할 수 없을 정도로 미세한 루프(loop)가 양자를 고리(環환)지어 공간 네트워크를 형성하고 있다고 밝히고 있다. 공간은 공간양자(중력양자)로 이루어져 있는데 이 원자들의 크기는 원자핵 중에서도 가장 작은 원자핵보다 수십, 수천억 배나 작은 아주 미세한 크기이며, 이 양자들을 연결시키는 매개체를 루프(loop), 즉 '고리(環)'라고 부르는 이유는 모든 원자가 고립되어있는 것이 아니라 동기화된 다른 비슷한 것들과 '고리로 연결'되어 공간의 흐름을 이어주는 관계 네트워크(環存환존)를 형성하고 있기 때문이라고 하였다.[7]

이에 따르면 '세상은 상호 연결된 사건들의 그물망'이며, 공간 자체가 곧 양자이므로 우주는 입자 간에 성립하는 상호작용들의 네트워크 그 자체라고 할 수 있다. 결국 우주는 입자들이 상호작용을 통해 관계 네트워크를 형성한 것이며, 만물은 상호 연결된 일체로써 공존하는 것이라 할 수 있다. 즉, "모든 존재

---

7) 카를로 로벨리, 김현주 역, 『모든 순간의 물리학』, ㈜쌤앤파커스, 2016. p.82.

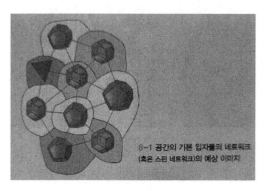

<그림 12> 루프양자중력이론(Loop Quantum Gravity)

가 경계나 나뉨 없이 흐르는 온전한 전체"8)라 할 수 있는 것이다. 루프양자중력이론은 일반상대성이론과 양자역학을 결합하려는 시도에서 나온 것이다.

카를로 로벨리(Carlo Rovelli)는 『모든 순간의 물리학』에서 루프양자중력이론을 다음과 같이 알기 쉽게 설명하고 있다.

루프양자중력이론의 개념은 간단합니다. 일반상대성이론은 공간이 생기가 없는 딱딱한 상자가 아니라 무언가 역동적인 것이라 설명합니다. 말하자면 우리가 존재하는 이 공간이 유동성이 있는 거대한 연체동물과 같아서 압축이 될 수도 비틀어질 수도 있다는 것입니다. 한편 양자역학은 모든 종류의 장이 '양자로 이루어지고' 미세한 과립구조를 가지고 있다고 설명합니다. 그리고 물리적 공간 역시 '양자로 이루어져 있다'고 봅니다. 루프양자중력이론의 핵심은 공간은 연속적이지 않으며 무한하게 나누어지지도 않지만 알갱이로, 즉 '공간원자'로 구성되어 있다는 것입니다. 이 원자들의 크기는 원자핵 중에서 가장 작은 원자핵보다 수십 수천억 배나 작은 아주 미세한 크

---

8) 데이비드 봄, 이정민 역, 『전체와 접힌 질서』, 도서출판 마루벌, 2010, p.219.

기입니다. 루프양자중력이론은 수학적 형식으로 이러한 '공간 원자'와 원자들 간의 진화를 정의하는 방정식을 설명합니다. '루프(loop)', 즉 '고리(環)'라고 부르는 이유는 모든 원자가 고립되어있는 것이 아니라 다른 비슷한 것들과 '고리로 연결' 되어 공간의 흐름을 이어주는 관계 네트워크를 형성하기 때문 입니다. 그렇다면 이 '공간양자'들은 어디에 있을까요? 어느 부분에도 없습니다. 양자들은 그 자체가 공간이기 때문에 공간 속에 있지 않습니다. 공간은 각각의 양자들을 통합하여 만들어 집니다. 이렇게 되면 다시 한 번 세상은 단순한 물체가 아닌 어떠한 '관계'처럼 보이게 됩니다.[9]

천지인의 작용과 변화를 일으키는 동력원으로서의 음양은 동 일체의 서로 다른 양면이며, 전체적으로는 하나의 통일체(태극) 를 이루고 있다. "대극(對極)이란 그저 하나의 과정에 대한 두 개의 다른 이름일 뿐"[10]인 것이다. 즉, 모든 자연현상은 대대 (對待)하는 음양의 상호작용에 따른 산물에 지나지 않는다. 대 립적인 것은 상호의존성이며, 이것은 상대가 없으면 나도 존재 할 수 없는 대대의 원리로 표출된다.

카를로 로벨리(Carlo Rovelli)는 그의 저서에서 사물이란 "대 상의 모든 특성은 오직 다른 대상과의 관계에서만 존재한다. 자 연의 사실들은 오직 관계 속에서만 그려지는 것이다. 양자역학 이 기술하는 세계에서는 물리계들 사이의 관계 속에서가 아니

9) 카를로 로벨리, 김현주 역, 『모든 순간의 물리학』, ㈜쌤앤파커 스, 2016, pp.81-82
10) 켄 윌버, 김철수 역, 『무경계』, 정신세계사, 2022, p.63.

고는 그 어떤 실재도 없다. 사물에 있어서 관계를 맺게 되는 것이 아니라 오히려 관계가 '사물'의 개념을 낳는 것이다. 양자역학의 세계는 대상들의 세계가 아니다. 그것은 기본적 사건들의 세계이며, 사물들은 이 기본적인 '사건들'의 발생 위에 구축되는 것이다."[11]라고 설명하고 있다. 즉, 모든 사물과 이치는 '상대적 관계성'으로 존재하는 것이며, "궁극적인 실재란 대극(對極)이 통일된 상태"[12]를 의미하는 것이다.

---

11) 카를로 로벨리, 김정훈 역, 『보이는 세상은 실재가 아니다』, ㈜쌤앤파커스, 2018, p.136.
12) 켄 윌버, 김철수 역, 『무경계』, 정신세계사, 2022, p.57.

5) 원자와 괘상의 물리학적 공통성

만물의 근원에는 음양의 대칭성이 존재하며, 이는 우주 만물을 생성하는 근원적인 작용원리가 된다. 양성자(+)와 중성자(0), 전자(-)로 구성된 미시세계의 원자는 음양의 상호작용으로 형성되며, 음효(--)와 양효(—)는 상호작용을 통해 만물을 표상한 천지인 삼효를 구성한다. 원자가 양성자(陽), 중성자(中), 전자(陰)로 구성되어 있듯이, 괘도 天(陽)·人(中)·地(陰)로 구성된다. 그러므로 성인이 만물을 본떠 만든 괘상과 물상의 근원적인 형태는 그 구성과 형태에 있어 논리성이 일치한다고 볼 수 있다.

원자가 상호작용으로 어떤 특정한 물질을 생성해내는 것은 원자의 어떤 특성 때문일까? 원자가 모여 생성된 분자는 어떻게 각각의 특성을 가진 개체로 형성되는 것일까? 어떤 것은 사람이 되고, 또 어떤 것은 원숭이가 된다. 어떤 유형의 성질이 모여 동물이 되고 식물이 되며 바위가 된다. 미시계의 원자가 거시계의 물질을 이루면서 어느 시점에서 사물 개체의 특성이 형성되는 것인지 아직 과학적으로 증명된 바는 없다. 폴 데이비스(Paul Davis)는 "독특한 성질은 전체의 형태 속에서 발견되는 것이지 낱낱의 구성요소 속에서 발견되는 것이 아니다. 이와 마찬가지로 생명의 비밀은 개개의 원자들 속에서는 발견되지 않으며, 그것들의 결합 형태, 즉 분자 구조 속에 암호화된 정보에 따라 그것들이 합쳐지는 방식 속에서만 발견될 것이다."[1]라고 하고 있다.

> 떠다니는 기(氣)가 얽히고 뒤섞여, 합하여 질(質)을 이룬 것이
> 각양각색의 사람과 품물(品物)을 낳는다.[2]

미시세계의 소립자들은 서로 비슷한 유형끼리 고리(環, loop)
지어 연결됨으로써 상호관계망 속에 존재한다. 「계사전」은 "비
슷한 기운을 가진 유형은 서로 같은 방향으로 모이고, 사물은
무리별로 나뉜다."[3]라고 하여, 생명이 생성되는 이치를 개략하
고 있다. 이는 유유상종(類類相從)으로 정의할 수 있는데 방이
유취(方以類聚)는 미시계의 원자들이 서로 유사한 기운으로 집
중되어 서로 다른 유형으로 응결되는 것을 의미하고, 물이군분
(物以群分)은 원자들이 응결되어 이루어진 물질들이 각각의 이
치를 따라 무리를 지어 나뉨으로써 물질의 특성이 되는 것을
의미한다. 거시계에서는 고유한 물질의 특성을 가진 개체들은
종족으로 모이고 그 구성원들은 비슷한 기운, 비슷한 성향끼리
무리를 지으며 유유상종하니, 이는 만물의 근원적인 속성이라
할 수 있다.

유유상종은 상호작용을 통한 음양불측(陰陽不測)한 신묘한
원리로써 개체를 구성하는 이치를 정의한다. 사물은 상호작용

---

1) 폴 데이비스, 류시화 역, 『현대물리학이 발견한 창조주』, 정신
세계사, 2020, p.105
2) 張載, 『正蒙』, 「太和」, "游氣紛擾合而成質者, 生人物之萬殊."
3) 『周易』, 「繫辭傳上」第1章, "方以類聚, 物以群分."

을 통한 신묘한 이치로 원자와 원자가 결합함으로써 비로소 개체의 특성을 갖는 전체 시스템을 갖는다. 음양의 상호작용에 내재한 신묘한 이치 없이 원자를 벽돌처럼 하나하나씩 쌓아 올린다고 해서 생명이 내재된 원자들의 집합이 되지는 않는다. 「계사전」은 이 신묘한 이치를 "陰陽不測之謂神음양불측지위신"이라고 정의하고 있다.

음과 양, 원자와 원자, 개체와 개체, 무리와 무리, 행성과 행성 간의 상호작용 없이 우주는 존재하지 않는다. 우주는 부분과 전체가 만유인력(중력)으로 서로 복잡다단하게 연결되어 상호작용을 일으키며 역동적인 관계망을 형성함으로써 상호의존하는 '환존(環存)'으로써 존재한다.

> 이러한 세계에서는 '소립자' '물질적 실체' 혹은 '독립된 물체'와 같은 고전적 개념들은 그 의미를 상실하고 만다. 전 우주가 따로 떼어질 수 없는 역동적인 에너지 모형들의 역동적인 그물(網)로서 나타난다. (……) 그것들 입자의 속성들은 그 활동-주위 환경과의 상호작용-의해서만 이해할 수 있으며, 그러므로 그 입자는 독립된 실체일 수가 없고 전체의 통합된 부분으로서 이해되어야 한다는 것을 보여준다.[4]

무극에서 기운이 움트고 음양이 작용하는 순간 무극은 태극으로 전환된다. 태극은 그 자체가 음양의 작용을 의미하고, 음

---

4) 프리초프 카프라, 김용정·이성범 공역, 『현대물리학과 동양사상』, 범양사, 2017, p.112.

효(--)와 양효(-)는 상호작용을 통해 상을 드러내니, '실제 작용하는 태극'인 중앙의 五土〔황극〕가 사상(四象)을 돌려 8개의 극성을 가진 형상〔八卦〕을 펼쳐낸다. 음양의 작용으로 드러낸 상은 5土를 포함하여 木火土金水 다섯 개의 상을 의미하는데 이는 만물의 근원적인 특성, 즉 물성(物性)을 의미한다.

목(木)은 음기에서 양기가 터져 나오며 질풍노도처럼 생장하는 기운을 가진 물성을 의미하고(☳), 화(火)는 음기를 중심으로 양기가 질서 있게 펼쳐진 상으로서 내부중심에 음기가 저장된 물성이며(☲), 금(金)은 양기를 수렴하는 기운으로서 음기가 양기를 포장하는 기운의 물성이고(☱), 수(水)는 외부에 음기가 펼쳐진 상으로서 내부 중심에 양기가 저장된 물성을 의미한다(☵). 토(土) 중의 곤토(坤土)는 음기가 가득한 모태의 상으로 내부에 양기를 받아드려 숙성시키는 기운의 물성이고(☷), 간토(艮土)는 잠자고 있는 양기를 깨우는 기운으로서 음기를 종식시키고 양기를 시작하게 하는 종시(終始)의 기운이다(☶).

이것을 방이유취(方以類聚)로 설명하면 목은 동방이요, 화는 남방이고, 금은 서방이며 수는 북방의 물성을 지녔다. 그리고 토는 가운데에서 목화금수와 작용하는 중토(中土)로서 중화적 물성을 지녔다.

음양에서 사상이 나오고, '작용하는 태극'인 황극〔土〕이 사상을 만나 오행작용으로 8개의 극성을 가진 만물의 형체〔八卦〕를 펼쳐낸다. 음양의 상호작용으로 象〔사상〕이 맺히고, 오행작용으로 形〔팔괘〕을 드러내는 것이다. 목화토금수 다섯 개의 상은 물질의 상으로서 만물의 특성을 규정한다.

음양이 五土를 포함하여 다섯 개의 상을 드러냄으로써 8개의 극성인 팔괘를 펼쳐낸 것이 만물만상이다. 「계사전」에서는 이를 "在天成象 在地成形"이라 정의하고 있다.

음양은 창조의 근원에서 만물을 작동시키는 초대칭성인 플러스(+) 마이너스(-) 전기력으로 이해할 수 있다. 음양은 만물의 생화시스템인 오행을 작동시킴으로써 다양한 형체, 즉 팔괘를 드러낸다. 그리고 8괘를 서로 중첩시켜 중괘(重卦)를 이룸으로써 64괘의 상하작용(상호작용)을 통해 만물의 작용과 순환을 표상하는 것이다.

"낱낱의 알맹이들이 모여 하나의 시스템을 이룰 때, 그 알맹이 하나하나에서는 찾아볼 수 없는 독특한 성질을 전체 시스템은 갖게 된다. 이 독특한 성질은 낱낱의 구성성분의 차원에서 볼 때는 의미가 없다."5) 즉, 음효(--) 따로, 양효(—) 따로 개체일 때는 아무런 의미가 없는 것이 서로 모여 괘체를 이룰 때는 독특한 성질을 가진 시스템을 이루게 된다. 음효와 양효가 서로 모여 삼효를 이루면 괘체가 되어 자기만의 물성(物性)이 내재된 특성을 드러내는 것이다. 유사한 성질의 원자들이 상호작용을 통해 '자발적 자기 조직화'로써 질서(理)를 세워나가는 것

---

5) 폴 데이비스, 류시화 역, 『현대물리학이 발견한 창조주』, 정신세계사, 2020, p.104.

이 곧 사물이며, 이것이 팔괘로 표상되는 것이다. 인간은 미시세계를 인식하거나 느낄 수 없으므로 팔괘라는 도구를 통하여 미시와 거시를 통찰할 수 있는 능력을 갖추게 된다.

원자의 상호작용으로 형성된 물질에 생명이 내재하기 시작하고, 어느 순간 생명의 주체적 자아가 성립됨으로써 개체화된 존재로 발현하게 된다.[6] 주체적 자아[특성]는 개체의 주인으로서 관리자, 운전자의 소임을 하게 된다. 주체적 자아란 생물이나 무생물에 관계없이 물질의 자기다운 특질, 즉 자기동일성(identity)을 의미한다.

만물의 근원인 원자를 본떠 만든 소성괘는 천인지 삼재로 그 특성이 개념화되어 8괘로 범주화된다. 원자가 상호작용으로 다양한 사물을 생출하듯이, 괘도 상하작용(상호작용)으로 만물의 다양한 변화를 드러낸다. 시간의 흐름에 따른 괘효의 변화는 시공의 변화를 의미하며, 이는 곧 물질의 변화를 표상한다. 그러므로 여섯 개의 효로 이루어진 64괘의 작용을 분석함으로써 만물의 변화와 이에 따른 길흉·득실을 예측할 수가 있게 되는 것이다.

---

6) 『周易』, 重天乾 「象傳」, "乾道變化, 各正性命, 保合大和, 乃利貞."

6) 불확정성의 원리

사물의 근원이라 할 수 있는 초미세 영역인 양성자(+) 중성자(0), 전자(-)로 구성된 원자를 취상하여 天人地를 표상한 삼효로 전화함으로써 팔괘의 가설을 세워보았다. 그리고 천지인의 음양작용을 표현한 육효는 천지인의 작용, 즉 미시세계의 원자가 작용함으로써 만들어진 분자의 상호작용을 통해 거시세계의 변화를 표현할 수 있음도 살펴보았다. 천지인 삼효가 체(體)라면 천지인의 음양작용을 표상한 대성괘 육효는 용(用)이 된다.

원자로 설명되는 미시세계는 인식의 범위를 초월해 있으므로 이를 괘상화하여 인식의 대상으로 가져올 수 있다. 즉, 만물의 기저에 있는 대칭성인 음양이 대립과 대대를 통한 상호작용으로 응집된 형기(形氣)를 8가지의 괘상으로 범주화함으로써 눈에 보이지 않는 기의 작용을 인식의 범위로 가져올 수가 있는 것이다. 이것이 바로 음양의 상호작용으로 응취된 상(象)으로서 '건(乾)·태(兌)·리(離)·진(震)·손(巽)·감(坎)·간(艮)·곤(坤)' 팔괘가 되며, 형(形)으로 표현하면 '천(天)·택(澤)·화(火)·뢰(雷)·풍(風)·수(水)·산(山)·지(地)' 8가지 형상으로 드러난다.

8개의 괘상은 대칭을 나타내는 음효(--)와 양효(—)로 구성된다. 그리고 3효로 구성된 팔괘는 각각의 효마다 음양(二)의 작용성을 함유하고 있으므로 모두 6효로써 만물의 변화를 표상할 수가 있다. 음양의 작용성이란 "강(剛)과 유(柔)가 서로 마찰하며 팔괘가 서로 섞이는 것"[1]이며, 음효와 양효로 구성된 "육효의 움직임은 천지인 삼극의 도"[2]가 된다.

"역은 천지와 똑같다(易與天地準)". 즉, 괘상은 물상의 원리를 그대로 표상하고 있으므로 『주역』의 법칙과 천지의 법칙은 똑같다는 의미이다. 그러므로 사물이 변하면 이에 따라 괘도 그 변화를 그대로 표상해 내는 것이니, 역을 아는 자는 괘의 변화를 읽어냄으로써 만물의 길흉을 예측할 수가 있는 것이다. 「계사전」은 "효(爻)라는 것은 변화를 말하는 것"[3]이고, "천하의 변동(변화)을 모방한 것"[4]이니, 그러므로 "변화의 도를 아는 자는 신(神)의 하는 바를 알 것"[5]이라고 하였다.

현대물리학이 발견한 사물의 초미세 영역으로 들어가 보면 거시세계에서 발견되는 원리와 법칙이 무시되는 또 다른 신비한 세계가 펼쳐진다. 모든 물질은 초미세 입자인 원자로 이루어져 있으며, 원자는 그 안에 쿼크(quark)라는 이름의 더 작은 요소들을 포함하고 있다. 입자는 더 깊이 안으로 들어가 보면 결국 파동으로 나타나고, 이는 양자장이라는 '입자와 파동의 이

---

1) 『周易』, 「繫辭傳上」 第1章, "剛柔相摩, 八卦相盪."
2) 『周易』, 「繫辭傳上」 第2章, "六爻之動, 三極之道也."
3) 『周易』, 「繫辭傳上」 第3章, "爻者言乎變者也."
4) 『周易』, 「繫辭傳下」 第3章, "爻也者, 效天下之動者也."
5) 『周易』, 「繫辭傳上」 第9章, "子曰, 知變化之道者, 其知神之所爲乎."

중성'6)으로 귀결된다.

　미시세계는 거시세계에서의 '위치와 운동량의 법칙'7)이 무시되는 불확정한 상태에 놓여 있다. 초미세 영역인 원자 세계에서의 모순적이고 무질서하며 불확정한 상태가 어느 시점과 어느 지점에서 거시세계의 기계적인 인과율이 적용되기 시작하는지는 아직 과학적으로 증명된 바는 없다. 뉴턴은 신(神)이 입자와 입자들 사이에서 작용하는 힘, 그리고 변하지 않는 불변의 법칙을 태초에 창조하였다고 생각했다. 그래서 '모든 사건은 그것에 따른 원인을 가지고 있다'라고 보았다. 그런데 양자론은 원인 없이 일어나는 결과를 허용함으로써 '원인과 결과'의 인과론적 사슬을 끊어버리게 된다.8)

　금세기 초 원자세계의 불확정성이 발견되기 전까지는, 모든

---

6) 파동-입자 이중성(波動粒子二重性, wave-particle duality)이란 양자역학에서 모든 물질이 입자와 파동의 성질을 동시에 지니고 있음을 의미한다. 고전역학에서는 파동과 입자가 매우 다른 성질을 지니지만, 양자역학에서는 두 개념을 하나의 개념으로 통합한다. 토마스 영은 이중슬릿 실험에서 입자성과 파동성 동시에 나타날 수 있음을 밝혀냈다.
7) 거시세계를 다루는 고전역학에 의하면 전자의 위치와 운동량은 전자가 어떤 상태에 있든지 항상 동시 측정이 가능하지만, 미시세계를 다루는 양자물리학에서는 위치와 운동량을 동시에 측정할 수 없다고 본다(불확정성의 원리).
8) 폴 데이비스, 류시화 역,『현대물리학이 발견한 창조주』, 정신세계사, 2020, p.159

물체는 엄격히 역학의 법칙을 따르는 것으로 추측되었다. 그 역학의 법칙이 작용하기 때문에 별들은 궤도를 돌고, 총에서 튀어 나간 탄알은 곧장 과녁에 가서 맞는다고 생각되었다. 원자는 그 내부의 구성성분들이 정확한 시계처럼 회전하고 있는, 마치 태양계를 축소한 모형과 같은 것으로 상상되었다.

그것은 환상임이 밝혀졌다. 1920년대에 원자의 세계는 암흑과 혼돈으로 가득 차 있다는 것이 드러났다. 전자 같은 입자는 전혀 정해진 궤도를 따르는 것 같지 않다. 한순간에는 그것이 여기서 발견되고, 다음 순간에는 엉뚱하게 저기에 있다. 전자 뿐만 아니라 모든 원자 이하의 입자들-심지어 원자 전체-은 어떤 특정한 운동에 속박되지 않는다. 우리가 일상적으로 체험하는 모든 단단한 물체들은 그 내부를 자세히 들여다보면 덧없는 허깨비들의 대소동으로 변해버린다. 불확정성은 양자론의 근본적인 성분이다. 그것은 곧바로 '예측할 수 없음'으로 귀결된다.[9]

양자물리학에 따르면 '입자의 위치를 정확하게 측정하려고 하면 그 입자의 운동량이 정확하지 않게 되고, 운동량을 측정하려고 하면 그 위치가 정확하지 않게 된다.' 그러므로 양자의 미시적 세계는 불확실성이 지배하는 우연성에 기반을 두고 있으므로 예측은 확률적으로 판단할 수밖에 없다. 이러한 미시세계의 근원적인 불확정성은 과학적 측정기술과는 아무런 관련이 없다. 그렇다면 지금까지 우리의 삶을 지배해온 '원인과 결과'

9) 폴 데이비스, 류시화 역, 『현대물리학이 발견한 창조주』, 정신세계사, 2020, p.159.

를 기본으로 하는 인과론적 사고의 틀은 완전히 무시하는 것이 옳은 것일까? 현대과학의 주류인 양자물리학이 발견한 원자 세계의 불확정성이 자연의 본질이라면 우리는 어떻게 세상을 이해하고 예측할 수 있을까?

　　적어도 고전 물리학자들 눈에 우주란, 시간과 공간이라는 명확한 경계에 따라 서로 분리된 사물과 사건들이 정교하게 조합되어 있는 그 무엇이었다. 그들은 더 나아가 행성, 바위, 운석, 사과, 사람들과 같은 분리된 대상들을 정밀하게 측정하고 계산할 수 있었으며, 이런 과정을 통해 마침내 과학적 법칙과 원리를 만들어낼 수 있다고 생각했다. (……) 그리고 입자물리학의 세계를 탐구하기 시작할 때 역시 양자, 중성자, 전자에도 당연히 기존의 뉴턴의 법칙이나 그와 유사한 법칙들은 모두가 그대로 적용되리라고 가정했다. 그러나 실제는 전혀 그렇지 않았다.[10]

　음양의 대소 · 장단 · 강약이라는 미묘한 차이가 만들어내는 다양한 양태의 상호작용은 복잡다단한 중화의 형태를 만들어낸다. 고전물리학인 뉴턴의 기계역학에서는 운동량과 질량을 알면 위치의 정확한 측정이 가능하지만, 양자역학에서는 위치를 알면 운동량이 불확실하게 되고 운동량을 알면 위치가 불확실하게 되어 모든 것이 불확정적인 상태에 놓이게 된다. 이렇듯 초미세 영역인 음양의 작용은 관찰자의 시선에 따라 영향을 받을 수밖에 없는 불확실한 상태가 되어 확률적 통계로 그 상태

---

10) 켄 윌버, 김철수 역, 『무경계』, 정신세계사, 2022, p.77.

를 예측할 수밖에 없는 불확정성의 원리가 지배한다.

소성괘〔八卦〕는 원자(atom)라는 소립자의 상(象)을 괘상(卦象)으로 표상한 것이다. 미시세계의 원자는 어디로 튈지 모르는 불확정한 상태에 놓여 있는 입자이면서 동시에 파동의 성질을 가지고 있다. 대성괘는 중첩된 소성괘의 상하작용(상호작용)을 통해 분자가 물질을 이루는 거시세계의 변화를 표현해낸다. 소성괘가 미시세계의 원자를 표상한 기(氣)의 영역이라고 한다면, 소성괘가 상하로 중첩되어 구성된 대성괘는 원자가 만들어내는 거시세계 물질의 상호작용을 표상한 器(物)의 영역이라 할 수 있다. 즉, 미시세계가 불확정성의 원리가 지배하는 양자물리학의 세계라면, 거시세계는 인식론에 기초한 뉴턴의 인과론적 기계역학이 여전히 영향을 미치고 있는 고전물리학11)의 세계라 할 수 있다.

---

11) 상대성이론·양자역학이 나타나기 이전인 20세기 초까지의 물리학을 가리킨다. 뉴턴역학과 전자기학을 근간으로 하며 공간과 시간이 절대화되어있으며 거시적인 성질만을 다룬다. 공간·시간을 절대화해서 관측자와는 독립하여 객관적으로 존재하는 범주로 보고, 그 전제 아래 모든 물리현상을 거시적으로 다룬 학문이다. 이는 관측자에 대한 공간·시간의 상대화를 주장한 상대성이론이 나타남으로써 그 전제가 무너졌고, 이어 양자역학에 의해 모든 물리현상이 확률적·통계적·미시적으로 다루어짐에 따라 그 거시적 입장이 부정되기에 이르렀다.:<참고>인터넷두산백과

7) 미시세계와 거시세계

거시세계의 물질은 미시세계의 원자들로 이루어져 있다. 원자는 어디로 튈지 모르는 불확정성이며, 물질은 생명(理)의 특성을 가진 나름의 질서를 갖추고 있다. 이 두 세계는 성질이 다른 각각의 세계이면서도 결국은 서로 하나의 체를 이루고 있다. 정이(程頤)는 "보이는 세계와 보이지 않는 세계는 서로 간격이 없는 하나(一)다."라고 하여 이들을 현미무간(顯微無間)이라 정의하고 있다.

형상을 지닌 기물(器物)의 초미세 영역을 들여다보면 입자이면서 동시에 파장이라는 양자장의 세계로 들어서게 된다. 인간의 지각범위에 있는 보이는 기물은 실상 보이지 않는 영역까지 내포하고 있다. 그러므로 보이는 것과 보이지 않는 것은 서로 다른 실체가 아닌 동일체의 이면으로서 "보이는 것과 보이지 않는 것에는 간격이 없다."라는 정이(程頤)의 논리성이 정당화된다.

현대물리학의 관점에서 인간의 지각을 초월하는 사물의 초미세 영역으로 들어가 보면 양자장은 입자이면서 동시에 파동으로 유기적 일체를 이루는 전일성의 특성을 보인다. 현대물리학의 관점에서 보면 기물이란 보이는 영역과 보이지 않는 영역을 동시에 함유하고 있는 존재라 할 수 있다.

즉, '보이는 것과 보이지 않는 것에는 간격이 없다'라는 것은 인간의 지각에 따라 존재성의 여부가 결정이 나는 것이 아니라는 의미이다. 인간의 지각을 초월하는 초미세 영역으로 들어가 보면 물질은 입자이면서 동시에 파동으로서 유기적 일체를 이루는 전일성의 특성을 보인다. 기물이 소멸한다는 관점은 보이는 형체(形體)는 물론 보이지 않는 기(器)에 내재된 리(理) · 상(象) · 수(數)까지도 소멸한다는 것을 의미한다. 그러므로 양자물리학적 관점으로 보면 결코 보이는 것(器)이 무너졌다고 해서 보이지 않는 理 · 象 · 數까지도 동시에 소멸했다고 할 수는 없는 것이다.

이것은 양자장의 영역이 인간의 지각을 초월하는 세계로서 보이지 않는다고 하여 절대 없음(空無)의 세계가 아님을 말해준다. 현대물리학적 측면에서 보면 보이는 유형의 기물도 있지만 보이지 않는 무형의 기물도 존재한다. 즉, 인간의 지각을 벗어난 초미세 영역에는 보이지 않는 무형의 기물도 무수히 존재한다. 보이지 않는 영역에 존재하는 초미세 기물은 인간의 지각범위를 벗어났을 뿐 현대의 과학적 시각으로 보면 결국 유형의 기물에 불과한 것이다.

그러므로 장재가 '기(氣)가 모이면 물질이 되고, 흩어져 태허(太虛)로 돌아간다'라고 한 것은 단순히 '보이는 기물'만이 아니라 '보이지 않는 기물(초극미 영역)'까지도 무너져 모두 흩어진 것을 의미한다고 볼 수 있다. 단순히 보이는 형기(形氣)가 무너져 태허로 돌아가는 것이 아니라는 것이다. 음양의 상호작용으로 상호합일의 과정을 통해 적정하게 기물에 내재된 理 · 象 · 數라는 형기(形氣)의 보이지 않는 영역까지도 그대로 적용된 것이니,

그러므로 나의 초미세 영역에까지 관장하는 理·象·數가 단지 보이는 기물(器物)이 무너졌다 하여 동시에 보이지 않는 본상(本象)까지도 동시에 소멸이 되었다고 단정할 수는 없는 것이다.

기물이 무너져 태허로 회귀한다는 것은 보이지 않는 기물과 그 안에 내장된 理·象·數까지 무너진 것을 의미한다. 그러나 보이는 것이 무너졌다고 하여 보이지 않는 기물과 내장된 理·象·數까지도 동시에 무너져 기의 바다인 태허로 융해되어 사라졌다고 볼 수는 없는 것이니, 그러므로 육체적인 죽음과 동시에 보이지 않는 기물도 태허라는 무형의 기로 즉시 환원되는 것인지의 여부는 좀 더 과학적 소견이 필요한 부분이라 하겠다.

삶과 죽음이란 단지 음양이기의 취산(聚散), 굴신(屈伸), 왕래(往來), 소식(消息)의 작용에 불과한 것이니, 생(生)과 사(死)는 서로 하나로 연결된 전일성이라 할 수 있다. 우주는 생과 사, 생과 멸이 서로 의존, 상호순환하면서 존재하는 신묘의 세계이다. 이것은 또한 추상(抽象)과 구상(具象), 형이상(形而上)과 형이하(形而下)의 상호조화를 요구하는 시대적인 인문적 요청이라 할 수 있겠다.

(1) 생명의 발현

원자를 벽돌처럼 쌓아 올린다고 해서 생명이 나오지는 않는다. 상호작용을 통한 중화가 일어나고, 그 중화들이 모여 상호작용의 상승을 일으키며 더 큰 중화를 만들어내는 과정에서 수리적이고 과학적인

'자발적 자기 조직화'를 통해 물질이 생화되고, 어느 순간 생생지도 (生生之道)로써 물질의 영속을 위한 조리주체(條理主體)가 생명으로 내재된다. 생명이란 물질과 마찬가지로 음양의 상호작용에 따른 중화 작용을 통해서 발아된다. 이것은 氣에 내재하고 있던 理가 상호작용 의 과정을 통해서 신묘한 이치로써 생명으로 발현되는 것이라 할 수 있다. 역은 이 신묘한 이치를 '陰陽不測之謂神음양불측지위신'이라 정 의하고 있다. 그래서 공자는 "변화의 도를 아는 자는 신의 하는 바를 알 것이다."[1]라고까지 하고 있다.

오로지 신(神)이라야 변(變)과 화(化)를 할 수 있으니, 그것이 천 하의 움직임을 귀일하게 하기 때문이다. 사람이 변화의 도(道)를 알 수 있다면 그것은 신(神)이 하는 것임을 반드시 알게 된다. [2]

현대물리학적 개념으로 보면, 생명이란 물질의 진화단계에서 좀 더 고차원적인 질서를 갖춘 고도의 단계로 진화하는 과정에 서 발현되는 것이라 할 수 있다.

우리는 여기서 생명체가 순전히 평범한 원자들로 만들어져 있다는 사실을 이해하는 것이 무엇보다 중요하다. (……) 생명 은 예를 들어 (원자를) 무게처럼 하나씩 쌓아 올린다고 해서 저절로 생겨나는 현상이 아니다. 왜냐하면 우리는 한 마리의

---

1) 『周易』, 「繫辭傳上」 第9章, "子曰, 知變化之道者, 其知神之所爲 乎."
2) 張載, 『正蒙』, 「神化」, "惟神爲能變化, 以其一天下之動也. 人能知 變化之道, 其必知神之爲也."

고양이나 한 송이의 제라늄이 살아있는 것은 의심하지 않을지 모르지만, 그것들을 구성하고 있는 고양이의 원자나 제라늄의 원자 하나하나가 살아있다는 표시를 찾는 데는 결국 실패하고 말기 때문이다. 이것은 자주 역설적으로 들린다. 생명이 없는 원자들의 집합이 어떻게 생명이 있는 것으로 되겠는가?"[3]

낱낱의 알갱이들이 모여 하나의 시스템을 이룰 때, 그 알갱이 하나하나에서는 찾아볼 수 없는 독특한 성질을 그 전체 시스템이 갖게 된다. 이 독특한 성질은 낱낱의 구성 성분의 차원에서는 의미가 없는 것이다. (……) 독특한 성질은 전체의 형태 속에서 발견되는 것이지 낱낱의 구성요소 속에서 발견되는 것이 아니다. 이와 마찬가지로 생명의 비밀은 개개의 원자들 속에서 발견되지 않으며, 그것들의 결합 형태, 즉 분자 구조 속에 암호화된 정보에 따라 그것들이 합쳐지는 방식 속에서만 발견될 것이다.[4]

즉, 음효(--)와 양효(—)도 각자로서는 아무런 의미도 없고 대립과 대대라는 상호관계성을 통해 주체로써 존재하는 것처럼, 생명도 음양의 상호작용을 통해 개체로써 존재하는 것은 괘상을 세우는 이치와 같다고 할 수 있다.

사람(人)과 품물(物)이 생겨나고 죽는 것은 단지 음양 두 기가 서로 굴신·왕래함을 표시하는 것일 뿐이며, 그래서 왕부지(王夫之)가 "『주역』에서는 왕래(往來)는 말하고 있어도 생멸(生滅)은

---

3) 폴 데이비스, 류시화 역, 『현대물리학이 발견한 창조주』, 정신세계사, 2020, p.103.
4) 폴 데이비스, 류시화 역, 『현대물리학이 발견한 창조주』, 정신세계사, 2020, pp.104-105.

말하지 않는다."5)라고 했듯이, 인(人)과 물(物)에는 생겨남과 죽음이 있지만 그들의 본체로서의 음과 양 두 기에는 결코 생멸이란 없는 것이다.6)

장재(張載)에 따르면 삶과 죽음이란 단지 기가 응취되었다가 소산(消散)되어 사라지는 취산(聚散) 활동의 일환으로서, 기의 일시적인 변화 양상에 불과한 것이라 할 수 있다.

(2) 전일성(全一性)과 객형(客形)

헤아릴 수 없는 음양의 대소 · 장단 · 강약의 극미세한 차이가 잡란한 에너지의 불균형과 모순을 만들어내면서 다양한 상호작용을 일으키는 동인 되고, 이것은 다양한 양태의 중화를 창조하는 신묘한 이치가 된다. 천지인 만물의 씨앗이 물감처럼 혼융되어 있는 태허는 일종의 동력이라 할 수 있는 음양미분 상태로서 상대적 작용성이 없는 부동의 상태라 할 수 있다.

기운이 극에 달하는 어느 순간, 음양(氣)의 균형이 어긋나면서 상대성이 분열을 시작하고, 강유상추 상호작용을 시작하면서 품고 있는 씨앗(理)을 천지에 펼쳐놓는다. 음양의 불균형은 에너지의 이동을 불러일으킴으로써 음양의 대소 · 장단 · 강약이 만들어내는 신묘한 창조적 이치는 혼융되어있는 물감을 만물만상으로 천하에 펼쳐놓는다. 부동의 태허가 음양의 상호작용으

---

5) 王夫之, 『周易內傳』, 「繫辭上傳」, "易言往來, 不言生滅."
6) 朱伯崑, 김학권 외4, 『역학철학사7』, 소명출판, 2012, p.355.

로 동적인 태극으로 전환되는 것을 의미하며, 이는 우주가 창조되는 물리학적 빅뱅(bigbang)의 순간이 된다. 즉, 태허는 천지인이라는 소립자를 품고 있는 물리학적 양자장으로 비유할 수 있다. 다시 말하면, 음양의 불균형과 모순이 만들어내는 기의 역동적 흐름은 우주라는 도화지에 다양한 색채로 만물을 그렸다 지웠다를 반복하는 기의 취산 활동에 비유할 수 있는 것이다.

전일적 하나(一)를 이루는 거대한 유기적 생명체인 우주는 입자와 파동이라는 이중적 성격을 가진 양자(Quantum)의 거대한 기의 흐름이 휘몰아치는 존재라 할 수 있다. 휘몰아치는 기(氣)의 흐름이 일시적으로 집중되면서 응결되는 것이 물질이다. 즉, 물질이라는 것은 장(場)이 극도로 강하게 집중되어 응결된 전체의 한 부분이다. 그러므로 모든 사물은 상호의존적이며 분리될 수 없는 동일한 실재의 일시적인 서로 다른 양상에 불과한 것이라고 할 수 있다.

장재(張載)는 이러한 물리학적 현상을 "기는 태허에서 모이고 흩어지니 이는 마치 얼음이 물에서 얼고 풀리는 것과 같다."[7]라고 하여 일시적인 사물의 변화형태를 잠시 머물다 가는 손님에 비유하여 객형(客形)[8]이라고 정의하고 있다. 즉, 소립

---

7) 張載, 『正蒙』, 「太和」, "氣之聚散於太虛, 猶冰凝釋於水."
8) 張載, 『正蒙』, 「太和」, "太虛無形, 氣之本體, 其聚其散, 變化之客形爾."

자들은 장(Quantum Field)의 국부적인 응결에 불과한 것으로서, 그러므로 물질이라는 것은 장(場) -또는 기(氣)- 이 극도로 강하게 집중된 공간의 영역들에 의하여 성립되는 일시적인 형태라고 할 수 있다.[9] 물질이란 기의 바다에서 일시적으로 일어나는 파동의 역동적인 변화과정 중 한 단면의 양태일 뿐이니, 그러므로 유형의 사물이란 찰나의 순간적인 한 국면에 지나지 않는 것이다.

인문철학적 관점에서 바라보면, 물질의 관리자이면서 운전자인 '나(自己同一性)'는 기의 흐름이 파도치고 휘몰아치며 취산하는 양자의 바다를 거니는 실존적 존재라 할 수 있다. 그러므로 눈에 보이는 거시세계의 물질이 한순간의 찰나에 불과하다는 것을 통찰한다면 순간에 집착하는 마음을 버릴 수 있을 것이다. 눈에 보이는 권력과 돈, 거대한 빌딩과 명예 등 거시세계에서 오는 인간 만사에 대한 소유욕은 순간순간 요동치면서 취산을 반복하고 빠르게 변화하는 미시세계의 진면목을 마음으로 직시한다면 불교에서 말하는 고집멸도(苦集滅道)[10]를 각(覺)할 수 있을 것이다.

입자는 홀로 존재할 수 없으며, 파동의 성질을 가지고 서로

---

9) 프리초프 카프라, 김용정·이성범 공역, 『현대물리학과 동양사상』, 범양사, 2017, p.275.
10) 불교의 근본 원리인 사성제(四聖諦)를 이르는 말. 고(苦)는 인생의 고통, 집(集)은 번뇌의 집적, 멸(滅)은 번뇌를 멸하여 없게 한 열반(涅槃), 도(道)는 열반에 이르는 방법을 뜻한다.

고리를 지어 존재한다. 즉, 우주 만물이란 유기적 일체로서의
상호관계망으로 연결된 전일성이라 할 수 있다. 그러므로 원자
의 상호작용으로 형성한 물질의 운전자인 나(我)는 결코 홀로
존재할 수 없으며(獨存), 상호관계망 속에서 서로 고리(環)를
지어 일체로서 존재한다(環存).

철학적으로 본다면 나는 하늘과 땅이 서로 교합하여 생한 존
재로서 천지 만물의 네트워크시스템 속에서 천지와 더불어 공동
참여하고 있는 존재라 할 수 있다. 『중용』은 사람(人)이란 천지
(天地)와 더불어 삼신일체 중 하나의 구성원으로서 우주의 작
용에 공동참여하는 주체적 존재임을 강조하고 있다.

> 천지의 화육을 도울 수 있게 되면 인간은 천지와 더불어 셋
> (三神一體)이 된다.[11]

우주는 공간 입자 그 자체이며, 입자는 파동의 성질을 가지
고 있다. 그러므로 입자는 서로 고리(loop)로 연결된 파동의 성
질로서 전체를 구성하는 부분으로서의 유기체이니 곧 전체와
부분은 전일적 하나(一)로서 동일체가 된다. 세계는 오직 양자
장으로 이루어져 있다.[12] 공간 속에 공간양자가 있는 것이 아
니라 양자 그 자체가 상호관계를 맺으며 연결망을 구축해가는

---

11) 『中庸』 第22章, "可以贊天地之化育, 則可以與天地參矣."
12) 카를로 로벨리, 김정훈 역, 『보이는 세상은 실재가 아니다』, ㈜쌤
앤파커스, 2018, p.192

것이 곧 공간이 된다. 양자 간의 연결망 그 자체가 공간이고 상호작용을 통한 변화과정이 곧 시간이니, 時空이란 분리된 각각이 아니라 서로 하나(一)일 뿐이다. 그러므로 양자의 연결망 그 자체가 공간이 되고 양자의 상호작용으로 일어나는 변화가 곧 시간이니, 시간과 공간은 양자장의 작용 그 자체라 할 수 있는 것이다.[13)

그렇다면 허공에 던져진 주사위와 주사위가 표상해 내는 괘상의 의미는 무엇일까? 공간에 던져진 주사위도 공간입자 그 자체이므로 파동과의 공명을 이루면서 시공간의 변화와 작용을 그대로 표상해 낸다. 즉, 주사위는 불확정한 상태에 놓여 있는 기의 흐름 중의 한 단면을 그대로 포착하여 표상해 내는 것이다. 그러므로 주사위를 통해 포착해낸 미시세계의 불확정성의 한 단면을 64괘로 전화(轉化)하여 분석함으로써 거시세계의 인과관계 및 만물의 작용과 변화, 그리고 인사길흉을 읽어낼 수가 있다. 궁극적으로 인간은 괘의 해석을 통해 예지를 발휘하여 피흉추길(避凶趨吉)함으로써 득실을 판단하여 생존의 이로움을 취할 수가 있는 것이다.

모든 사물과 사건들이 서로 연관되고 통일되어있다는 것의 자각과 모든 현상 등에 대한 경험을 근본적인 一者(oneness)가 드러나는 것으로 자각하는 것은 동양적 세계관이 공통적으로 가지는 가장

---

13) 카를로 로벨리, 김정훈 역, 『보이는 세상은 실재가 아니다』, ㈜쌤 앤파커스, 2018, pp.168-176.

중요한 특징이다. (······) 동양적 세계관에서는 모든 사물은 상호의
존적이고 분리될 수 없는 것으로 보며 동일한 궁극적 실재의 일시
적인 양태로 본다.[14]

역(易)은 지구를 도는 달이 태양의 각도에 따라 시시각각으
로 모양을 달리해가는 '변화'의 뜻이 들어있으며, 영어로는 『
book of changes』라 번역된다. 음양이 대립과 대대를 통해 하
나의 괘상을 이루어내듯이, 괘는 천지를 상징하는 상·하괘로
짝을 이루어 64괘의 변화를 만들어낸다. 괘상이란 변화과정 중
의 한 양태일 뿐이니, 괘는 정지되어있는 것이 아니라 끊임없이
변화하는 과정의 도상에 있다. 만물도 그 자체가 역동적인 변화
이듯이 이를 표상한 괘상도 변화라는 속성을 가지고 있는 것이
다.

그러므로 보이는 것(顯)과 보이지 않는 것(微) 모두가 서로
그물망처럼 전일성으로 연결됨으로써 허공 속에 던져진 주사위
가 주변과 공명을 이루며 하나의 괘상으로 모습을 드러낼 때,
우리는 그 괘상의 변화를 분석함으로써 인사의 길흉·득실을
점칠 수가 있다. 허공으로 던져진 주사위가 포착해낸 괘상은 인
사는 물론 주변 환경의 변화, 그물망처럼 연결된 시공의 생태학
적인 변화까지도 포함한다.

하나의 괘는 우주를 상징한다. 우주는 인간의 관점에서 본다

---

14) 프리초프 카프라, 김용정·이성범 공역, 『현대물리학과 동양사상』,
범양사, 2017, pp.412-413.

면 영원(時)과 무한(空)이지만, 우주를 유기적 일체의 생명으로 인지한다면 어제와 오늘은 '지금'이라는 시간으로 하나(一)가 되고, 이곳과 저곳은 '여기'라는 공간으로 하나(一)가 된다. "천지가 시작한 것은 바로 오늘이다."[15]라고 『순자』가 말했듯이, 일체를 하나의 생명으로 인지하는 동양사상과 만물을 유기적 일체로 보는 양자역학의 관점은 서로 일치한다. 그러므로 역은 점(占)을 통해 괘의 변화를 읽고 자연의 흐름을 예측하며, 그럼으로써 길흉·득실은 물론 마음을 다스리는 정신적 수양에도 활용할 수가 있는 것이다.

천지인 삼재는 태극(一)이 함유하고 있는 속성으로서 셋 중에 하나만 모자라도 태극(一)이라는 본체는 형성되지 않는다. 그러므로 천지인은 서로가 동등한 삼신(三神)으로 표현되며, 삼신일체로서 실재적 하나(一)를 구성하는 유기적 일체가 된다. 이것은 '하늘(天)과 땅(地)과 만물(人)이 서로 동등하다'라는 것을 의미하며, 서로 영향을 주고받는 생태학적 공동운명체라는 것을 말해준다.

음양 양극은 그 차이점이 아무리 생생하더라도 어느 쪽도 다른 쪽 없이는 존재할 수 없다는 단순한 이유로 서로 완전하게 분리될 수 없는 상호의존적인 것으로 남는다.[16] 『노자』는 이를 "그러므로 있음과 없음은 서로를 낳아주고, 어려움과 쉬움은 서로를

---

15) 『荀子』, 「不苟」 卷2, "天地始者, 今日是也."
16) 켄 윌버, 김철수 역, 『무경계』, 정신세계사, 2022, p.55.

전제로 성립하며, 길고 짧음은 상대를 드러내 주고, 높고 낮음은 서로에게 기대며, 음과 소리는 서로 어울려 조화를 이루고 앞면과 뒷면은 서로 따라 다닌다."17)라고 단순명쾌하게 상호의존관계를 정의하고 있다.

켄 윌버(Ken Wilber)는 이러한 대립자의 필수적인 상호의존성을 다음처럼 설명한다.

> 오목면의 외선은 동시에 볼록면의 내선이기도 하기 때문에, 어느 한 쪽은 다른 쪽 없이는 전혀 존재할 수가 없다, 오목면을 어떻게 그리든 간에, 그 한 개의 선이 또한 볼록면도 그리게 되기 때문이다. 따라서 볼록 없는 오목은 결코 존재할 수 없다. 모든 대극(對極)과 마찬가지로 이들은 언제나 치밀하게 서로를 포용하도록 운명 지어져 있다.18)

우주는 음과 양이라는 기본적인 동력에 의하여 형성된다. 음과 양은 서로 대립하면서도 상호작용하는 대대 관계로써 중(中)이라는 만물의 근원을 생성한다. 이것을 달리 표현하면 天(陽)과 地(陰)가 서로 상감상통(相感相通)함으로써 人(中)을 생하는 것이니, 우주는 天地人이 공동 참여함으로써 상호관계하는 '참여적 네트워크시스템(參贊天地之化育)'이라 정의할 수 있다. 그러므로 천지의 화육에 참여할 수 있다면 인간은 천지와 더불어 셋이 되는 것이니, 이는 '天地人이

---

17) 『老子』 第2章, "有無相生, 難易相成, 長短相形, 高下相傾, 音聲相和, 前後相隨."
18) 켄 윌버, 김철수 역, 『무경계』, 정신세계사, 2022, p.61.

삼신일체를 이루는 삼태극(三太極)의 원리가 되는 것이다.

인간은 만물을 대표하는 존재로서 나 홀로 존재할 수 없다. 天地人은 전일성으로 존재하며, 人은 天地와 더불어 하나(一)가 되는 삼신일체의 중심이다. 그러므로 천지인은 각각 '독존(獨存)'이 아니라 서로서로 고리(環)로 연결되어 상호관계하며 공존하는 '환존(環存)'이라 정의할 수 있다.

하늘(天)은 양(陽)이요, 땅(地)은 음(陰)이니, 하늘(天)과 땅(地)이 상호작용하여 낳은 사람(人)은 하늘의 성질(陽)과 땅의 성질(陰)을 모두 가지고 있는 중화적 존재이다.

天地人이 서로 조화를 이루어 환존(環存)함으로써 우주가 존재하는 것이니 어느 것 하나라도 없다면 우주는 존립할 수가 없다. 그러므로 천지인은 우주 본체(一)를 구성하는 삼신(三神)으로서 일체(一)이니 셋이면서 곧 하나라 할 수 있는 것이다 (一卽三 三卽一).

'모든 사물의 이치를 끝까지 파고 들어가 앎에 이른다'라는 격물치지(格物致知)[19] 정신이 동양철학이라면 거시세계와 미

---

19) 가장 널리 알려진 『대학』의 주석인 주희(朱熹)의 『대학장구 (大學章句)』에 따르면, "사물의 이치를 궁극에까지 이르러 나의 지식을 극진하게 이른다."는 뜻으로 해석할 수 있다. 『대학』의 경전 원문에서는 격물치지 문제에 관한 것으로, "나의 지식을 극진하게 이루는 것은 사물의 이치를 궁극에까지 이르는 데 달려 있다(致知在格物).", "사물의 이치가 궁극에까지 이른 다음에 내 마음의 지식이 극진한 데 이른다(物格而後知至).", "이것을 일러 나의 지식이 극진한 데 이르렀다고 한다(此謂知之至也)."라는 세 구절이 있다. :

시세계를 탐구하여 궁극에 이르고자 하는 것은 현대물리학의 본질이다. 모든 사물과 현상들이 서로 하나로 연결된 전일적 일체 관계에 있다는 동양적 깨달음에 과학적 깊이를 더한다면 추상적 사색에 구체적 증거가 보태져 완전한 하나(一)를 이룰 수가 있을 것이다.

<참고> 한국민족문화대백과, 한국학중앙연구원

3. 역수(易數)의 중화론

공자 이전에는 문왕의 64괘가 있었고, 사실상 선천역이나 후천역의 구분이 없었다. 다만 「계사전」에는 복희씨가 그린 팔괘와 8괘를 중첩하여 만든 문왕64괘가 언급되고 있어 문왕의 64괘 이전에 복희의 8괘가 있었음을 추론할 수가 있을 뿐이다. 송대에 이르러 소옹(邵雍)이 「설괘전」에서 공자(孔子)가 언급한 구절[1]을 근거로 선천역과 후천역으로 구분하여 그려냈으니 바로 복희팔괘도와 문왕팔괘도이다. 현재 학계에서 당연한 것처럼 받아드리고 있는 선천역 복희팔괘와 후천역 문왕팔괘는 송대의 소옹에 의해 정립된 것이다. 이전에는 문왕역 64괘의 상(象)과 사(辭)가 점서로 활용되었고, 이후 공자의 『역전』에 의해 인문적 해석이 더해지면서 점서에서 인문철학서로 그 성격이 전환되기 시작한다. 소옹은 천지 만물의 상을 포착하여 선천역으로 규정한 복희팔괘의 근거를 「계사전」에서 찾고 있다.

복희씨가 우러러 하늘의 상(象)을 관찰하고 구부려 땅의 법(法)을 관찰하며, 새와 짐승의 문(文)과 천지의 마땅함을 관찰하며, 가까이는 자신에서 취하고 멀리는 사물에서 취하여, 이

---

1) 『周易』, 「說卦傳」 第3章, "天地定位, 山澤通氣, 雷風相薄, 水火不相射, 八卦相錯." 이것은 복희팔괘도를 밝힌 글이다.
　『周易』, 「說卦傳」 第5章, "帝出乎震, 齊乎巽, 相見乎離, 致役乎坤, 說言乎兌, 戰乎乾, 勞乎坎, 成言乎艮." 이것은 문왕팔괘도를 밝힌 글이다.

에 비로소 팔괘를 만들어 신명의 덕(德)을 통하고 만물의 정(精)을 분류하였다.[2]

또한 소옹은 「복희팔괘차서도」의 일분위이(一分爲二) 원리를 통하여 괘가 가일배법(加一倍法)이라는 이진법적 수리체계로 구성되어 있음을 밝혀낸다. 즉, 만물의 취상을 통하여 형성된 팔괘에서 수리를 발견함으로써 우주 만물의 수리적 이치와 괘의 과학적 접점을 이루어낸 것이다. 인문학적 개념인 괘상과 과학적 개념인 물상에 대한 접점을 통하여 괘와 과학이 상호 관통할 수 있는 가능성을 제시한 것이라 할 수 있다.

우주에 미만해 있는 만상(萬象)은 각각 자체의 상(象)을 가지고 있으며, 한 개의 물상(物象)을 관찰함으로써 수상(數象)까지도 파악할 수가 있고 그 물(物)의 운동 원리를 찾을 수가 있다. 모든 동·식물에 있어서도 반드시 形(有形)이 있는 곳에는 象(無形)이 있고 상이 있으면 수가 있기 마련이다.[3] 수리(數理) 없는 과학이란 있을 수 없듯이, 그러므로 물상에 대한 인문적 개념을 범주화한 팔괘에 수리적 개념이 부재하다면 이 또한 견강부회라 할 수 있겠다.

『주역』은 "역은 천지와 똑같다(易與天地準)."라는 「계사전」

---

2) 『周易』, 「繫辭傳下」 第2章, "古者包犧氏之王天下也, 仰則觀象於天, 俯則觀法於地, 觀鳥獸之文, 與地之宜, 近取諸身, 遠取諸物, 於是始作八卦, 以通神明之德, 以類萬物之情."
3) 한동석, 『우주변화의 원리』, 대원출판, 2013, pp.187-190.

의 정의를 근거로 괘상의 변화를 통하여 만물의 변화와 이치를 탐구하고, 인문철학적인 관점에서의 존재를 규정하여 수신의 도구로서, 그리고 길흉을 예측하여 보다 나은 삶을 영위하고자 하는 수단으로 활용되어왔다.

그러나 역에 과학적이며 수리적인 이치가 부재하다면 어찌 "역은 천지와 똑같다."라고 정의할 수 있겠는가? 그러므로 소옹이 「복희팔괘차서도」를 통해 발견한 팔괘의 수리적 이치는 현대물리학인 양자역학과 상통하는 관문이 될 수 있다. 본 장에서는 가일배법의 원리에 의해 세워진 「복희팔괘차서도」에 내장된 수리를 통해 후천역인 문왕팔괘를 논리적으로 통섭하여 양자역학과의 접점을 찾아 『주역』의 과학화를 시도한다.

라이프니츠4)에 의하면, 복희팔괘도는 천역(天陽)의 관점에서 양효를 1로 보고 음효를 0으로 하여 가일배법이라는 이진법 수리체계로 세워진 것이다. 가일배법으로 배열된 복희팔괘도는 선천역학으로 분류되어 천도(天道)사상을 드러낸다. 논리적으로 볼 때 양과 음은 서로 동등한 대대 관계에 있으므로 양의 관점인 복희팔괘도의 생성원리에 따라 반대의 관점에서도 음의 관점으로 가일배(加一倍)하여 괘의 배열을 상정해 볼 수 있을 것이다. 복희역이 양의 관점인 천역(天易)이라고 할 때, 음의

---

4) 라이프니츠, 독일의 철학자이자 수학자, 1646년~1716년, 2진 법과 미적분을 발명한 수학자로 널리 알려져 있으며, 컴퓨터공학 분야에서는 라이프니츠 계산기의 발명자로도 유명하다.

관점은 지역(地易)이라 지칭할 수 있고, 양과 음의 교합에 의해
도출된 중(中)의 관점은 인역(人易)이라 칭할 수 있을 것이다.
즉, 대대 관계에 있는 天(陽)과 地(陰)가 상호작용을 통해 논리
적으로 人(中)을 도출할 수가 있는 것이다.

1) 상(象)과 수(數)

　우주 만물을 여덟 개의 인자로 개념화한 팔괘는 만물을 취상하여 세운 것이다. 역은 광대무변한 우주를 간략하게 범주화함으로써 우리는 괘상을 통하여 만물의 변화와 이치를 쉽게 이해할 수 있다.[1] 『주역』은 상(象)과 수(數)와 문자(辭)로 이루어져 있지만 송대 이전은 수학으로서의 수와 관련된 논리는 찾아보기 어렵다.

　『역전』은 "天은 1이고 地가 2이며, 天은 3이고 地가 4이며, 天이 5이고 地가 6이며, 天이 7이고 地가 8이며, 天이 9이고 地가 10이니"[2]라고 하여, 천지 만물을 표상하는 역은 근본적으로 양의 기수(奇數)와 음의 우수(偶數)로 표현할 수 있음을 말하고 있다. 또한 "육효의 움직임은 천지인의 지극한 도이다 (六爻之動 三極之道也)."라고 하였으며, 주희(朱熹)는 이것을 "육효는 初와 二는 地가 되고, 三과 四는 人이 되고, 五와 上은 天이 된다. 동(動)은 변화이고 극(極)은 지극함이니 삼극은 천지인의 지극한 이치이다. 삼재는 각각 하나씩 일태극(一太

---

[1] 『周易』, 「繫辭傳上」 第1章, "乾以易知, 坤以簡能, 易則易知, 簡則易從, 易知則有親, 易從則有功, 有親則可久, 有功則可大, 可久則賢人之德, 可大則賢人之業, 易簡而天下之理得矣, 天下之理得而成位乎其中矣."

[2] 『周易』, 「繫辭傳上」 第9章, "天一地二天三地四天五地六天七地八天九地十."

極)을 갖는다."3)라고 주석하고 있다.

소옹(邵雍)은 상에 내재하고 있는 근원적인 수를 리수(理數)라고 정의하고 있다. "리수란 이치를 함유한 수라는 뜻인데 구체적으로 1~10까지 기우수(奇偶數)에 천지자연의 이치가 함유되어 있다는 것이다."4) "소옹은 「관물외편」에서 역에는 외상(外象)과 내상(內象)이 있는데 내상을 리수라 했다. 즉, 외상이란 밖으로 드러난 상이고, 내상이란 보이지 않는 상인데 이를 리수라 하였다. 리수의 뜻은 태극에서 나온 기우수로 자연의 이치를 함유한 수를 의미한다."5)

괘는 상이지만 전통적으로 수와 겸칭하고 있다. 양효는 3, 음효는 2로 표현하고 있으며, 효를 말할 때 양효는 3의 3배수인 구(九), 음효는 2의 3배수인 육(六)으로 지칭한다.6) 전통적인

---

3) 朱熹, 『周易本義』, "六爻. 初二爲地, 三四爲人, 五上爲天. 動卽變化也, 極至也, 三極天地人之至理. 三才各一太極也."

4) 조희영, 「『주역』에 내재된 理數의 함의」, 『한국사상과 문화』 제77호, 한국사상문화학회, 2015. p.326.

5) 조희영, 「소강절 역수론은 어떻게 구성되었나?」, 『철학논총』 제81집, 새한철학회, 2015, p.261.

6) 朱伯崑, 김학권 외4 공역, 『역철학사1』, 소명출판, 2012, p.165, "하늘에서 셋(參)을 취하고 땅에서 둘(兩)을 취해서 숫자에 의지하였다(參天兩地而倚數)와 관련해서 東漢의 경학자들은 모두 天地之數 혹은 大衍之數와 관련이 있다고 생각하였다. 마융 등은 參天은 天數 1,3,5를 가리켜서 합하면 9가 되고, 兩地는 地數 2.4를 가리켜서 합하면 6이 되므로 參天兩地는 수 9와 6을 가리킨다고 생각하였다. 정현은 하늘의 수 3(天參)과 땅의 수 2(地兩)를 합하면 5

음양의 수를 살펴보면, 「설괘전」은 "하늘에서 3을 취하고 땅에서 2를 취하여 수에 의지하며, 음양이 변화하는 것을 관찰하여 괘를 세우고 강유를 발휘해서 효를 내었다."[7]라고 하여, 근본적으로 양효는 3이 되고 음효는 2라 하였다.

이것은 효의 상에서 수를 취한 것으로 중국 남송의 주희(朱熹)는 "하늘은 둥글고 땅은 네모진바, 둥근 것은 하나에 둘레가 三이니, 三은 각각 한 기(奇)이므로 하늘에서 셋을 취하여 三이 되고, 네모진 것은 하나에 둘레가 넷이니, 넷은 두 우(偶)를 합한 것이므로 땅에서 둘을 취하여 二가 되었으니, 수가 모두 이에 의하여 일어났다."[8]라고 하여 효를 수로 나타내고자 하였다. 지름과 원주율의 비율이 1:3.14이고, 효상(爻象)을 취하면 직선은 두 점 사이를 잇는 것이고, 원은 점 하나를 더 추가하여 세 점을 서로 이은 것이 되니 원과 직선의 비율은 3:2가 된다. 이것을 효상의 관점으로 보면 양효는 (─)가 되고, 음효는 (--)가 되며, 그래서 세 개의 효로 이루어진 건괘☰는 9가 되고 곤괘☷는 6이 되어 양효는 九로 칭하고 음효는 六으로 칭하는 것이다.[9]

가 되어서, 대연지수가 곧 5에서 연역해낸 것임을 표시한다고 생각하였다."

7) 『周易』, 「說卦傳」 第1章, "參天兩地而倚數, 觀變於陰陽而立卦, 發揮於剛柔而生爻."

8) 朱熹, 『周易本義』, "天圓地方, 圓者, 一而圍三, 三各一奇, 故參天而爲三, 方者, 一而圍四, 四合二偶, 故兩地而爲二, 數皆倚此而起."

역은 천지의 법칙에 준거하여 만들어졌으므로 천지와 똑같은 것이니(易與天地準), 만물에 편재하고 있는 리수(理數)는 만물을 그대로 취상한 괘상에도 내재하고 있다고 할 수 있다. 그 리수가 작용을 통해 만물의 변화로 드러난 것이 수리(數理)이니[10], 소옹은 이를 근거로 괘상에서 가일배법의 원리를 통해 선천역인 복희팔괘를 세움으로써 이진법 수리로 물상과 괘상의 과학적 접점을 이루는 상통의 문을 열었다고 할 수 있다.

　본 장에서는 복희팔괘를 이진법 체계인 가일배법 원리로 파악한 라이프니츠의 『역경』에 관한 수리를 살펴보고, 이진법 체계로 양의 관점인 천역(복희역)을 수리화한 후, 같은 논리로 음의 관점인 지역의 수리를 도출, 이어서 천역(天易)과 지역(地易)의 교합인 인역(人易)을 도출하여 중(中)의 관점에서 수리화를 모색한다.

　현대물리학의 관점에서 물리는 역의 음양과 상통하므로 음양

9) 박규선 · 최정준, 「괘효의 수리화에 따른 역의 과학적 해석연구」, 『동방문화와 사상』 제10집, 동양학연구소, 2021, pp.16-17.

10) 고회민, 곽신환 역, 『소강절의 선천역학』, 예문서원, 2011. p.349-351, "수(數)의 함의는 두 개가 있는데, 하나는 형상을 헤아리는 수로서 상이 생긴 다음에 있게 되는 것이니 양수(量數)라 하고, 다른 하나는 생각이나 사상 속의 수로서 상이 생기기 전에 먼저 있는 수이니 소옹은 이를 리수(理數)라 불렀다. 역의 기수(奇數)와 우수(偶數)는 직접 태극으로부터 나온 것이기 때문에 리수(理數)가 된다. 내상(內象)이나 내수(內數)는 理數를 가리키고, 외상(外象)이나 외수(外數)는 상 혹은 양수(量數)를 가리킨다." 리수(理數)는 양수(量數)의 개념인 수리(數理)와는 다른 개념이다.

은 곧 물리의 플러스(+), 마이너스(-) 에너지로 표현된다. 라이프니츠는 가일배법의 원리로써 만물의 생화 원리를 괘상으로 표상한 소옹(邵雍)의 복희역64방원도가 자신의 이진법 수리과 부합한다고 하였다. 즉, 만상(萬象)을 그대로 본떠 취상한 역의 괘상은 수학적 체계를 구비한 과학적 가치를 지닌 것이라 할 수 있다는 것이다. 현대 역학의 조류는 과거 데카르트(René Descartes)와 뉴턴(Isaac Newton)으로 대변되는 인과론적이며 기계론적인 근대 우주관에서 벗어나 우주가 하나의 유기체적 생명이라는 현대물리학의 양자역학적 관점에서 하늘(天)과 땅(地)을 통일적 관점으로 바라보고 있다. 그러므로 작금은 형이상학적이고 추상적인 관념에서 벗어나 사람(人)이 주도하는 인본주의적인 관점에서 괘의 수리화를 통해 현대과학과의 접점을 모색하는 적극적인 개념의 역학의 필요성이 대두되고 있다.

> 천지가 비롯되게 하는 소이(所以)는 수(數)요, 사람과 만물
> 이 생겨나게 하는 소이도 수(數)다.[11]

"『주역』의 상수(象數)는 천지의 법상(法象)을 본뜬 것"[12]이니, 그러므로 수학이 없으면 과학도 없고 괘상과 물상도 그 근거를 잃어버린다. 괘(卦)와 물(物) 속에는 그 나름의 시스템화

---

11) 蔡沉, 『洪範皇極』, 「自序」, "天地之所以肇者數也, 人物之所以生者數也."
12) 王夫之, 『周易內傳』 卷5, 「繫辭傳上」 第4章, "易之象數, 天地之法象也."

된 특성이 있는데 그것은 수(數)라고 할 수 있다. 사물의 근원에서 물질을 구성하고 있는 원자(atom)는 수리적 결합에 따라 다양한 기물(器物)을 만들어낸다. 리(理)가 추상적 개념이라면, 수(數)는 괘상과 물상을 각각 차별화하는 과학적 근거로서 사물과 사물의 차이를 만들어내는 구체적 요소라 할 수 있다.

『주역』은 낳고 낳음으로써 끝없이 순환하는 生生之道[13]의 이치를 밝힌 것이니, 주희(朱熹)는 이를 "음은 양을 낳고 양은 음을 낳아 그 변화가 무궁하니, 이치와 역이 모두 그러하다."[14] 라고 하였으며, 공자(孔子)는 괘의 변화를 통해 만물의 길흉을 알 수 있는 점(占)의 원리를 괘상에 내재하고 있는 "수(數)를 지극히 함으로써 미래를 아는 것"[15]이라고 정의하고 있다.

본 장에서는 과학적으로 증명이 어려운 이성적 사유의 범위를 벗어난 술수(術數)나 서법(筮法)의 수를 떠나, 이진법 수리 체계인 가일배법으로써 괘의 생성원리를 표상한 복희팔괘도를 통해 과학과 역학의 접점을 탐구한다.

(1) 양(陽)의 관점

태극(1)에서 음양의 분화로 양의(2)가, 양의에서 음양이 분합(分合)하여 2배가 되면 사상(4)이, 사상에서 음양이 분합하면

---

13) 『周易』,「繫辭傳上」第5章, "生生之謂易."
14) 朱熹, 『周易本義』, "陰生陽, 陽生陰, 其變無窮, 理與書皆然也."
15) 『周易』,「繫辭傳上」第5章, "極數知來之謂占."

팔괘(8)가 되는 라이프니츠(Gottfried Wilhelm Leibniz)의 이진법 수리 연산체계는 "역에 태극이 있으니, 이것이 양의를 내고, 양의는 사상을 내고, 사상은 팔괘를 내다."[16]라는 「계사전」에 근거한다. 『주역』에서의 이진법 수리체계는 소옹이 「복희팔괘차서도」를 통하여 팔괘의 생성과정을 수리적으로 표상한 가일배법(加一倍法)[17]을 의미한다.

"이진법을 『주역』의 부호에 적용하면 음(--)은 0으로 치환될 수 있고, 양(—)은 1로 치환될 수 있다. 이러한 방식으로 64괘로 구성된 『주역』의 상징부호체계는 곧바로 이진법의 연산식으로 전환될 수 있다.

예를 들면 곤(坤䷁)은 000000이 되고. 박(剝䷖)은 000001이 되고, 쾌(夬䷪)는 111110되고, 건(乾䷀)은 111111이 된다."[18] "이러한 이진법 수리는 이미 팔괘의 성립과정을 설명하는 「복희팔괘차서도」에서 가일배법이라는 수리체계로 설명이 되고 있

---

16) 『周易』, 「繫辭傳上」 第11章, "易有太極, 始生陽儀, 兩儀生四象, 四象生八卦."
17) 정병석, 「소옹의 선천역학」, 『지식의 지평』 제11호, 대우재단, 2011, p.283, "도상을 통한 소옹의 해석의 바탕에는 가일배법(加一倍法)이라는 수학적 연산을 통하여 시간과 공간을 포함한 우주와 세계의 도식을 체계화하여 "천지는 어떻게 생성되는가?" "천지에 앞서서 있는 것은 무엇인가?" 등의 형이상학적인 물음에 대한 철학적 사유가 깔려있다."
18) 방인, 「주역과 인공지능」, 『철학연구』 제145집, 대한철학회, 2018, p.99.

다. <그림 13>은 「복희팔괘차서도」로서 음효를 0으로 하고, 양효를 1로 하여 하나의 효가 배가하여 분화될 때마다 이진법 수리를 적용하여 괘상에 수를 배정하는 원리를 나타낸 것이 다."[19]

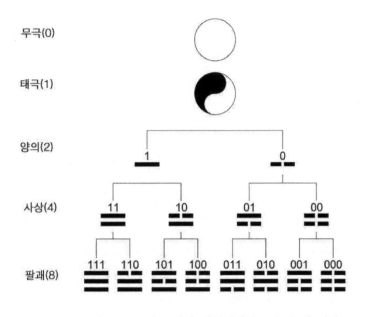

<그림 13> 효의 분화와 가일배법(加一倍法)의 원리

위의 산정방식은 위에서부터 아래로 셈하는 '양의 관점'[20]에

---

19) 박규선·최정준, 「괘효의 수리화에 따른 역의 과학화 연구」『동방문화 와 사상』제10집, 동양학연구소, 2021, pp.23-24.
20) 沈大允, 『周易象義占法』, "伏羲之畫, 法乎先天而順數自上而下, 畫一奇以象天, 重畫一奇以象人, 又畫一奇以象地, 三才之道備而成

서 가일배법의 원리를 적용한 것이다. 이와 같은 원리로 음의 관점에서도 가일배(加一倍)함으로써 2진법 수리를 적용하여 셈할 수 있다. 이는 『역전』의 "한번은 음하고 한번은 양하는 것이 도다(一陰一陽之謂道)"라는 음양의 평등성을 근거로 한다. 태극은 음양이 동등하게 나뉘어 상호작용함을 보여주고 있으며, 괘상의 하나하나는 음과 양이 어느 한쪽으로 편중되어 있으나 전체적으로는 양효 12개, 음효 12개로 완전한 균형을 이루고 있다. 마찬가지로 우주의 다양한 양태는 8괘를 상하로 중첩시킨 64괘의 복잡다단한 모습으로 나타나지만, 64괘를 구성하는 음효와 양효의 수는 음효 192개 양효 192개로 전체 384개를 균등하게 구성하고 있다.

양자물리학의 미시적 관점에서 보면, 양성자와 중성자로 구성된 원자핵은 양전하를 띠고, 핵 주위를 불규칙하게 도는 전자는 음전하를 띤다. 그리고 전하를 띠지 않는 중성자는 조절자로서의 역할을 수행한다. 양성자(+)와 전자(-)의 전하량은 서로 같으며, 이것은 한번 음하면 한번 양하는 음양의 대등한 관계,

---

卦, 名之曰乾, 有奇必有耦, 故三偶而名之曰坤, 奇陽也 偶陰也."
: 복희의 획는 先天을 법해서 순(順)하게 위로부터 아래로 센 것이다. 하나의 홀수를 그려 하늘(天)을 상징하고, 거듭 하나의 홀수를 그려 사람(人)을 상징하고, 다시 하나의 홀수를 그려 땅(地)을 상징한 것으로 삼재의 도가 갖추어져 괘를 이루니 명명하여 건(乾)이라고 한다. 홀수가 있으면 반드시 짝수가 있기 때문에 세 짝수는 명명하여 곤(坤)이라고 한다. 홀수는 양이고 짝수는 음이다.

즉 "一陰一陽之謂道"를 나타낸다. 이는 만상의 근원인 원자가 근원적으로 음양의 대칭성으로 이루어져 있음을 의미한다.

이와 같은 논리로, 양의 관점과 반대로 음을 −1로 보고 양을 0으로 보면 같은 방식으로 음의 관점에서도 양의 관점(복희팔괘도)과 동일한 논리를 전개할 수가 있다. 양의 관점은 위에서부터 아래로 이진법 수리로 양효의 수리를 산정하는 방식이고, 음의 관점은 아래에서부터 위로 이진법 수리를 적용하여 음효의 수리를 산정하는 방식이다.

먼저 양의 관점에서 라이프니츠의 이진법 논리대로 음효를 0으로, 양효를 1로 보고 팔괘를 이진법 수리로 전환한 <그림 10>의 복희팔괘차서도를 자연수로 환산하면 <그림11>와 같은 배열이 드러난다.

관점 ⬇	乾 (1) ☰ 111 +7	兌 (2) ☱ 110 +6	離 (3) ☲ 101 +5	震 (4) ☳ 100 +4	巽 (5) ☴ 011 +3	坎 (6) ☵ 010 +2	艮 (7) ☶ 001 +1	坤 (8) ☷ 000 0

<그림 14> 양의 관점: 天易(복희팔괘)의 수리화 모형[21]

<그림 14>는 양의 내재에너지가 큰 순서대로 나열된 것으로서 <그림 13> 복희팔괘차서도의 가일배법의 원리를 따른 것이다. 단순히 양의 수리만을 측정한 것이며 음은 0으로 처리하고

---

21) 박규선·최정준, 「괘효의 수리화에 따른 역의 과학화 연구」『동방문화와 사상』제10집, 2021, p.25.

있다. 천역인 선천복희팔괘도는 일분위이(一分爲二) 방식의 가일배법(加一倍法)에 따라 이진법 수리로 산출된 것으로서 괘 자체 속에는 수리적 이치가 근본적으로 내재하고 있음을 알 수 있다.

라이프니츠의 이진법 수리로 측정한 복희팔괘도는 양과 음의 기능적 측면에서 볼 때 단순히 양의 수리만을 측정한 것이며 음은 제로(0)로 처리함으로써 사실상 이를 무시하고 있다. 양의 관점에 의해 양의 수리를 측정한 것이므로 음양의 대등한 수리적 상호작용은 드러나지 않는다. 음과 양은 서로 대립 관계에 있으면서도 상대가 없으면 나도 존재할 수 없는 상호의존하는 상보적 관계에 있다는 "一陰一陽之謂道"의 논법이 수리적으로 적용되지 않고 있다. 대립하는 음양의 상호 관점에서 보면 상대의 존재성은 내가 존재하기 위한 필수적 전제조건으로서 '상호 대립하면서도 상호의존하는 대극(對極) 관계'로 규정지을 수 있다. "

음양의 대대 논리는 중(中)의 관념과 깊은 연관성을 갖는다."22) 즉, 음양의 대립과 대대를 통한 상호작용은 중이라는 조화를 생하기 위한 목적성에 있다고 볼 수 있다. 그러므로 양의 관점과 음의 관점을 수리화하여 중의 관점으로서의 수리를 도출하는 것은 논리적으로 타당하다고 할 수 있다.

---

22) 최영진, 「주역사상의 철학적 연구」, 성균관대학교 박사논문, 1989, p.7.

괘상은 음(--)과 양(—)이라는 효로 구성되며, 괘효를 수리화한 이진법은 0과 1이라는 수로 이루어져 있다. 괘효가 0(--)과 1(—)로 수리화되면 괘상은 수를 갖게 된다. 수를 갖게 된다는 것은 괘를 수의 크기로 바라볼 수 있게 되었다는 것을 의미한다. 괘가 수리를 갖게 됨으로써 비로소 과학적이고 논리적으로 서로를 정확하게 비교 분석할 수 있게 되는 것이다.

<그림 14>는 가일배법을 이용하여 소옹(昭雍)이 그린 「복희팔괘차서도」 <그림 13>의 '태극(1) - 음양(2) - 사상(4) - 팔괘(8)'의 순서와 라이프니츠의 '1 - 2 - 4 - 8'이라는 이진법 수리체계에 의해 괘효가 생성되는 순서가 서로 일치하고 있음을 보여준다.

부베(Joachim Bouvet)[23]가 라이프니츠에게 보낸 <그림 15>의 「복희역64괘방원도」를 보면 중지곤괘의 1에서부터 중

---

23) 박규선, 「괘효의 수리화에 따른 역의 과학적 해석 연구」, 『동방문화와 사상』 제10집, 동양학연구소, 2021. p.22. : "라이프니츠는 주역의 수학적 의미에 관심을 가진 철학자이자 수학자였다. 당시 중국에 있던 프랑스 선교사 부베(Joachim Bouvet, 1656-1730)에게 자신이 발견한 이진법을 상세하게 설명하는 편지를 보냈고, 부베는 64괘방원도의 배열이 이진법과 유사함을 알고 64괘방원도를 라이프니츠에게 보낸다. 부베가 생각한 것은 64괘에 있는 음효(--)를 0으로 보고, 양효(—)를 1로 보면 괘들이 일련의 수를 나타낸다는 것이다. 부베는 역경을 연구하면서 양효(—)를 완전한 것(1)으로 표현하고, 음효(--)를 불완전한 것(0)으로 표현하는데 익숙해 있어서 라이프니츠가 설명한 이진법을 바로 『역경』의 기호로 바꾸어 생각할 수 있었을 것이다."

천건괘의 63에 이르기까지 순서대로 수리가 매겨져 있다. 이것은 라이프니츠의 2진법 수리체계로써 양을 1로 놓고 음을 0으로 하여 자연수를 산정, 순서대로 배열한 것과 일치한다. 이것은 「복희역64방원도」가 현대 수학인 2진법 수리체계에 의하여 배열되었음을 의미한다.

　현대 디지털 문명으로 상징되는 컴퓨터의 기본원리는 0과 1로 대표되는 이진법 수리논리체계이다. 라이프니츠는 자신의

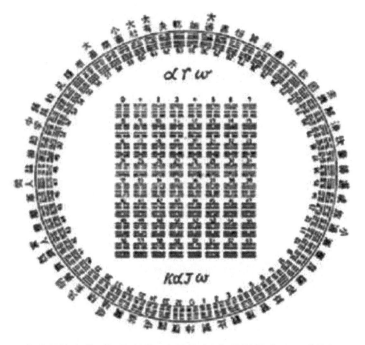

부베 신부가 라이프니츠에게 보낸 『주역본의』 괘상도

<그림 15> 부베의 복희역64괘 방원도

이진법 수리가 『주역』 괘에 들어있음을 발견하고, 후에 컴퓨터의 구동 원리로 0과 1이라는 이진법 수리를 적용하였다.

<그림 16>의 「복희역64괘방도」를 보면 그 순서가 중지곤괘 0에서 중천건괘 63에 이르기까지 이진법 수리체계로 배열이 되고

상괘 하괘	0	1	2	3	4	5	6	7
0	000000 0	000001 1	000010 2	000011 3	000100 4	000101 5	000110 6	000111 7
1	001000 8	001001 9	001010 10	001011 11	001100 12	001101 13	001110 14	001111 15
2	010000 16	010001 17	010010 18	010011 19	010100 20	010101 21	010110 22	010111 23
3	011000 24	011001 25	011010 26	011011 27	011100 28	011101 29	011110 30	011111 31
4	100000 32	100001 33	100010 34	100011 35	100100 36	100101 37	100110 38	100111 39
5	101000 40	101001 41	101010 42	101011 43	101100 44	101101 45	101110 46	101111 47
6	110000 48	110001 49	110010 50	110011 51	110100 52	110101 53	110110 54	110111 55
7	111000 56	111001 57	111010 58	111011 59	111100 60	111101 61	111110 62	111111 63

<그림 16> 복희역 64괘 방도

있음을 알 수 있다. 괘상의 아래 1과 0으로 이루어진 숫자는 수승화강(水昇火降)의 원리에 의해 위에서 아래로, 즉 陽(天)의 관점에서 이진법 수리로 효위(爻位)의 크기를 계산한 수이다. 불은 아래에 처할수록 위로 솟구치는 상향성이 강해지고, 음은 높은 곳에 위치할수록 아래로 떨어지는 하향성이 강해진다. 그래서 양효는 아래로 내려갈수록 상향성이 배가된다. 이진법 수리 아래에 배치된 수는 이진법을 자연수로 환산한 것으로서 부베가 보낸 <그림 15>의 「복희역64괘방원도」의 순서와 수리가 일치한다.[24]

(2) 음(陰)의 관점

소옹(邵雍)의 복희팔괘도는 양의 관점에서 괘를 바라본 것이다. '음양은 서로 동등하다(一陰一陽之謂道)'라는 전제하에 논리적으로 음의 관점에서도 괘를 바라볼 수 있다. "양을 귀하게 여기거나 음을 귀하게 여겨서는 안 된다. 음양은 스스로의 위치에서 천지의 작용에 참여하는 것이다. 우주 자연은 둥글고 둥글어서 치우침이 없다."[25] 그러므로 음의 관점의 경우에는 양의 관점과 반대로 음을 -1로 보고 양을 0으로 처리할 수 있다.[26] 음의 수리가 큰 순서로 나열하면 다음 <그림 17>과 같다.

---

24) 박규선, 「괘효의 수리화에 따른 역의 과학적 해석 연구」, 『동방문화와 사상』 제10집, 동양학연구소, 2021, p.22-29.
25) 김승호, 『주역원론2』, 선영사, 2009, p.122.
26) 김승호, 『주역원론2』, 선영사, 2009, p.122-123.

관점	乾 (8) ☰	巽 (7) ☴	離 (6) ☲	艮 (5) ☶	兌 (4) ☱	坎 (3) ☵	震 (2) ☳	坤 (1) ☷
↑	000 0	001 -1	010 -2	011 -3	100 -4	101 -5	110 -6	111 -7

<그림 17> 음의 관점: 地易의 수리화 모형

이 경우는 단순히 음효의 수만을 측정한 것이며 양효의 수를 제로(0)로 처리한다. 즉, 음의 관점은 단순히 음의 수리만을 측정한 것이며 양을 무시한 것으로서 음양의 대대와 상호작용은 드러나지 않는다. 즉, "一陰一陽之謂道"의 상호대립과 대대의 원리가 적용되지 않는다.

특이한 점은 음의 관점이 양의 관점과 정반대의 관점이라면 배열도 양의 관점과 정반대의 순서가 되어야 함에도 괘의 순서는 무질서하고 불확정적이다(후술 그림 15 참조).

(3) 중(中)의 관점

天地가 교감하여 상호작용함으로써 人을 생하는 것은 乾괘 와 坤괘가 서로 태통(泰通)하여 상하작용을 함으로써 64괘의 변화를 만들어내는 것으로 설명할 수 있다. "乾은 사물의 위대 한 창조를 주재하고, 坤은 사물을 완성시킨다."[27] 그러므로 만물은 乾으로 시작되고, 坤에서 생겨나는 것이니 "하늘은 象을 이루고, 땅은 形을 이루며 변화를 드러낸다."28) 乾은 만물의 씨앗인 생기가 되고, 坤은 생기를 길러 만물로 생육한다. 만물이 곧 人(中)이니, 태극은 음양의 교감으로 포태하고 있는 천지인 삼극을 펼쳐 천하에 변화를 드러낸다. 그러므로 人中은 天地·陰陽이 대립과 대대를 통한 상호작용으로 만들어내는 조화(造化)의 자리로서 천지인이 공동참여한 일체의 자리라 할 수 있다.

"만물이란 음양 양자가 서로를 낳으며 제삼자를 드러내는 것"29)으로서『노자』는 이것을 "만물은 음을 짊어지고 양을 끌어안아 충기로써 조화를 이루는 것"30)이라 하였으며,『중용』은 "천지의 화육을 도울 수 있다면 천지와 더불어 삼신일체가 된다."31)라고 하여 天地·陰陽의 상호작용은 人中을 목적으로 하고 있음을 밝히고 있다.

또한「계사전」은 "육효의 움직임은 천지인 삼극의 도"32)라고 정의하고 있으며, "天道가 있고 人道가 있고 地道가 있으니 삼재를 겸하여 두 번하였다."33)라고 하여, 물상에서 취상한 괘

---

27)『周易』,「繫辭傳上」第1章, "乾知大始, 坤作成物."
28)『周易』,「繫辭傳上」第1章, "在天成象, 在地成形, 變化見矣."
29)『管子』,「樞言」, "凡萬物陰陽, 兩生而參視."
30)『老子』第42章, "萬物負陰而抱陽, 沖氣以爲和."
31)『中庸』第22章, "可以贊天地之化育, 則可以與天地參矣."
32)『周易』,「繫辭傳上」第2章, "六爻之動, 三極之道也."

상에도 천지인 삼재가 내재하고 있음을 말하고 있다. 人은 天地가 교합하여 하나(一)된 中의 자리로서, 천지의 화육작용에 주체적으로 참여하여 하나의 우주 삼라만상을 이루는 '參贊天地之化育'의 뜻을 담고 있다.[34]

더 나아가 순자(荀子)는 "하늘에는 하늘의 절기가 있고, 땅에는 땅의 자원이 있고, 인간에게는 이들을 다스릴 수 있는 능력이 있다. 무릇 이것이 바로 '인간이 하늘과 땅과 더불어 나란히 셋일 수 있다(能三)."[35]라고 하여, 인간이 천지와 나란히 조화의 작용에 주체적이고 능동적으로 참여할 수 있음을 강조하고 있다.

음양은 동일체의 양면성으로 그 성질이 정반대이다. 그러므로 관점도 서로 상대적일 수밖에 없다. 즉, 양은 상향하고 음은 하향한다. 그러므로 음의 관점과 양의 관점을 교합하면 중의 관

---

33) 『周易』, 「繫辭傳下」 第10章, "有天道焉, 有人道焉, 有地道焉, 兼三才而兩之, 故六, 六者非他也, 三才之道也."

34) 參贊天地之化育(참찬천지지화육): 천지인이 공동 참여하여 하나를 이룬 人中은 사상적으로 '한'을 의미한다. 한'의 어원은 '크다, 넓다, 높다, 많다, 뭇'의 뜻과 수의 기본수인 하나(一)에서 나온 '한', '한가운데·한겨울'이라는 말에서처럼 '중앙·중심'이라는 뜻이 있다. 天地人이 中으로 합일된 하나(一)의 개념으로서 '一卽多 多卽一'의 의미가 내포되어 있으며, '다(多), 가운데(中), 같은(同), 합일(合一)'의 뜻도 함유되어 있다. : <참고> 김상일, 『현대물리학과 한국철학』, 고려원, 1991, pp.239-243.

35) 荀子, 『天論』 卷11, "天有其時, 地有其財, 人有其治, 夫是之謂能參."

점이 된다. 효위의 차등에 따른 위치 에너지를 측정하기 위해서는 양괘는 위에서부터 아래로 측정하고, 음괘는 아래에서부터 위로 측정한다. 그리고 이 측정값을 합하면 중의 관점의 수가 도출되는 것이다.

"양은 본시 위에 있는 것이므로 그것은 아래로 갈수록 위로 솟구치려는 위치 에너지가 커진다. (……) 물론 음의 성질은 아래에 거하는 것이므로 위로 올라갈수록 위치 에너지가 커질 것이다."[36] 불(陽氣)은 아래에 처할수록 위로 솟구치는 힘이 강하고, 물(陰氣)은 높이 처할수록 아래로 떨어지는 힘이 강하다. 즉, "양은 아래로 갈수록 위치 에너지가 커지고 음은 위로 갈수록 위치 에너지가 커진다. 음과 양은 평등한 것이다."[37]

그러므로 天地 · 陰陽이 교합된 人中은 중도(中道), 중용(中庸), 중화(中和)의 자리가 된다. 김승호는 그의 저서『주역원론』에서 복희팔괘도의 양의 관점을 근거하여 역(逆)으로 음의 관점을 수리화하고, 수승화강(水昇火降)의 논리로써 양과 음의 교합작용을 통해 중의 관점을 수리적으로 도출하고 있다. 중(中)의 관점을 수리화함으로써 음양의 대립과 대대가 상호작용을 통하여 중화(中和)를 이루어가는 이치를 수리적으로 이해할 수 있다.

<그림 18>을 보면 양의 관점인 천역(天易)과 음의 관점이

---

36) 김승호,『주역원론2』, 선영사, 2009, p.120-121.
37) 김승호,『주역원론2』, 선영사, 2009, p.121.

지역(地易)은 바라보는 관점이 서로 반대다. 그렇다면 배열도 반대가 되어야 하는데 천역의 위치가 정해지면 지역의 위치가 흩어진다. 마찬가지로 지역의 위치가 확정되면 천역의 위치가 흩어진다. 이것은 양자물리학의 불확정성의 원리[38]로 비교해 볼 수 있다.

天道(陽) 의 관점 ⬇ 天易	乾 (1) ☰ +7	兌 (2) ☱ +6	離 (3) ☲ +5	震 (4) ☳ +4	巽 (5) ☴ +3	坎 (6) ☵ +2	艮 (7) ☶ +1	坤 (8) ☷ 0
人道(中) 의 관점 ⬇⬆ 人易	乾 (1) ☰ +7	巽 (2) ☴ +5	離 (3) ☲ +3	震 (4) ☳ +1	兌 (5) ☱ -1	坎 (6) ☵ -3	艮 (7) ☶ -5	坤 (8) ☷ -7
地道(陰) 의 관점 ⬆ 地易	乾 (8) ☰ 0	巽 (7) ☴ -1	離 (6) ☲ -2	艮 (5) ☶ -3	兌 (4) ☱ -4	坎 (3) ☵ -5	震 (2) ☳ -6	坤 (1) ☷ -7

<그림 18> 중의 관점 : 인역(人易)의 수리화 모형

---

38) 불확정성의 원리: 베르너 하이젠베르크(Werner (Karl) Heisenberg, 독일, 1901-1976), 입자의 위치와 속도를 동시에 정확히 알아내는 것은 불가능하며, 둘 중 하나를 정확하게 알아낼수록 다른 하나의 정확도는 떨어지게 된다. 입자의 위치를 정확하게 측정하려고 하면 그 입자의 운동량이 정확하지 않게 되고, 운동량을 측정하려고 하면 그 위치가 정확하지 않게 된다. 즉, 하나를 측정하는 순간 다른 하나가 변화하기 때문에 입자의 위치와 속도는 단지 확률적으로만 알 수 있다는 양자역학의 이론이다.

즉, 양의 관점인 천역이 '乾(1)·兌(2)·離(3)·震(4)·巽(5)·坎(6)·艮(7)·坤(8)'이면, 음의 관점인 지역은 그 순서가 정반대로 '坤(1)·艮(2)·坎(3)·巽(4)·震(5)·離(6)兌·(7)乾(8)'이 되어야 하는데, 실제로는 '坤(1)·震(2)·坎(3)·兌(4)·艮(5)·離(6)·巽(7)·乾(8)'으로 순서가 불규칙적으로 흩어지는 것을 알 수 있다.

반대로 음의 관점인 지역이 '坤(1)·震(2)·坎(3)·兌(4)·艮(5)·離(6)·巽(7)·乾(8)' 확정되면 양의 관점인 천역의 순서는 정반대로 '乾(1)·巽(2)·離(3)·艮(4)·兌(5)·坎(6)·震(7)·坤(8)'이 되어야 함에도 불구하고, 실제로는 '乾(1)·兌(2)·離(3)·震(4)·巽(5)·坎(6)·艮(7)·坤(8)'으로 순서가 달라진다.

천역과 지역을 교합하면 인역이 나온다.[39] 양괘는 양의 관점, 음괘는 음의 관점으로 이들의 수리를 교합하여 산정하면 중의 관점인 인역의 수리가 드러난다.[40] 즉, 천역과 지역의 수를 합하면 논리적으로 인역의 수가 나온다<그림 18 참조>.

선천역인 복희팔괘도(天易)에서의 양괘와 음괘를 구별해보면, 양괘는 건☰·태☱·간☶·감☵, 음괘는 곤☷·태☱·리☲·손☴으로 구별된다. 음효를 마이너스(-), 양효를 플러스(+)로 현대

---

39) 본 논문에서는 논리 전개상 陽의 관점인 복희역은 천역(天易)으로 칭하고, 陰의 관점은 지역(地易), 中의 관점은 인역(人易)으로 지칭한다.

40) 김승호, 『주역원론2』, 선영사, 2009, pp.117-135.

수학의 원리로 바꾸면 효와 괘의 성질이 일치됨을 알 수 있다. 예를 들어 양괘는 건☰(+ + +), 진☳(- - +), 간☶(+ - -), 감☵(- + -)가 되고, 음괘는 곤☷(- - -), 태☱(- + +), 리☲ (+ - +), 손☴(+ + -)이 됨으로써 수학적으로 음괘와 양괘가 구별되어『주역』의 논리와 일치하는 것을 알 수 있다.

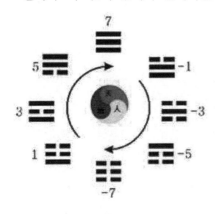

<그림 19> 인역(人易)

그런데 손(巽☴)괘와 리 (離☲)괘는 음괘이지만 6효로 구성된 64괘에서의 실제 작용은 양의 성질로 활용되고, 감(坎☵)괘와 간(艮☶) 괘는 양괘이지만 그 활용에 있어서는 음의 성질이 된다. 이러한 모순은 중의 관점인 인역의 수리를 적용하면 모

두 논리적으로 해결된다. 즉, 손(巽☴)괘는 음괘에 해당되지만 그 수는 +5로서 양의 성질로 활용되며, 리(離☲)괘는 음괘에 해당되지만 그 수가 +3으로서 양의 성질로 활용된다. 또한 감 (坎☵)괘는 양괘에 해당되지만 그 수가 -3으로 음의 성질로 활용되며, 간(艮☶)괘는 양괘에 해당되지만 그 수는 -5로서 음의 성질로 활용된다. 자연계에서의 실제 작용을 표상한 육효는 중의 관점인 인역의 수리가 적용되고 있음을 알 수 있다.[41]

---

41) 김승호,『주역원론3』, 선영사, 2010, pp.126-130.

2) 건(乾) · 곤(坤)의 대립과 상호작용

(1) 괘의 작용력과 균형력의 수리화

역은 음양의 상호작용으로 생하는 만물을 건괘(乾卦)와 곤괘(坤卦)의 상하작용으로 표현한다. "하늘은 높고 땅은 낮으니 건곤(乾坤)이 정해지고 낮음과 높음으로 진열되니 귀천(貴賤)이 자리하고 동정(動靜)에 떳떳함이 있으니 강유(剛柔)가 결단되고,"[1]라는 「계사전」의 언급은 乾坤이 상하에 위치를 정하여 대립하고 대대하며 상호작용하는 본체로서의 성질이 있음을 의미한다. 또한 "우레와 번개로써 고동하며, 바람과 비로써 적셔주며, 해와 달이 운행하며, 한번 춥고 한번 더워 건(乾)의 도는 남성(陽)을 이루고 곤(坤)의 도는 여성(陰)을 이루니, 乾은 큰 시작을 주관하고 坤은 물건을 이룬다."[2]라고 하여 상반된 대립적 성질을 가진 乾坤의 본체가 상하작용 함으로써 상호교감을 통해 변화해가며 만물을 생하는 원리를 설명하고 있다. 즉, 乾坤이 상하에 각각 자리하여 상호작용을 통해 64괘의 변화를 일으키는 것이니, 이는 천하 만물의 변화를 표상하는 근본원리를 의미하는 것이다.

괘의 상호작용은 상하로 중첩된 괘의 대립과 대대를 통한 상

---

1) 『周易』, 「繫辭傳上」 第1章, "天尊地卑, 乾坤定矣, 卑高以陳, 貴賤位矣."
2) 『周易』, 「繫辭傳上」 第1章, "鼓之以雷霆, 潤之以風雨, 日月運行, 一寒一暑, 乾道成男, 坤道成女, 乾知大始, 坤作成物."

하작용을 의미하며, 괘는 이러한 상하작용을 통해 만물의 변화
를 표상한다. 음양의 대립과 대대를 떠나서 만물은 생성할 수
없듯이, 상하로 중첩된 괘의 대립과 대대를 떠나서 64괘는 존
재할 수 없다. 만물이란 天地의 교합으로 생한 人이며, 陰陽의
상호작용으로 생한 中이니, 그러므로 천역과 지역의 교합으로
생한 중의 관점인 인역의 수리로써 만물의 변화를 설명할 수
있다는 논리는 타당성을 갖는다.

건곤의 상하작용은 상반된 대립적 성질을 가진 음양의 상호
작용을 의미하며, 이는 상대방을 멸절시키는 상괘와 하괘의 절
대적 대립이나 투쟁을 의미하는 것이 아니라 상호교감을 통해
人中으로 표상되는 새로운 변화를 창조해 나가는 데 있다. 괘
의 상하작용은 만물의 변화를 만들어내는 천지·음양의 상호작
용을 의미하는데 어떻게 이것을 수리적으로 표현할 수 있을까?

음양이 대립하고 대대하며 상호작용을 통해 中의 균형과 조
화를 이루듯이 천지도 대립하고 대대하며 상호작용을 통해 人
의 균형과 조화를 이루어나간다. 그러므로 人中이란 天地·陰
陽이 상호조화를 이루는 균형지점이다. 「계사전」에서는 대립과
대대의 상호관계를 "一陰一陽之謂道"라 했으며, 中이란 "강유
가 서로 밀고 당기며 균형과 조화를 이루어가는 변화"[3]이니, 『
관자』는 이것을 "만물은 음양 양자가 서로를 낳으며 제삼자를
드러내는 것"[4]이라고 정의하고 있다.

---

3) 『周易』, 「繫辭傳上」 第2章, "剛柔相推而生變化."

이는 "강유가 서로 밀고 당기는 강유상추(剛柔相推) 작용을 통해 균형을 이룸으로써 그 안에 변화를 만들어내는 것"[5]이니, 그 변화는 상괘와 하괘의 '상호작용력과 상호균형력'으로 수리화 함으로써 괘상 간의 에너지 크기를 수로 비교 분석할 수 있다. 상호작용력은 상괘와 하괘의 기운이 서로 부딪히는 힘으로 음양의 대립으로 정의할 수 있고, 상호균형력은 상괘와 하괘의 기운이 상호화해의 과정을 통해 음양의 교합을 이루는 지점으로서 균형점이라고 정의할 수 있다. 상반된 음양의 상호작용, 즉 음양의 대립적 성질이 서로 밀고 당기는 상호작용을 통해 교감지점을 찾아가며 균형과 조화를 지향해 가는 것이다.

하괘 - 상괘 = 상호작용력 〔상·하괘의 대립〕
하괘 + 상괘 = 상호균형력 〔상·하괘의 대대(교합)〕

작용력이란 乾과 坤, 陽과 陰, 剛과 柔가 서로 부딪히며 상호작용하는 힘을 말한다. 하괘의 수에서 상괘의 수를 빼면 서로 부딪히는 힘의 크기, 즉 상·하괘의 상호작용력이 나온다.[6] 수가 커질수록 부딪히는 힘이 강한 것이고, 작아질수록 서로 멀어지며 작용하는 힘이 약해지는 것을 의미한다. 균형력은 상·하괘가 서로 부딪히면서도 상호 균형을 찾아가면서 힘의 조화를

---

4) 『管子』, 「樞言」, "凡萬物陰陽兩生而參視."
5) 『周易』, 「繫辭傳下」 第1章, "剛柔相推, 變在其中."
6) 김승호, 『주역원론3』, 선영사, 2010, p.299.

이루는 지점으로서 64괘 오행도에서 괘상의 고저 위치를 가리
킨다.[7] <그림 20, 21, 22 참조>

상괘와 하괘가 상하작용을 함으로써 효의 변화가 일어나고 괘상
이 세워지며 그 뜻을 드러내니 인사의 길흉이 정해진다. 상괘와 하
괘가 강유상추하며 표출하는 작용력의 크기는 가로축에서 최고
-14에서 +14 내에서 움직인다. 그 안에서 대소·장단·강약이라
는 다양한 양태의 작용을 통해 만물만상이 생장성쇠하며 순환하고
변화해간다. 상하작용력이란 상괘와 하괘가 서로 부딪히며 발산하
는 상호작용하는 에너지를 의미한다.

<표 2> 상·하괘의 작용력과 균형력

지천태(地天泰)	천지비(天地否)
▷ 一始 (始萬物)	▷ 一終 (終萬物)
만물이 작용을 시작하다.	만물이 작용을 마치다.
-상하작용력	-상하작용력:
(+7)-(-7)=+14	(-7)-(+7)=-14
-상하균형력	-상하균형력
(+7)+(-7)=0	(+7)+(-7)=0

7) 김승호, 『주역원론6』, 선영사, 2010, p.29.

상호균형력이란 상·하괘가 서로 교감하며 상호 균형을 이루는 힘의 평균지점이다. 즉, 강유가 서로 뒤섞이며 상호작용하는 음양의 에너지가 균형을 이루며 중심을 잡아가는 지점이다. 상하 에너지가 교감하는 균형지점은 세로축으로 표현하며, 최고 -14에서 +14 사이에 위치한다. 작용력과 균형력은 '천과 지, 양과 음, 강과 유'가 서로 부딪히며 팔괘가 뒤섞이고 만물만상의 변화가 일어나는 것을 대립과 대대의 관점에서 수리적으로 표현한 것이다.

양은 하향하고 음은 상향함으로써 서로 부딪히며 상호작용한다. 즉, 불(陽)은 아래에 처할수록 위로 솟구치는 힘이 강하고, 물(陰)은 위에 처할수록 떨어지는 힘이 강해진다. 지천태(地天泰䷊)괘는 음양이 서로 자리를 바꾸어 제일 강하게 부딪히며 상호작용하는 괘상으로서, 천지의 변화를 표상하는 64괘가 태어나는 빅뱅(bigbang)의 순간을 묘사한다. 「계사전」은 이것을 "강유가 서로 부대끼니 팔괘가 뒤섞인다."[8]라고 명쾌하게 정의하고 있다.

---

8) 『周易』, 「繫辭傳上」 第1章, "剛柔相摩, 八卦相盪."

<표3>박괘(剝卦)와 겸괘(謙卦)

산지박(山地剝)	지산겸(地山謙)
☶ -5 ☷ -7 -상하작용력 (-7)-(-5)=-2 -상하균형력 (-7)+(-5)=-12 상괘가 -5의 속도로 앞서가고, 하괘가 -7의 속도로 따라가는 모습. 상·하괘의 거리가 -2만큼 떨어져 있음을 의미한다. -2만큼 상·하괘가 떨어져 있으니 서로 부딪히는 상하작용력은 그만큼 약하다.	☷ -7 ☶ -5 -상하작용력 (-5)-(-7)=+2 -상하균형력 (-7)+(-5)=-12 상괘가 -7의 속도로 앞서가고, 하괘가 -5의 속도로 뒤따라 가서 +2만큼 따라잡은 모습. 따라잡아 겹치는 부분인 +2가 상·하괘의 에너지가 서로 부딪히는 작용력이다.

상·하괘의 힘의 균형은 오행도 <그림 21>의 세로축 -12지점에서 이루고 있으며, 그 지점에서 가로축으로 -2(剝), +2(謙)의 에너지가 상하작용을 통해 서로 힘겨루기를 하며 변화를 만들어내고 있음을 보여준다. <그림20, 21, 22 참조>

<4> 복괘(復卦)와 예괘(豫卦)

지뢰복(地雷復)	뇌지예(雷地豫)
☷ -7	☳ +1
☳ +1	☷ -7
-상하작용력	-상하작용력
(+1)-(-7)=+8	(-7)-(+1)=-8
-상하균형력	-상하균형력
(+1)+(-7)=-6	(+1)+(-7)=-6
상괘가 -7의 속도로 앞서가고, 하괘가 +1의 속도로 뒤따라 가서 +8만큼 따라잡은 모습. 서로 따라잡아 겹치는 부분인 +8이 상·하괘의 에너지가 서로 부딪히는 작용력이다.	상괘가 +1의 속도로 앞서가고, 하괘가 -7의 속도로 따라가는 모습. 상·하괘의 거리가 -8만큼 떨어져 있음을 의미한다. -8만큼 떨어져 있으니 서로 부딪히는 상·하괘의 작용력이 그만큼 약하다.

　상·하괘가 오행도 <그림 21>의 세로축 -6 지점에서 서로 힘의 균형을 이루고 있으며, 가로축에서 복(復)괘는 +8, 예(豫)괘는 -8의 에너지로 강유상추 상호작용을 하고 있음을 보여준다. <그림 20, 21, 22 참조>

(2) 人易 64괘의 수리화

작용력과 균형력의 수리를 사용하여 64괘를 수리화하면, <그림 20>과 같이 음과 양이 분별되어 서로 대립하며 대대하는 질서 정연한 수리가 드러난다.

	−7	−5	−3	−1	+1	+3	+5	+7
+7	+7 / +14	+7 / +12	+7 / +10	+7 / +8	+7 / +6	+7 / +4	+7 / +2	+7 / 0
+5	+5 / +12	+5 / +10	+5 / +8	+5 / +6	+5 / +4	+5 / +2	+5 / 0	+5 / −2
+3	+3 / +10	+3 / +8	+3 / +6	+3 / +4	+3 / +2	+3 / 0	+3 / −2	+3 / −4
+1	+1 / +8	+1 / +6	+1 / +4	+1 / +2	+1 / 0	+1 / −2	+1 / −4	+1 / −6
−1	−1 / +6	−1 / +4	−1 / +2	−1 / 0	−1 / −2	−1 / −4	−1 / −6	−1 / −8
−3	−3 / +4	−3 / +2	−3 / 0	−3 / −2	−3 / −4	−3 / −6	−3 / −8	−3 / −10
−5	−5 / +2	−5 / 0	−5 / −2	−5 / −4	−5 / −6	−5 / −8	−5 / −10	−5 / −12
−7	−7 / 0	−7 / −2	−7 / −4	−7 / −6	−7 / −8	−7 / −10	−7 / −12	−7 / −14
天 / 地	−7	−5	−3	−1	+1	+3	+5	+7

<그림 20> 인역 64괘 방도 수리화 도표

인역(中)의 수리는 천역(陽)과 지역(陰)의 교합으로 생한 것으로서 음양의 통합 관점을 보여준다. 상하 에너지의 균형점인 영(0)을 기준으로 좌는 (+), 우는 (-)로 음양과 수리가 상호 대칭하고 있는 모습을 보여준다. 그리고 대칭을 이루고 있는 짝은 항상 착종 관계를 맺고 있으며, 서로 짝을 이루고 있는 수의 합은 제로(0)가 되며, 완전한 균형과 조화를 이루면서 상대적이면서도 상보적 관계를 맺고 있음을 알 수 있다.

즉, 균형지점(0)을 중심으로 좌우로 서로 짝을 이루는 괘의 상괘와 하괘는 상호교착함으로써 음은 양으로, 양은 음으로 그 작용성을 달리하며 공간적으로 대칭 관계를 형성한다. 예를 들면, 중뢰진(☳0)괘를 중심으로 좌는 택화혁(☲+4)괘, 우는 화택규(☱-4)괘가 서로 착종을 이루며 마주하고 있음을 알 수 있다. 수풍정(☴+8)괘는 풍수환(☵-8)괘와 서로 착종관계를 맺고, 산천대축(☰+12괘)괘는 천산돈(☶-12)괘와 서로 착종관계를 맺으면서 수리적으로 대칭을 이루고 있다. 즉, 64개의 모든 괘는 32개씩 짝을 이루고 있으며, 양과 음의 관계로써 서로 대립하고 대대하며 착종 관계로 연결이 되어있는 것이다.

3) 오행도(五行圖)에 배치된 상수(象數)

(1) 질서(cosmos)

① 인역(人易) 오행도

<그림 21>은 상호작용력과 상호균형력을 수리화한 <그림 20>의 '인역 64괘 수리화 도표'를 가로축과 세로축의 수리에 맞게 오행도에 배치한 것이다. 가로축은 작용력, 세로축은 균형력을 의미한다. 「태극음양도」처럼 좌측은 양의 기운, 즉 플러스(+) 에너지를 가진 괘상이 배치되고, 우측은 음의 기운, 즉 마이너스(-) 에너지를 가진 괘상이 배치된다.

<그림 21>을 보면, 세로축은 상·하괘 에너지의 평균지점으로서 상하 에너지의 교감이 이루어지는 균형지점이다. 상괘와 하괘의 작용력이 합해지면서 균형을 이루는 힘의 평균지점으로서 그 범위는 -14에서 +14가 된다. 가로축은 상하 에너지의 작용력을 의미하며, 서로 부딪히며 상호작용하는 힘으로서 에너지가 취산하는 힘이다. 서로 부딪히는 응취력(凝聚力)과 서로 벗어나려는 소산력(消散力)으로 범위는 -14에서 +14가 된다.

가로축은 상·하괘 에너지의 균형력이 발생하는 평균지점에서의 상하작용력이다. 상괘와 하괘 에너지의 작용력이 제로(0)가 되는 세로축(균형지점)을 중심으로 좌우로 상하 에너지의 차이가 생기면서, 즉 상괘와 하괘가 상호교착하면서 작용이 시

작된다. 세로축(균형력)을 기준으로 가로축(작용력)의 작용에너지는 좌우가 플러스(+), 마이너스(−)로 서로 대칭되어 상대적 관계가 되며, 대칭하는 괘상의 합이 0이 되니 또한 서로 상보적 관계가 된다.

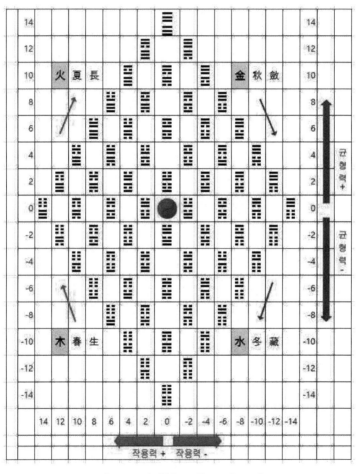

<그림 21> 인역(우주역) 64괘 오행도

건(乾☰), 곤(坤☷)을 기준으로 하는 균형력(세로축)은 중괘 (重卦)로서 상·하괘가 서로 같은 힘이므로 상하 작용에너지는 0이 된다. 즉, 중앙의 세로축은 균형력과 작용력이 만나는 지점 으로서 목화금수(木火金水)를 모두 포괄하는 중토(中土)의 성 질을 띤다.

음양은 서로 상대적으로 작용하면서도 상보적인 대대 관계를 형 성하고 있으니, 우주 본체에너지의 양은 불변한다. 부분적인 에너 지의 불균형은 오히려 에너지의 이동을 촉발시킴으로써 상호작용 이 발생하는 동인이 되고, 사시사철의 순환을 일으킴으로써 생장 수장(生長收藏)이라는 생명의 이법(理法)을 만들어낸다. 만물은 균형이 흐트러져 있으며 인사적 현상은 혼란스러워 공평하지 않은 것처럼 보이지만 에너지는 부증불감(不增不減)하며 음양은 정확 히 짝을 이루고 있다. 음양의 에너지는 서로 불균형한 것처럼 보이 지만 서로 대립하는 짝을 합하면 0이 되어 균형을 이루니 우주 전 체적으로는 에너지 불변으로서 무진본(無盡本)이며 부동본(不動 本)이라 할 수 있다. 그러므로 우주 만물을 표상한 괘상에도 부증 불감이라는 현대물리학의 '에너지 불변의 법칙(열역학 제1법칙)' 이 성립된다.

<그림 22>은 <그림 21>의 오행도에 배치된 64괘를 상호작 용력의 수리로 표현한 것으로서, 물극필반(物極必反)의 수리적 현상이 명확하게 드러남을 알 수 있다. 64괘가 수리적으로 배 치된 오행도는 가로축과 세로축을 중심으로 +14에서 -14 사이

를 질서 있게 순환하고 있는 모습을 보여준다.

목(木)에서 양의 에너지가 응결되기 시작하여 최고조에 이르

고, 화(火)에서 서서히 응결된 에너지가 해결(解結)되기 시작하

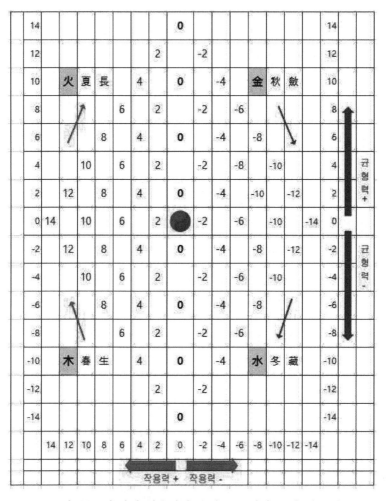

<그림 22> 상·하괘 작용력의 수리로 표현된 오행도(人易)

- 358 -

여 화(火)의 끝이자 금(金)의 시작점인 중토(中土)에서 음양은 中(0)의 균형을 이룬다. 그리고 금(金)에서 음의 에너지가 응결되기 시작하여 최고조에 이르고, 수(水)에서 서서히 응결된 에너지가 해결되기 시작하면서 수(水)의 끝이자 목(木)의 시작점인 중토(中土)에서 음양은 다시 中(0)의 균형을 이룬다.

작용에너지와 균형에너지는 음양의 비대칭으로 인하여 생기는 불균형에 의해 상호보완 작용을 불러일으키게 되고, 이로 인하여 만물은 역동적으로 작용하며 순환한다. 음양의 상대성(相對性)과 이를 보완하려는 상보성(相補性)이 상호작용을 일으키면서 생기는 역동적인 에너지가 만물을 생장수장의 이치로써 순환하게 하는 원동력이 되는 것이다.

사물은 시간의 흐름에 따라 변해간다. 에너지는 극에 달하면 다시 풀려간다. 우주 전체 에너지의 양은 불변이지만 균형점(0)을 중심으로 상하 · 좌우 불균형을 이루며, 이 불균형을 해소하기 위한 내부의 에너지는 결집과 해소의 과정을 반복하며 순환한다. 사물이란 에너지(氣)의 결집체이고, 시간이 흐르고 에너지가 풀려나가면서 다시 흩어지는 것이니 크게는 우주의 작용도 이와 다르지 않다. 개체 사물들이 존재함(明)과 없어짐(幽), 증가하거나(盈) 감소함(虛)은 단지 음기와 양기 두 기가 굽혔다 폈다 하며 오고 간 굴신(屈伸) · 왕래(往來)의 결과이며, 그러므로 전체적으로 음양은 증가도 없고 손실도 없으며 기는 소멸하지 않는다. 왕부지(王父之)는 이를 "그러므로 왕래(往來)

라 하고, 굴신(屈伸)이라 하며, 취산(聚散)이라 하고, 유명(幽
明)이라 하지 생멸(生滅)이라 말하지 않는다."[1]라고 하였다.
즉, "『주역』에서는 왕래는 말하고 있어도 생멸은 말하지 않는
것이다."[2]

　　음의 성질은 엉기어 모이는 것이고 양의 성질은 발하여 흩
　어지는 것이다. 음은 모으면 양은 반드시 흩어지게 하니 그 기
　세가 고루 퍼진다.[3]

　기는 율동적으로 응축했다가는 분산하면서 모든 것을 성형했
다가는 결국 허(虛)로 융해시킨다. 장재(張載)는 이것을 "태허
는 무형으로 기의 본원이며, 기가 모이고 흩어짐은 변화하는 일
시적인 형태〔客形〕일 뿐"[4]이라고 하여 만물의 생사 · 순환의
이치를 설명하고 있다.
　상 · 하괘의 작용력이 제일 큰 것은 지천태(地天泰☷☰+14)이
고, 제일 작은 것은 천지비(天地否☰☷-14)괘이다. 오행도는　태
(泰)괘와 비(否)괘 사이의 에너지의 흐름을 상 · 하괘가 서로
작용하는 힘의 크기로 나타낸 것으로서, 각 괘상의 위치를 통해

---

1) 朱伯崑, 김학곤 외4 공역, 『역학철학사7』, 소명출판, 2012, p.358.
2) 王夫之, 『周易內傳』, 「繫辭傳上」, "易言往來, 不言生滅."
3) 張載, 『正蒙』, 「大易」, "陰性凝聚, 陽性發散. 陰聚之, 陽必散之其
　勢均散."
4) 張載, 『正蒙』, 「太和」, "太虛無形, 氣之本體, 其聚其散, 變化之客
　形爾."

위치 에너지의 흐름을 한눈에 볼 수가 있으니 각각 괘상의 위치와 에너지(氣) 크기의 비교를 통해 보다 심도 있게 괘상을 이해할 수가 있는 것이다.

② 불균형과 모순의 창조원리

지천태(地天泰䷊)괘와 천지비(天地否䷋)괘는 상호작용에너지가 +14에서 -14로 극과 극으로 대립하고 있으며, 상호균형력은 제로(0)로서 완전한 균형을 이루고 있다. 이 조화의 상태는 어느 우연한 계기가 되어 미세한 균형이 어긋나는 순간 에너지는 폭발하게 된다. 이것은 64괘로 표상되는 우주 만물의 시생 원리, 즉 현대물리학에서 말하는 빅뱅(bigbang)으로서 우주 창조의 순간이라고 할 수 있다.

에너지의 완전한 평형의 상태에서는 기〔에너지〕의 이동이 부동하기 때문에 음양의 상호작용은 발생하지 않는다. 우주 창조라는 빅뱅 사건이 일어나기 전은 폭풍전야처럼 고요한 상태라 할 수 있다. 어느 순간 우연한 계기에 에너지의 균형에 미세한 균열이 발생하면서 잠재된 작용력이 폭발하며 시공간(時空間)이 창조된다. 균형력이 제로(0)라는 것은 시소처럼 양쪽의 힘이 완전한 균형과 조화를 이룬 평형상태, 즉 에너지의 이동이 없는 부동의 상태로서 어떤 상호작용도 일어나지 않는다는 것을 말한다.

작용력은 상호 균형이 어긋나는 순간, 즉 균형력에 초미세의 모순이 발생하는 순간 일어난다. 그리고 상호 간에 균형을 이루기 위한 에너지의 역동적인 이동을 일어나면서 상호작용력이 발생하고, 균형과 조화를 이루기 위한 중화작용으로 중(中)의 영역이 생성되기 시작한다.

우주 창조의 순간은 미세한 모순에 의한 균열에서 일어나는 거대한 댐의 폭발로 비유할 수 있다. 댐에 가득한 에너지는 댐과의 힘의 균형을 이루고 있을 때에는 움직임이 없이 고요하다. 물을 가둔 댐이 물보다 더 강력할 때는 물의 이동이 일어날 확률이 낮지만, 물의 에너지가 댐의 저지력을 넘어서는 순간 댐을 넘어서는 에너지의 이동이 일어나면서 중화로 상징되는 새로운 변화가 일어나는 것이다.

물의 이동성은 댐의 저지력으로 인해 제한적으로 조정된다. 댐의 저지력(균형력)과 물의 이동성(작용력)이 초미세의 차이 없이 완전한 균형을 이루고 있다면 폭풍의 전야처럼 긴장의 끈은 팽팽할 수밖에 없지만, 어느 순간 우연한 계기가 되어 에너지의 균형이 삐끗하는 순간 초미세의 균열은 우주 창조라는 물리학적 빅뱅의 순간을 맞이하게 되는 것이다.

(2) 혼돈(chaos)

① 우주 프랙탈(fractal)

'부분과 전체'라는 관점에서 보면 지구는 우주의 프랙털(fractal)[5]이다. 부분인 지구를 알면 우주 전체를 이해할 수 있다.

작은 유전자 세포 하나에는 '나(我)'라고 하는 전체의 모든 정보
가 담겨있으니 유전자 하나만 복제할 수 있어도 '나'라고 하는 전
체를 그대로 구현해 낼 수가 있다. 부분 속에 전체가 들어있고 전
체는 부분과 같다. 부분과 전체는 본질이 같은 것이며 상대적 크
기만 다를 뿐이다(一中多 多中一).

소옹(邵雍)이 「설괘전」에서 팔괘의 원리를 도출해 후천역이라
명명한 문왕팔괘도는 지구의 사시(四時)와 팔방(八方)을 표상한
'지구역'을 의미하며, 춘하추동 사시와 동서남북 방위를 정하여
지구 만물의 생장(生長)과 성쇠(盛衰)의 원리와 그에 따른 인사
길흉의 이치를 밝혔다.6)

지구는 1년 12개월 내내 사시 순환에 따른 지역적인 기온의
불균형으로 에너지의 이동이 끊임없이 발생하는 우주의 부분
(fractal)에 해당한다. 우주 전체로는 에너지의 균형을 이루고
있지만, 전체 중의 한 부분에 불과한 지구는 에너지의 불균형
상태에 놓여 있다. 그런데 이러한 부분적인 에너지의 불균형은

---

5) 프랙털(fractal) 원리: 불규칙적인 세부나 무늬가 점차적으로 더 작
   은 크기로 반복되고, 추상적인 것의 경우 무한히 계속 반복하여 각
   부분의 부분을 확대하면 전체 물체와 근본적으로 같게 된다는 원리
   로서, 부분 속에 전체의 정보가 들어있다는 것을 의미한다. 지구는
   우주의 한 부분으로서 우주의 프랙탈이라 할 수 있다. 브누아 만델
   브로(Benoit Mandelbrot, 1924~)는 폴란드 출신의 프랑스 수학자
   로, '프랙털 기하학'이라는 수학 분야를 개척하였다.

6) 『周易』, 「說卦傳」 第5章, "帝出乎震, 齊乎巽, 相見乎離, 致役乎
   坤, 說言乎兌, 戰乎乾, 勞乎坎, 成言乎艮."

전체의 균형을 이루기 위한 에너지의 이동을 불러일으킴으로써 오히려 지구 만물을 생장성쇠케 하는 동인이 된다.

음양의 중도적 관점인 인역(人易)의 수리로 분석해보면 문왕 팔괘64방도는 음괘와 양괘의 위치와 배열이 일정치 않고 불규칙하다. 이것은 지구역인 문왕팔괘도가 우주(cosmos)라는 전체의 한 부분을 상징하고 있기 때문이다. 우주 질서의 한 축을 이루는 지구는 계절에 따른 음양오행의 편재로 인하여 에너지가 불균형을 이루고 있으며, 이러한 불균형 상태의 지구를 문왕팔괘도가 표상하고 있는 것이다.

본래는 그저 하나의 태극일 뿐이다. 만물은 각기 부여받는데 각자는 다시 온전한 태극을 갖추게 된다. 비유컨대 달이 하늘에 있을 때는 그저 하나이지만, 그것이 모든 강과 호수에 드리워질 때는 모든 곳에서 볼 수 있다. 그렇다고 그것을 달이 나눠 가졌다고 할 수는 없는 것이다.[7]

달은 만천(萬川)에 비친다. 하늘에 뜬 달은 하나인데 만천하의 펼쳐진 만 개의 천(川)에도 달은 떠 있다. 그러나 하늘에 뜬 한 개의 달이 사라지면 만천의 만월(萬月)도 사라진다. 이치는 하나인데 나뉨이 다양한 것을 비유한다(理一分殊). 하나(一) 안에 多가, 多 안에 하나(一)가 있는 것이니 일(一)과 다(多)는 본질에 있어서는 서로 다르지

---

7) 朱熹,『朱子語類』第94卷, "本只是一太極, 而萬物各有稟受, 又自各全具一太極爾. 如月在天, 只一而已, 及散在江湖, 則隨處而見. 不可謂月已分也."

않다. 태극(一)은 하나인데 만물은 각각 일태극(一太極)을 품고 있으니, 만물(萬物)이란 만리(萬理)를 품고 있는 것이라 할 수 있다. 태극이 품고 있는 음양이 작용성[氣]이라면 천지인 삼재는 만물의 씨앗[理]이 된다.

이런 까닭에 하나에서 시작하여 만 갈래의 중간 단계를 거치고 하나에서 끝난다. 하나에서 시작하므로 '근본이 하나이되 만 가지로 다르다'고 한다. 하나에서 때를 따라 마치니 '귀착점을 같이 하되 길이 다르다'고 한다.8)

만물은 하나(一)에서 시생하여 묘리로써 천하 만방에 펼쳐져 만왕만래하며 끝없이 순환하고 변화하지만 근본인 하나(一)는 부동하다. 『천부경』은 다음처럼 이것을 단순명료하게 정의하고 있다.

一妙衍萬往萬來用變不動本
일묘연만왕만래용변부동본

하나(一)가 시작하여 묘리(妙理)를 한없이 펼쳐 내니
삼라만상이 가고 오며 무수히 쓰임을 달리하지만
본(本)이 되는 하나(一)는 변함이 없다.

즉, 태극은 늘 하나(一)이면서 만 가지로 변하고, 만 가지로 변화하면서 늘 그 본래의 하나(一)를 바꾸지 않는다.9) 태극(一)이 음양(二)

---

8) 王夫之, 『周易外傳』 卷6, "是故始於一, 中於萬, 終於一. 始於一, 故曰, 一本而萬殊. 終於一而以時, 故曰, 同歸而殊途."

9) 廖名春 외2 공저, 심경호 역, 『주역철학사』, 예문서원, 1994,

의 신묘한 이치로써 만천(三)으로 흩어져도 결국은 태극(一)을 벗어나지 않는 것이다.

② 지구역(문왕역) 64괘 방도의 수리화

인역(中)의 수리를 지구역인 문왕역64방도에 적용하면 어떤 현상이 나타날까? 균형점(0)을 기준으로 상·하괘의 작용력을 비교해 보면 음양은 서로 대립과 대대의 관계를 맺고 있음을 알 수 있다. 예를 들어 작용력이 제로(0)인 중산간(重山艮☶☶)괘를 기준으로 상하 대칭을 이루고 있는 지뢰복(地雷復☷☳)괘와 뇌지예(雷地豫☳☷)괘를 보면, 작용력은 +8과 -8로 서로 대칭 관계를 이루고 있지만 서로 합하면 제로(0)가 된다. 문왕역64 방도를 겉으로 보면 에너지는 음과 양이 규칙 없이 혼란스럽게 뒤섞여 있는 것처럼 보이지만 내면은 대립과 대대의 원리가 작동하고 있음을 알 수 있다.

이처럼 64괘는 모두 32개씩 음양의 짝을 이루고 있으며 상호작용력과 상호균형력의 관점에서는 대립과 대대라는 음양의 대칭 관계를 맺고 있다.

<그림 23>의 문왕역64괘 방도를 보면 음양의 에너지는 수리적 질서 없이 서로 뒤섞여 있음을 알 수 있다. 이것은 에너지의 불균형이 불러오는 무질서 상태, 즉 혼돈 속의 이치를 의미하는 양자물리학의 '불확정성의 원리'로 비유할 수 있다.

---

p.594.

☵+3	☶-3 ☵+3 +6	☲+7 ☵+3 -4	☳-1 ☵+3 +4	☶-7 ☵+3 +10	☴-5 ☵+3 +8	☷+1 ☵+3 +2	☰+5 ☵+3 -2	☱+3 ☵+3 0
☲+5	☶-3 ☲+5 +8	☲+7 ☲+5 -2	☳-1 ☲+5 +6	☶-7 ☲+5 +12	☴-5 ☲+5 +10	☷+1 ☲+5 +4	☰+5 ☲+5 0	☱+3 ☲+5 +2
☳+1	☶-3 ☳+1 +4	☲+7 ☳+1 -6	☳-1 ☳+1 +2	☶-7 ☳+1 +8	☴-5 ☳+1 +6	☷+1 ☳+1 0	☰+5 ☳+1 -4	☱+3 ☳+1 -2
☶-5	☶-3 ☶-5 -2	☲+7 ☶-5 -12	☳-1 ☶-5 -4	☶-7 ☶-5 +2	☴-5 ☶-5 0	☷+1 ☶-5 -6	☰+5 ☶-5 -10	☱+3 ☶-5 -8
☷-7	☶-3 ☷-7 -4	☲+7 ☷-7 -14	☳-1 ☷-7 -6	☶-7 ☷-7 0	☴-5 ☷-7 -2	☷+1 ☷-7 -8	☰+5 ☷-7 -12	☱+3 ☷-7 -10
☱-1	☶-3 ☱-1 +2	☲+7 ☱-1 -8	☳-1 ☱-1 0	☶-7 ☱-1 +6	☴-5 ☱-1 +4	☷+1 ☱-1 -2	☰+5 ☱-1 -6	☱+3 ☱-1 -4
☰+7	☶-3 ☰+7 -10	☲+7 ☰+7 0	☳-1 ☰+7 +8	☶-7 ☰+7 +14	☴-5 ☰+7 +12	☷+1 ☰+7 +6	☰+5 ☰+7 +2	☱+3 ☰+7 +4
☴-3	☶-3 ☴-3 0	☲+7 ☴-3 -10	☳-1 ☴-3 -2	☶-7 ☴-3 +4	☴-5 ☴-3 +2	☷+1 ☴-3 -4	☰+5 ☴-3 -8	☱+3 ☴-3 -6
天／地	☶-3	☲+7	☳-1	☶-7	☴-5	☷+1	☰+5	☱+3

<그림 23> 문왕역 64괘 방도 수리화 도표

그러나 자세히 보면 혼돈이라는 불확정한 무질서(chaos) 속에서도 질서(cosmos)를 내재하고 있음을 알 수가 있으니, 작용력이 제로(0)인 괘의 축을 중심으로 음양은 서로 짝을 이루고,

짝을 이루는 괘의 합은 0으로 평형상태를 이루고 있으며, 그 괘상은 정확히 착종(錯綜) 관계를 맺고 있다.

음양은 서로 분별이 되지 않는 기(氣)의 혼돈 상태에서 내부에 질서(理)를 세워가면서, 그 과정에서 에너지의 이동을 일으키며 만물을 생육한다. 비유하자면, 지구 내의 온도 차는 바로 기후의 지역적 불균형을 의미하며, 이러한 기후의 불균형은 지구 내의 에너지 이동을 불러일으킴으로써 기후작용이 일어나 만물을 생육하는 이치와 같다.

③ 지구역(문왕역) 64괘 방도의 오행도

인역의 수리로써 작용력과 균형력을 측정하여 문왕역 64괘를 오행도에 배치하면 <그림 24>와 같다. 마이너스(−) 에너지를 가진 괘상과 플러스(+) 에너지를 가진 괘상이 질서없이 뒤섞여 있는 혼돈의 모습을 보여준다. 그러나 겉은 무질서하고 혼돈스러운 것 처럼 보이지만 그 내부는 질서를 찾아가는 에너지의 역동적인 모습이 들어있다. 계절에 따른 온도의 차이가 부분적인 에너지의 이동을 불러일으키듯, 뒤섞여 있는 괘상도 에너지의 불균형한 분포를 의미하며, 이러한 부분적인 불균형은 전체적인 균형점을 찾아가는 에너지 이동의 원인이 된다.

지구는 1년 12개월 내내 사시 순환에 따른 기온의 부분적인 불균형으로 인하여 에너지의 이동이 끊임없이 발생한다. 이러한 에너지의 불균형은 균형을 이루기 위한 역동적인 에너지의

이동을 야기함으로써 오히려 지구 만물을 생육하는 동인이 된
다.

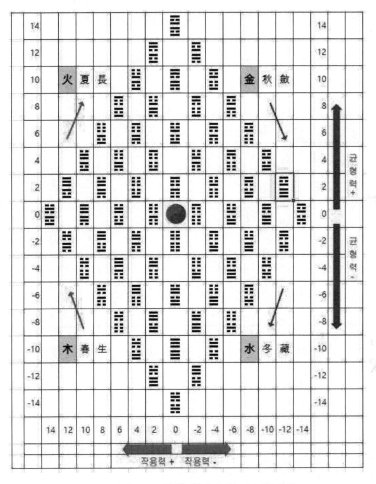

<그림 24> 문왕역(지구역) 64괘 오행도

음양의 중도 관점인 인역(人易)의 수리를 살펴보면 문왕역

64방도는 음괘와 양괘의 배열이 일정치 않고 불규칙하다. 이것은 지구의 사시순환 원리인 오행(五行)에 의하여 만물의 극성을 표상한 팔괘를 배정하였기 때문에 일어나는 현상이라 할 수 있다.

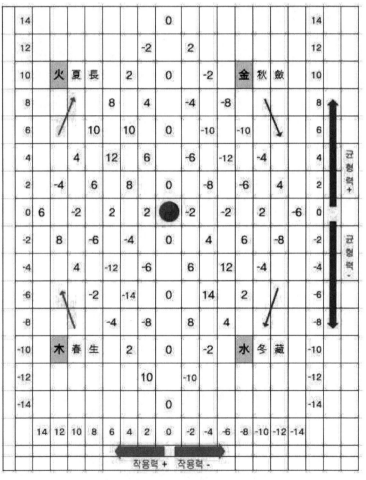

<그림 25> 문왕역(지구역) 64괘 오행도의 수리

지구역(문왕역) 64괘 방도의 오행도 <그림 24>를 인역의 수리로 전환하여 오행도에 표시하면 <그림 25>와 같다. 우주(인역)의 한 부분에 불과한 지구역[문왕8괘도]은 수리적 논리성이 없다. 그러나 오히려 이러한 수리적 혼돈이 균형점을 찾기 위한 에너지의 활발한 이동을 불러일으킨다.

에너지 불변의 법칙이란 에너지 총량의 불변을 의미하는 것이니, 이는 마방진의 완전한 수리가 만든 구궁도의 틀을 의미하는 것이고, 작용이란 낙서(洛書)의 수리를 표현한 구궁도의 틀 안에서 불확정한 상태에 있는 에너지가 균형을 찾아 이동함으로써 천변만화를 일으키는 것을 의미한다. 구궁도의 수리적 질서는 완전하지만, 그 수리는 9가 최고이므로 10이라는 완전성을 향해 끊임없이 작용과 변화를 유발한다(낙서의 수리는 상하좌우 대각선의 합을 통하여 10을 표현한다).

④ 무질서 속의 질서

본 장에서는 소옹(邵雍)의 「복희팔괘차서도」에서 비롯된 가일배법의 수리로써 양의 관점인 천역(복희역)의 수리를 도출한 후, 음의 관점인 지역을 수리화 하였고, 천역(天易)과 지역(地易)을 교합하여 중(中)의 관점인 인역(人易)의 수리를 도출하였다. 그리고 인역의 수리로써 우주의 프랙탈(fractal) 구조인 지구역(문왕역)을 오행도에 배치하여 변화의 이치를 수리적으로 판단할 수 있도록 하였다.

인역은 우주역으로서 '에너지 보존의 법칙'이 적용되고, 우주의 부분인 지구역(문왕역)은 '불확정성의 원리'가 적용된다. 인역(우주역)은 '전체'가 되고, 문왕역(지구역)은 전체 중의 '부분'으로서 우주의 프랙탈(fractal) 구조가 된다. 전체로서의 우주는 부분적으로 에너지가 불균형하더라도 전체적인 에너지의 양은 부증불감(不增不減)하다. 태양의 주위를 공전하는 지구는 우주의 프랙탈 구조〔부분〕로서 사시를 따라 순환하며 에너지의 불균형을 발생시킨다. 이 음양의 불균형은 지구 위 만물의 생로병사를 순환시키는 생육 원리가 된다.

불균형은 균형을 이루기 위한 에너지 이동을 일으켜 상호작용함으로써, 각각의 사물은 득실을 경험하며 득과 실의 상호작용을 통해 생장수장의 이치를 순환한다. 득실이란 좋고 나쁨이 아니라 균형의 치우침이 일으키는 모순〔변화〕을 의미하는 것이니, 그러므로 득실이란 모순을 치유하는 변화의 과정에서 나에게 득(得)이 되면 길하고 실(失)이 되면 흉이 되는 것이니, 곧 실득지상(失得之象)의 뜻이다(得卽吉 失卽凶).

<그림 23, 24, 25>에서 보듯이, 음양은 혼융된 무질서 속에서 공간적으로 떨어져 흐트러진 것처럼 보인다. 그러나 상반된 양면성의 음양은 서로 짝을 이루어 대대함으로써 상호연결되어 작용하고 있음을 알 수 있다. 이것은 두 입자가 함께 있다가 흩어져도 한쪽의 상태를 측정하면 동시에 다른 쪽의 상태가 결정되는 양자역학적 현상으로서 '동시성(同時性)을 띠는 양자얽

힘'에 비유할 수가 있으니, 초극미 영역인 양자장〔氣〕의 세계에서 만물은 전일성(全一性)이라는 유기적 일체로서 시공(時空)이 하나로 연결되어 있음을 알 수 있다. '양자얽힘'이란 한 번 짝을 이룬 두 입자는 아무리 서로 떨어져 있더라도, 어느 한쪽이 변동하면 그에 따라 즉각 다른 한쪽이 반응을 보이는 불가사의한 특성을 가리킨다.10) 이는 음과 양이 흩어져 있는 무

---

10) 양자얽힘: 한 번 짝을 이룬 두 입자는 아무리 서로 떨어져 있다 하더라도, 어느 한쪽이 변동하면 그에 따라 '즉각' 다른 한쪽이 반응을 보이는 불가사의한 특성을 가지는데, 양자 이론에서는 이 두 입자가 서로 '얽혀 있다'라고 하며 이를 일컬어 '양자얽힘'이라고 한다. 1964년 아일랜드의 물리학자 존 스튜어트 벨(John Stewart Bell)이 이론으로 발표했다. 가령 한 입자의 위치나 운동량, 스핀과 같은 특성을 측정한 순간, 이들이 아무리 멀리 떨어져 있다 하더라도 다른 한 입자의 해당 특성이 '즉시' 바뀌어 입자의 상태를 결정하게 된다는 것이다. 이는 입자가 오직 즉각적인 주위 환경에 의해서만 직접 영향을 받는다는 표준 물리학의 '국소성의 원칙'에 위배된다. 때문에 이 이론은 물리학적 연구가 아니라 철학적 연구라고 여겨졌다. 앨버트 아인슈타인(Albert Einstein)도 우주에서 빛보다 빠른 것은 없다고 주장하면서 이 이론을 "유령 같은 원격작용"이라며 결코 받아들이지 않았다.
　　2015년 10월 <네이처>지에 발표된 논문을 통해 '양자얽힘'이 실재한다는 강력한 증거를 보여주는 실험결과가 알려졌다. 이 실험은 네덜란드 델프트 공과대학 카블리 나노과학연구소의 물리학자 로날드 핸슨(Ronald Hanson)의 연구팀이 주도했고 스페인과 영국의 과학자들이 참여했다. 연구팀은 델프트 대학 캠퍼스 내부 1.3km 떨어진 거리에 두 개의 다이아몬드를 배치하고 각각의 다이아몬드 전자에 자기적 속성인 '스핀'을 갖도록 했다. 실험결과는 한 전자가 업 스핀(예를 들어 반 시계 방향으로

질서 속에서도 서로 짝을 이루며 대립과 대대로써 상호작용하는 문왕역의 이치와 상통한다.

어쨌든 삼라만상은 가고 오며 끝없이 변화하는 것 같지만 근본인 태극(一)은 부동하다. 문왕팔괘는 우주라는 전체의 틀 안에 있는 부분으로서 프랙탈 지구의 순환작용을 표현한 지구역이며, 지구의 공전과 자전이 불러일으키는 에너지의 이동을 통해 사시사철 삼라만상의 작용과 변화를 표현한다. 혼란스러워 보이지만 오히려 그로 인하여 작용이 일어나고, 부정(不正)함이 온 세상에 가득해 출구가 보이지 않을 때도 오히려 그로 인하여 상호작용이 일어남으로써 세상은 움직인다. 양(陽)으로만 세상은 존재할 수 없고, 음(陰)만으로도 생명은 일어나지 못한다. 天은 地가 없으면 人을 생하지 못하고, 地 또한 天 없이는 人을 기르지 못하니 음양의 상대성이 없다면 새로움(中)은 생기지 않는다.

세상은 大人과 小人이 함께 하는 것이고, 正과 不正이, 陽과 陰이, 男과 女가, 高低·貴賤이, 形而上과 形而下가 함께 상생하고 상극하며 서로 조화를 이루어 나갈 때 비로소 삼라만상은

의 회전)일 경우, 다른 전자는 반드시 다운 스핀(시계 방향의 회전)이 된다는 것을 보임으로써 완벽한 상관관계를 입증했다. 물리학자들은 이 실험을 통해 양자역학 실험이 실제로 가능함을 증명했다는 점에 찬사를 보냈고, 과학저널 <사이언스(Science)>지는 이 실험을 2015년 최고의 과학적 성과 중의 하나로 선정했다. : <참고> 인터넷 다음백과

생생지도(生生之道)로써 활기를 띠게 되는 것이다.

피다고라스는 '만물은 수(數)이다'라고 했으며, 레오나르도 다빈치는 "만일 그것이 수학적으로 증명될 수 없다면 인간의 어떠한 탐구도 과학이라고 불려질 수 없다."[11]라고 했듯이 과학은 수학적 이치가 없으면 존재할 수가 없다. 마찬가지로 역은 물상(物象)을 취상하여 세운 것이므로 괘상(卦象)은 곧 물상과 같다. 그러므로 물상을 그대로 본떠 만든 괘상도 수가 근본적으로 내재한다. 「계사전」의 "易與天地準(역은 천지와 똑같다)"은 역이 우주 만물의 이치를 그대로 함유하고 있음을 정의해준다.

과학은 기존의 이론을 딛고 새로움을 발견함으로써 진보한다. 상대성 원리를 발견한 당대의 최고 물리학자인 아인슈타인이 '신(神)은 주사위를 던지지 않는다'는 말로써 하이젠베르크의 불확정성의 원리를 죽을 때까지 받아드리지 않았다는 사실은 그만큼 기존의 지배적인 이론을 극복하기란 쉽지 않음을 말해준다. 과학이든 철학이든 누군가 기존의 철옹성 같은 학설에 균열을 만들어 놓지 않는다면 세상은 앞으로 나아가기 어렵다. 소옹(邵雍)도 그의 이론이 지금처럼 당연한 듯이 받아드리기 전까지는 길거리 술법가들의 술수 취급을 받기도 했다.

역은 우주 만물을 논하는 용광로 같은 학문이다. 당연한 듯이 알고 있는 기계 물리학에서 파생된 인과론(因果論)은 양자물리학의 불확정성 원리에 의해 여지없이 흔들리고 있지만, 여전히 세인들의 기존 관

11) 폴 데이비스, 류시화 역, 『현대물리학이 발견한 창조주』, 정신세계사, 2020, p.289.

념은 쉽게 깨어지지 않는다.

점서(占書)로서 문왕의 『역경』은 그것을 해석한 공자의 『역전』에 의해 인문철학서로 전환이 되었고, 소옹의 역수(易數)는 역과 과학 간의 접점의 문을 열어놓는 계기가 되었다. 그 문을 열고 나아가 펼쳐진 광대무변한 우주를 만나는 것은 그 누구도 아닌 바로 나 자신이다.

공자는 "변화의 도를 아는 자는 신(神)의 하는 바를 알 것이다."[12]라고 했다. 그러나 상(象)과 수(數)가 이치를 벗어나면 술수(術數)가 되어버린다. 소옹은 "천하의 모든 수(數)는 리(理)에서 나오는데 리에 어긋나면 술수로 빠져버린다. 세인들이 수를 가지고 술수에 빠지는 것은 리를 벗어났기 때문이다."[13]라고 하여 술수로써 견강부회하는 것을 경계하였음 또한 잊지 말아야 할 것이다.

---

12) 『周易』, 「繫辭傳上」第9章, "子曰, 知變化之道者, 其知神之所爲乎."

13) 邵雍, 『皇極經世書』, 「觀物外篇」, "天下之數出於理, 違乎理則入於術. 世人以數而入於術, 故不入於理也.",

제 V장

역학 중화론의 현대적 의의

1. 상호관계성

2. 공존(共存)

  1) 유무일체(有無一體)

  2) 환존(環存)

  3) 동체이면의 유형(有形)과 무형(無形)

  4) 유생어유(有生於有)

  5) 참여하는 우주

3. 환존(環存)의 철학적 모색

  1) 관계망 속의 존재

  2) 만물만상의 전일성

4. 대조화(大調和)

1) 보합대화(保合大和)

2) 시중(時中)

3) 불확정성(uncertainty)

4) 부분과 전체

5) 생태학적 공동체

V. 역학 중화론의 현대적 의의

    음양의 대립과 대대를 통한 다양한 상호작용이 만들어내는 중화는 괘의 생성원리를 다루는 역학에서 가장 중요한 화두라 할 수 있다. 현대물리학에서도 만물의 근원에는 음양의 대칭성이 존재하며, 대립인자의 상호작용을 통해 만물이 생성하고 있음을 밝히고 있다. 음양의 대소·장단·강약이라는 미묘한 차이에 의해 생성되는 다양한 음양의 편재는 다양한 양태의 상호작용을 일으키며 다양한 중화를 세움으로써 서로 다른 특성을 가진 만물만상을 형성한다.

    상반적 성질의 음양이 대립과 상호작용을 통해 형성한 괘(卦)와 물(物), 그리고 이에 내재한 수리적 공통성을 통해 '대립과 상호작용'이 중화에 이르는 과정에서 드러내는 인문적 상호공존 논리를 현대적 개념으로 탐구하였다.

1. 상호관계성

현대의 세계는 정치 경제 문화 할 것 없이 모든것이 복잡한 신경망처럼 연결되어 상호작용하며 영향을 주고받는다. 나비의 날갯짓 하나가 태평양 너머에 파도를 일으킨다는 나비효과는 작금의 세계에서는 너무도 쉽게 나타나며, 인터넷으로 촘촘하게 연결된 세상은 실시간으로 상호작용의 결과를 곧바로 드러내 준다. 물리적으로 거리가 있었던 과거에는 지역 간의 교류와 상호관계에 어려움이 있었지만, 현대는 모든것이 복잡한 신경망처럼 연결되어 나비효과는 빠르게 확산한다. 어느 한구석에서 일어난 사건은 즉시 세계를 넘어 전 우주 공간에 전파되며, 국지전은 곧바로 전 세계 증권시장에 영향을 미친다. 수분 활동을 하는 꿀벌이 사라지면 꽃은 열매를 맺을 수 없고, 이로인하여 식량난에 직면한 인간과 각종 동식물은 멸종의 위험을 함께 고민할 수밖에 없다. 이것은 서로 간에 '상호작용을 통한 관계성'으로 연결되어 상호의존관계에 있는 개개의 특성은 다른 개체와 분리되어 독립적으로 존재할 수 없음을 말해준다.

전 세계를 죽음의 공포로 몰아넣은 코로나바이러스(COVID-19) 감염증의 선진국과 후진국 예방 접종률을 비교해보자. 선진국은 많은 물량확보를 통해 자국민은 수차례에 걸쳐 예방 접종을 진행하는 반면에 후진국은 1차 접종은커녕 물량확보의 초기 단계에서부터 어려움에 봉착한다. 이러한 상황은 아

이러니하게도 예방 접종이 미진한 후진국에서 각종 변이가 발생하게 되는 원인이 되고, 그 변이는 접종의 완성단계에 진입한 선진국의 예방시스템을 무력화시켜 다시금 재전염이 가속화되는 악순환을 반복하게 한다. 이것은 내가 전염되지 않기 위해서는 나는 물론 타인의 전염을 예방하는 것도 나의 생존을 위한 필수적 조건이라는 것을 역설적으로 말해준다. 이러한 예는 인간을 비롯한 사물들의 존재 방식이 바로 '상호관계성'에 근거하고 있다는 것을 논증하며, "세상에는 홀로 고립되어 존재하는 이치를 가진 사물은 없다."[1]라는 북송의 기본체론자(氣本論者)인 장재(張載)의 말을 다시 한번 확인시켜 준다.

생존을 위한 필수적 요건은 공존(共存)이다. 양자물리학자인 프리초프 카프라는 일체의 대립적인 것은 상호의존적이며, 그러므로 만물은 상호작용을 통해 역동적인 균형을 유지할 수 있다고 말한다. 우주의 모든 사물과 사건들은 '상호관계의 완전한 그물망'[2]속에서 상호의존하며 존재하기 때문에 상호작용은 서로 간의 존재에 영향을 미칠 수밖에 없다는 것이다.

대상의 모든 특성은 오직 다른 대상과의 관계에서만 존재한다. 자연의 사실들은 오직 관계 속에서만 그려지는 것이다. 양자역학이 기술하는 세계에서는 물리계들 사이의 관계 속에서

---

1) 張載, 『正蒙』, 「動物」, "物無孤立之理."
2) 프리초프 카프라, 김용정·이성범 공역, 『현대물리학과 동양사상』, 범양사, 2017, p.368.

가 아니고는 그 어떤 실재도 없다. 사물에 있어서 관계를 맺게 되는 것이 아니라 오히려 관계가 '사물'의 개념을 낳는 것이다. 양자역학의 세계는 대상들의 세계가 아니다. 그것은 기본적 사건들의 세계이며, 사물들은 이 기본적인 '사건들'의 발생 위에 구축되는 것이다.[3]

다른 대상과의 관계에서만 존재한다는 것은 상반된 대립적 성질의 음과 양이 상호작용을 통해 균형과 조화를 이루어 가면서 새로운 중화를 형성해 나가는 것을 의미한다. 미세영역의 관점에서 본다면 이것은 음과 양이 대립과 대대라는 일련의 모순과 화해의 과정을 거쳐 중화를 이루는 것으로서 이를 통해 기(氣)에 내재 된 물성(物性)을 발현시키는 것을 의미한다. 음이나 양 홀로 중(中)을 생성할 수 없듯이 음양의 상호관계를 통한 강유상추 활동이 없다면 사물은 결코 세상에 그 모습을 드러내지 못한다. 우주 안에 존재하는 그 어떤 것도 홀로 존재하는 독존(獨存)이란 있을 수 없으며, 표면상 상반된 양태나 성질을 가진 사물도 사실은 서로 부딪히고 교감하며 상호 영향을 주고받으면서 새로운 형태의 변화를 이루어 가는데 협력함으로써 내부적으로는 상호의존적 관계를 맺고 있음을 알 수 있다. 그러므로 양자역학적 관점에서 보면 사물이 관계를 맺는 것이 아니라 오히려 사건들의 상호관계가 사물을 낳는 것이라 할 수 있는 것이다.

---

3) 카를로 로벨리, 김정훈 역, 『보이는 세상은 실재가 아니다』, ㈜쌤에 파커스, 2018, p.136.

강유상추(剛柔相推)는 일음일양(一陰一陽)의 상호작용을 의미하며, 이는 사물 변화의 기본 법칙으로서 천지 만물이 존재하는 형식이다. 음과 양은 상호작용이 없으면 중화를 이루지 못하며, 이로써 만물은 생성되지 않는다. 미세영역의 관점에서는 양성자(陽), 중성자(中), 전자(陰)로 이루어진 원자들 간의 상호작용이 만물을 생화하는 원리가 된다. 거시영역의 관점에서 보면 천지인 만물은 상호 간의 관계성에 의해 상호의존하며 영허소식(盈虛消息)4)의 원리로써 생로병사를 순환하며 중화를 이뤄간다.

　미시영역에서의 양자장의 상호작용은 거시세계의 사물을 낳는다. 그리고 거시세계의 사물들은 사시를 순환하며 상호작용을 통해 중화를 일군다. 즉, 미시의 상호작용은 거시의 사물을 낳는 기본원리가 되고, 사물은 또한 무리 간의 상호작용으로 생로병사를 순환하며 균형과 조화로써 중화를 지향한다. 그러므로 물질의 내부를 미시적으로 들여다본다면 양자장(Quantum field)의 역동적인 상호작용으로 끊임없는 변화의 파도가 요동치는 것을 알 수 있다. 미시와 거시는 동체이면으로서, 사물이란 기의 흐름이 강하게 응집되어 일시적으로 머문 형태일 뿐이며, 언제든 흩어지고 모이는 일시적인 모습을 갖춘 파도의 형상에 불과한 것이라 할 수 있다.

---

4) 『周易』, 雷火豐 「象傳」, "日中則昃, 月盈則食, 天地盈虛, 與時消息."

태허(太虛)는 형태가 없으니 기의 본래의 모습이고 기가 모
이고 흩어지는 것은 변화의 일시적인 형상일 뿐이다.[5]

　　기가 모이고 흩어지는 것은 변화의 일시적인 형상이다. 거시
가 무너지면 미시가 되고, 미시가 응집하면 거시가 된다. 미시
와 거시는 동체이면을 구분하여 설명하고 있을 뿐이다. 형체가
없는 미시를 무(無形)라고 한다면 형체가 있는 거시는 유(有
形)가 되니, 유무상생(有無相生)이라 할 수 있다. 그러므로 거
시세계를 이해하고자 할 때 그 이면에서 파동치는 역동적인 기
의 흐름을 볼 수 있어야 미시영역에서 만들어 내는 거시세계
사물의 미묘한 변화를 읽어낼 수가 있다.

　　주사위를 변화의 흐름 속에 던지면 기의 변화는 주사위가 만
들어 내는 괘상 속에 내면화된다. 기의 흐름이 내재화된 괘를
분석하고, 또 그 시점을 전후로 괘효의 변화를 분석하면 기의
작용이 만들어 내는 변화의 조짐을 미리 읽어낼 수가 있으니,
이것이 바로 주역점의 기본적 원리라 할 수 있다.

　　그러므로 개체의 존재성은 우주적 에너지의 흐름 속에서 파
악할 수 있으며 그런 점에서 존재성은 곧 관계성을 의미한다.
개체는 상호관계성으로 존재하며 타자의 영향을 차단하고 독자
적으로 존재할 수 있는 이치를 가진 사물이란 없다. 양자물리학

---

5) 張載, 『正蒙』, 「太和」, "太虛無形, 氣之本體, 其聚其散, 變化之
客形爾."

에서의 상호관계성은 인접한 사물 간의 상호작용을 넘어 멀리 떨어진 우주의 부분까지도 매우 밀접하게 관계망으로 통합되어 있다는 광의의 개념으로 인식의 확대가 이루어지고 있다. 우주는 독립된 개체들의 모임이 아니라 개체들이 전일적 관계성으로 연결된 그물망에서 상호연결되어 서로 의존하며 하나로 통합되어 전체를 이루고 있는 동일체라 할 수 있다. 장재(張載)는 이것을 "홀로 고립되어 존재하는 이치를 가진 사물은 없다."[6] 라고 하여 '상호관계성'을 사물의 존재 원리로 정의하고 있다. 즉, 만물은 대립하면서도 상대가 없으면 나도 존재할 수 없는 상호의존성을 기본원리로 한다. 그러므로 내가 생존하기 위해서는 상대와의 공존은 필수적이라 할 수 있다.

---

6) 張載, 『正蒙』, 「動物」, "物無孤立之理."

2. 공존(共存)

1) 유무일체(有無一體)

현대물리학이 발견한 미세의 영역에 존재하는 원자는 핵을 구성하는 양성자(+)와 중성자(0), 그리고 핵 주위를 불규칙적으로 순환하는 음의 성질을 가진 전자(-)로 이루어져 있다. 역학적 의미에서 이것은 음양의 작용으로 표현되는 기로 비유된다. 즉, 물리학의 원자는 에너지로 표현되는 양자장을 구성하는 요소이고, 이것들이 상호작용을 함으로써 물(物)을 발현해 낸다.

마찬가지로 역학적 관점에서 天地人이라는 정보적 특성(理)을 내재한 氣(陰陽)는 역동적인 상호작용을 통해 중화(中)를 이룸으로써 기(器)를 토해낸다. 즉, 氣에 내재 된 理(씨앗)는 양자장(Quantum Field)을 구성하는 원자(atom)로 비유할 수 있다. 기(氣)는 파동성이면서 입자성을 가진 장(場)으로서 天人地(陽中陰)라는 정보(씨앗)를 품은 원자들의 구름으로 이루어진다.

장재는 「계사전」의 "陰陽不測之謂神"을 해석하여 "두 가지가 있으므로 측량할 수 없다. 하나로 미루어 나간다."[1]라고 하여 음양의 신묘한 유무상생(有無相生)의 이치를 설명하고 있

---

1) 朱熹, 『周易本義』, "張子曰, 兩在故不測, 推行于一."

다. 하나(一)로 미루어 나간다는 것은 동체이면의 신묘한 상호작용으로 균형과 조화를 이루면서 하나의 합일점(中)을 찾아가는 것을 의미한다.

형질(形質)이 모여 사물(事物)이 되고, 형질이 붕괴되면 다시 그 근원으로 돌아간다.[2]

프리초프 카프라(Fritjof Capra)는 그의 저서에서 소립자들은 장(場)의 국부적인 응결에 불과하며, 그러므로 물질이라는 것은 장(場)이 극도로 강하게 집중된 공간의 영역이라고 밝히고 있다.[3] 데이비드 봄(David Bohm)은 에너지가 출렁이는 우주 바다라는 비유를 통해 다차원의 우주론을 전개하고 있다. 즉, 대양 한가운데 가끔씩 우연히 모이는 잔파도는 이들 사이에 위상이 맞으면 작은 공간 영역에서 갑자기 매우 높은 파도가 튀어나오듯이, 우주라는 광대한 에너지 바다에서 일어나 갑작스런 진동을 일으키며 우주가 탄생했을지 모른다. 즉, 빅뱅(bigbang)이란 에너지 바다에서 일시적으로 응결하는 잔물결 정도에 불과한 것일 수 있다라고 하였다.[4]

즉, 기로 비유되는 미시영역의 양자장의 응결이 거시세계의

---

2) 張載, 『正蒙』, 「乾稱」, "形聚爲物, 形潰反原."
3) 프리초프 카프라, 김용정 · 이성범 공역, 『현대물리학과 동양사상』, 범양사, 2017, p.275.
4) 데이비드 봄, 이정민 역, 『전체와 접힌 질서』, 도서출판 마루벌, 2010. pp.240-241.

물질을 이루는 것은 결국 기(氣)와 물(物)의 관계는 동일체를 구성하는 동체이면의 개념이라고 할 수 있다.

기(氣)가 응축될 때 그것은 가시적으로 나타난다. 그래서 그 때에는 개별적인 것들의 형체가 된다. 그것이 분산될 때는 불 가시적인 것이 되고, 형체들도 없어진다. 이럴진대 그것이 응 축되었을 때 그것이 단지 일시적인 것에 지나지 않는다는 것 외에 달리 말할 수 있을 것인가? 또한 흩어져 있을 때 성급히 그것이 존재하지 않는다고 말할 수 있을 것인가?[5]

기(氣)가 모여 질서가 세워지면서 물(物)이 되고, 物은 다시 기운 이 극에 달하게 되면 질서가 무너지면서 기의 바다, 즉 입자와 파동 의 영역인 태허로 돌아간다. 형체가 사라져 개체적 특성이 사라진 기 의 영역을 태허라 하여 장재(張載)는 이를 태허즉기(太虛卽氣)라 표 현했으며, 그러므로 "기의 성질은 흩어져 형태가 없는 상태로 돌아가 도 본질적 상태를 유지하며, 모여서 형상화되는 경우도 본래의 항상 성을 잃지 않는다."[6]라고 정의했다.

사물에 있어서 질서[物]는 곧 생명이고, 무질서[氣]는 죽음 을 의미한다. 질서에서 무질서, 무질서에서 질서의 변환 과정은 기(氣)와 물(物)의 상관성을 의미하며, 사물이 변화하는 과정을 단계별로 나누어 놓은 것이 양자역학적 시간의 개념이 된다. 시

---

5) 張載, 『正蒙』, 「太和」, "氣聚則離明得施而有形, 氣不聚則離明不 得施而無形. 方其聚也, 安得不謂之客. 方其散也, 安得遽謂之無."
6) 張載, 『正蒙』, 「太和」, "氣之爲物, 散入無形, 適得吾體, 聚爲有象, 不失吾常."

간이란 동적인 변화의 흐름을 단계별로 구분하여 쪼개놓은 것에 불과하다.

'물질의 장'이론에 따르면 물질적인 입자란 단지 장력(場力)이 엄청나게 높이 집중되어있는 전기장의 한 좁은 영역에 불과하며, 이것은 비교적 큰 장 에너지가 매우 좁은 공간에 결집되어 있는 것을 뜻한다.[7]

마치 파도가 바다 속으로 녹아 들어가기 전에 잠시 모습을 유지하듯이, 돌은 잠시 구조를 유지하고 있는 양자들의 진동입니다.

파도는 물 위를 움직여 가지만 한 방울의 물도 나르지 않습니다. 이 파도란 무엇일까요? 파도는, 지속적인 물질로 이루어져 있지 않다는 의미에서 대상이 아닙니다. 우리 몸의 원자들도 (파도처럼) 우리에게서 흘러나갑니다. 우리는 파도처럼 그리고 모든 대상처럼 사건들의 흐름입니다. 우리는 과정입니다. 잠깐 동안만 한결같은….

양자역학이 기술하는 것은 대상이 아닙니다. 그것은 과정을 기술하고 과정들 사이의 상호작용인 사건들을 기술합니다.[8]

우주 삼라만상은 기로 이루어진 것이며, 기가 응결되면 형체를 갖추고 개체의 특성을 가진 物(有形)이 되지만 기가 흩어지면 형체가 사라지고 개체의 특성이 상실된 氣(無形)로 되돌아간다. 즉, 氣(無)와 物(有)은 같은 사물의 구성요소로서 '有와

---

7) 프리초프 카프라, 김용정·김성범 공역, 『현대물리학과 동양사상』, 범양사, 2017. p.278.
8) 카를로 로벨리, 김정훈 역, 『보이는 세상은 실재가 아니다』, (주)쌤앤파커스, 2018, pp.136-137.

無는 하나로 혼융된 상태'⁹⁾라는 이치를 의미한다. 그러므로 유무일체(有無一體)로서 진정한 무(無)란 공무(空無)가 아닌 진공즉묘유(眞空卽妙有)라 할 수 있다. 또한 사물의 구성은 형태가 없는 기의 응집으로 형체가 있는 사물이 되는 것이니, 『노자』가 밝힌 유생어무(有生於無)¹⁰⁾이며 곧 유무상생(有無相生)¹¹⁾의 뜻과도 일맥상통한다.

그러므로 장재는 "기가 모여 나의 몸을 이룰 때도 나의 몸이고, 몸의 기가 흩어져 태허가 될 때도 역시 나의 몸이니, 죽음이란 기가 없어진 것이 아니라는 것을 알고 있는 사람이라야 그와 더불어 성(性)에 대하여 논할 수 있다."¹²⁾라고까지 하였다. 기의 관점에서 장재가 바라본 생사(生死)라는 것은 단지 기가 응취(凝聚)되었다가 소산(消散)되어 사라지는 기의 변화 양상에 불과한 것이다.

---

9) 張載, 『正蒙』, 「太和」, "不識所謂有無混一之常."

10) 『老子』 第40章, "天下萬物生於有, 有生於無."

11) 『老子』 第2章, "故有無相生, 難易相成, 長短相形, 高下相傾, 音聲相和, 前後相隨."

12) 張載, 『正蒙』, 「太和」, "聚亦吾體, 散亦吾體, 知死之不亡者, 可與言性矣."

2) 환존(環存)

우주 삼라만상은 공간(空)을 의미하는 天과 시간(時)을 의미하는 地, 그리고 시공(時空) 속에서 기의 역동적인 상호작용으로 생멸을 거듭하는 人(物)으로 구성된다. 天은 우주 공간에 미만해 있는 양기로서 象을 이루고, 地는 음기로서 양기를 받아 변화를 통해 形을 이룬다.[1] 상반된 성질의 음과 양이 상호작용을 통해 강유상추하며 변화를 일으키니, 변화란 곧 중화를 가리킨다.[2] 人中이란 거시적 관점에서 天地가 교감을 통하여 人을 생하는 것이고, 미시적 관점에서는 陰陽이 상호작용함으로써 中을 이루는 것을 의미한다. 즉, 人中이란 天地·陰陽이 상호교감을 통하여 교합함으로써 하나(一)를 이루는 합일의 자리를 가리킨다. 그러므로 人中은 거시적으로 天人地, 미시적으로는 陽中陰이 서로 전일성(全一性)을 이루는 중화의 영역이라 할 수 있다.

하나(一)에 내재한 천인지 삼재(理)는 상반된 성

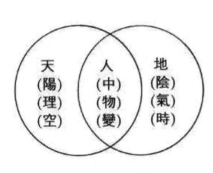

<그림 26> 환존(環存)

---

1) 『周易』, 「繫辭傳上」 第1章, "在天成象, 在地成形, 變化見矣."
2) 『周易』, 「繫辭傳上」 第2章, "剛柔相推而生變化."

질의 음양(氣)이 대립과 상호작용을 통해 중화를 이루면서 만물(物)로 드러난다. 하나(一)에 내재한 天人地가 만물의 씨앗(理)으로서 체(體)라 한다면, 理를 드러내는 작용성인 음양은 용(用)이 되고, 음양의 상호작용으로 드러난 형상인 만물은 상(象)이라 정의할 수 있다.

중화는 천지가 하나로 합일된 人의 자리이고, 음양이 상호작용을 통해 이루어낸 中의 자리이다. 人中이란 天地·陰陽이 균형과 조화를 이룬 합일의 영역으로서 서로 고리(環)를 이룬 교집합 영역이라 할 수 있다. 그러므로 人中은 천지·음양과 더불어 셋이면서 하나이고, 동시에 하나이면서 셋이 되는 '삼즉일 일즉삼(三卽一 一卽三)'의 영역이라 할 수 있다.

天人地는 서로 고리(環)를 이루어 상호관계망 속에서 존재하며, 그러므로 天人地 중에서 어느 하나라도 없으면 누구도 존재할 수 없는 환존(環存)의 뜻을 갖는다. 환존이란 상호관계망 속에서 서로 연결되어 고리(環)를 이루고 있을 때 성립되는 존재를 의미한다. 그러므로 나의 존재는 타자와의 연결 속에서 비로소 의미가 생기는 것이며, 그러므로 공존은 서로의 생존에 필수적 전제조건이 되는 것이다.

우주 안에 존재하는 일체의 사물은 그 어떤 것도 독립되어 개별적으로 존재하는 것이 아니라 그물망처럼 연결된 유기적 시스템 속에서 상호의존적 관계를 맺으며 상호작용함으로써 공존한다. 홀로 대립자 없이 존재할 수 있는 이치란 없는 것이며,

또한 상호작용이 없다면 물(物)을 낳을 수도 없다. 서로 대립하면서도 상대가 없으면 나도 존재할 수 없는 상호의존적 관계로써 존재하며, 상호작용을 통해 중화를 이룸으로써 사물을 낳는 것이다. 음과 양의 교감작용을 통해 물질로 생화된 개체는 항상 중화를 이루며, 음양의 대소·장단·강약에 따른 변화의 과정에서 생로병사를 경험한다. 장재(張載)는 사물이란 음양의 상호작용을 통해 기에 내재한 이치가 드러나는 것이며, 그렇지 않다면 물(物)이라도 참된 물(物)이 아니라고까지 하고 있다.

  만물은 홀로 존재할 수 있는 이치란 없는 것이며, 같거나 다름, 굽어지거나 펴짐, 끝과 시작으로써 그것을 발하여 밝히지 않으면 비록 物이라도 참된 物이 아니다.3)

그러므로 음양에 내재된 리(理)가 없다면 태허(太虛)는 씨 없는 수박이라 할 수 있다. 주희(朱熹)는 "기(氣)가 응집하였을 때 리(理)는 그 속에 존재한다. 이를테면 천지 간의 인간과 초목과 금수가 생겨나면 모두 씨가 있게 마련이다. 씨 없이 이유도 없이 품물(品物)을 낳는 일이란 결코 있을 수 없다. 이것들은 모두 기의 작용이다."4)라고 하였듯이, 理는 氣가 있어야 존

---

3) 張載, 『正蒙』, 「動物」, "物無孤立之理, 非同異屈伸終始以發明之, 則雖物非物也."
4) 『朱子語類』 卷1, "只此氣凝聚處理便在其中. 且如天地間人物草木禽獸 其生也莫不有種, 定不會無種子. 白地生出一個物事, 這個都是氣."

재할 수 있는 것이며, 氣가 없으면 理도 걸쳐 있을 데가 없는 것이다.5)

균형과 조화를 이루기 위한 중화작용을 통하지 않으면 음양은 결코 기(氣)에 내재하고 있는 씨앗(理)을 발현시키지 못한다. 즉, 대립자의 상호작용을 통해 氣에 내재한 理가 物을 통해 드러나는 것이니, 「계사전」은 이것을 "陰陽不測之謂神음양불측지위신"이라 정의하고 있다.

장재(張載)는 "기는 대립된 양체가 하나로 통일되어 있는 일물(一物)이니, 하나로 통일되어있기에 신묘한 것이며, 대립된 양체를 지니고 있으므로 변화하게 된다."6)라고 불측지신(不測之神)의 신묘한 이치를 설명하고 있으며, 주희(朱熹)는 장재(張載)의 입을 빌려 『주역본의』에서 "장자(張子)가 말하길, 두 가지가 있으므로 측량할 수가 없으니 하나로 미루어 나간다."7)라고 말하고 있다. 중화를 통해 物을 낳는 음양의 작용은 신묘하니 헤아릴 수가 없는 것이며, 상반된 대립적 성질의 양면이 상호교감을 통해 하나(一)로써 中을 이루어가는 것이다.

'理가 있은 뒤에 氣가 있다'라는 리기설(理氣說)을 주장한 주희(朱熹)도 품물(品物)을 낳는 것은 모두 氣의 작용이라고

---

5) 『朱子語類』 卷1, "或問必有是理, 然後有是氣如何. 曰, 此本無先後之可言, 然必欲推其所從來, 則須說先有是理, 然理又非別爲一物, 卽存乎是氣之中. 無是氣, 則是理亦無掛搭處."

6) 張載, 『正蒙』, 「參兩」, "一物兩體氣也, 一故神兩故化."

7) 朱熹, 『周易本義』, "張子曰, 兩在故不測, 推行于一."

하여 '氣가 있으면 理는 그 속에 있다'라고 하였다. 그는 논리 전개상 理가 먼저 있고 氣는 理에 의해 움직인다고 추측할 수는 있으나 실제 작용에서는 그 선후를 알 수 없다고 하였다.

어떤 이가 먼저 理가 있은 뒤에 氣가 있다는 설에 대하여 물었다. 대답하였다. "그 점을 말하기에는 채 미치지 못하고 있다. 지금 알고 있는 것은 본래 理가 있은 뒤에 氣가 있는가, 뒤에 理가 있어서 먼저 氣가 있는가, 어떤 것이 옳은지를 규명할 수 없다는 사실이다. 하지만 추측하여 보니 아마도 氣는 理에 의하여 운행하며, 氣가 응집하면 理도 거기에 존재하고 있을 듯하다. 생각컨대 氣는 응결하여 品物을 만들 수 있으나 理는 정의를 작용시키지도 않고 계획을 말하지도 아니하며 品物을 만들지도 아니한다. 氣가 응집하였을 때 理는 그 속에 존재한다. 이를테면 천지간의 인간과 초목과 금수가 생겨나면 모두씨가 있게 마련이다. 씨 없이 이유도 없이 品物을 낳는 일이란 결코 있을 수 없다. 이것들은 모두 氣의 작용이다. 理로 말한다면 청정하고 광대한 세계로 형적이 없다. 理는 품물을 만들 수 없으나, 氣는 양조하고 응집하여 품물을 낳을 수 있다. 하지만 氣가 있으면 理는 그 속에 있다.8)

---

8) 『朱子語類』 卷1, "或問先有理後有氣之說. 曰, 不消如此說, 而今知得他合下是先有理後有氣邪, 後有理先有氣邪, 皆不可得而推窮. 然以意度之, 則疑此氣是依傍這理行, 及此氣之聚, 則理亦在焉. 盖氣則能凝結造作, 理却無情意, 無計度, 無造作. 只此氣凝聚處理便在其中. 且如天地間人物草木禽獸, 其生也莫不有種. 定不會無種子, 白地生出一個物事 這個都是氣. 若理則只是個淨潔空闊底世界, 無形迹. 他却不會造作, 氣則能醞釀凝聚生物也. 但有此氣, 則理便在其中."

음양의 작용으로 생한 만물이 있다는 것은 氣의 작용이 단순한 氣의 활동이 아니라 理를 내재한 작용임을 의미한다. 음양은 상호작용을 통해 균형과 조화의 영역인 중화를 이룸으로써 만물의 씨앗(理)이 화생하는 생멸지문(生滅之門)을 연다고 할 수 있다. 즉, 음양의 상호작용을 통해 中을 생하는 것은 氣가 내장하고 있는 씨앗을 발현하는 것이라 설명할 수 있다.

人中은 중화의 영역으로서 균형과 불균형, 조화와 부조화, 평(平)과 불평(不平)이 끝없이 순환하며 생로병사를 반복하는 생멸의 문이다. 천하에 "평평하기만 하고 기울지 않는 것은 없으며, 가기만 하고 돌아오지 않는 것은 없는 것이니"9), 그러므로 천지 · 음양이 합일을 이룬 人中이란 "세상의 대립적인 음양 · 동정(動靜)의 상반된 두 측면이 상호감응을 통해 수많은 변화를 야기하면서도 궁극적으로는 균형과 조화의 질서 위에서 전체적인 통일을 이루어내는 우주의 변화"10)가 한없이 일어나는 영역이라 할 수 있는 것이다.

---

9) 『周易』, 地天泰 九三爻辭, "无平不陂, 无往不來."
10) 김학권, 「장재의 우주론과 인간론」, 『철학연구』 77, 대한철학회, 2001, p.69.

3) 동체이면의 유형과 무형

우주는 하늘(天)과 땅(地)과 만물(人)이 어우러진 일체를 의미한다. 우주는 하늘(虛空)만을 지칭하는 것도 아니고 땅(星)만을 의미하는 것도 아니며 만물(人)을 의미하는 것만도 아니다. 天地人 만물이 하나의 체를 이룰 때 비로소 우주 삼라만상이 되는 것이다.

태허는 음양미분의 혼일한 무형의 기가 미만해 있는 상태를 의미한다. 기(氣)는 태허에서 응집하면 물(物)이 되고 해체되어 흩어지면 다시 태허(太虛)로 돌아가는 것이니, 장재는 "태허는 무형으로 기의 본원이며, 그것이 모이고 흩어짐은 변화의 일시적인 형태(客形)일 뿐"[1]이라고 했다. 객형(客形)이란 손님처럼 일시적으로 일정한 형체로 잠시 머무는 상태를 비유한다. 만물은 기라고 하는 하나의 본체, 즉 태허에서 취산 작용이 일어남으로써 마치 물에서 얼음이 얼어 일시적으로 형체를 갖추었다가 풀리면 다시 본원인 물로 돌아가는 이치와 같다.[2] 사물이란 형체를 갖추었을 때는 구분되어있는 개체로 보이지만, 그 물질 깊이 미세영역으로 들어가 보면 결국 기가 취산 활동을 반복하는 과정의 한 단면일 뿐이다.

현대물리학적 관점으로 보면 입자와 파동의 관계로 설명된

---

1) 張載, 『正蒙』, 「太和」, "太虛無形, 氣之本體, 其聚其散, 變化之客形爾."
2) 張載, 『正蒙』, 「太和」, "氣之聚散於太虛, 猶冰凝釋於水, 知太虛即氣, 則無無."

다. 태허는 텅 비어있어 아무것도 없는 것 같지만 실은 그 자체가 기이므로 없음(虛無)이 아니다. 장재(張載)는 "태허가 기로 가득한 무형(無形)의 유(有)라는 것을 안다면 결국 없음이란 없다(無無)."[3]라는 것을 알 수 있다고 했다. 즉, 태허는 텅 빈 공간이 아니라 허공 속의 충만한 무형의 혼일한 기운으로 가득한 유(有)의 영역이라 할 수 있다.

"장재에 의하면 이 세계는 한편으로는 기가 모여 사물을 형성하는가 하면, 또 다른 한편에서는 기가 흩어져 사물이 소멸하면서 태허로 되돌아가고 있는 역동적이고 생기 충만한 변화의 세계라는 것이다. 그러므로 우주에 존재하는 어떠한 사물도 피차 고립적인 것이 아니며, 또한 고정불변의 어떠한 하나의 사물로서 존재하는 것이 아니라, 존재하는 사물 피차간에 상감상통(相感相通)하면서 종시(終始)를 끊임없이 계속하고 있는 것으로 이해한다."[4]

기가 응집되어 형태를 갖춘 물질은 보이는 거시세계로서 유형이라고 하면, 물질이 소산(消散)되어 보이지 않는 기의 영역은 미시세계로서 무형이 된다. "장재는 무형의 有를 태허라 부르고, 이 무형의 有가 유형의 有의 본체가 됨을 주장"[5]하였다.

---

3) 張載, 『正蒙』, 「太和」, "知太虛即氣, 則無無."
4) 김학권, 「장재의 우주론과 인간론」, 『철학연구』 77, 대한철학회, 2001, p.68.
5) 황종원, 「張載의 太虛와 氣개념에 대한 고찰」, 『동서철학연구』 제23호, 한국동서철학회, p.219.

태허란 무형의 기로서 無(虛無)가 아니라 有의 영역이라는 것
이다. 즉, 태허는 허공 속의 충만한 무형의 기운으로서 만물이
비롯되는 有의 바다라 할 수 있다.

그러므로 有는 유형(有形)의 세계가 되고, 無는 무형(無形)
의 세계가 된다. 현대물리학적 관점으로 보면, 유형의 초미세
영역으로 들어가면 결국 보이지 않는 무형의 물(物)을 만나게
된다. 인간의 지각으로 인지하지 못한다고 해서 없다고 할 수는
없는 것이며, 그러므로 양자역학이 발견한 초미세 영역의 기물
(器物)도 결국은 유형의 기물인 셈이다.

"우주는 기로 이루어져 있으며, 기가 모이면 형태를 갖춘 만
물이 되지만, 기가 흩어지면 형태가 드러나지 않는 만물을 이루
는 원질인 태허로 돌아간다."6) 형질(形質)이 모이면 물(物)이
되고, 형질이 무너지면 다시 그 근원인 태허로 되돌아가는 것이
니,7) 이른바 '유(有)와 무(無)는 하나로 혼융된 상태'8)라는 항
상된 이치를 알면 우주의 본질을 이해할 수가 있는 것이다.

---

6) 김대수, 「장재의 有的 세계관에 입각한 氣一元論」, 『철학논총』 제
   73집, 새한철학회, 2013, p.355.
7) 張載, 『正蒙』, 「乾稱」, "形聚爲物, 形潰反原."
8) 張載, 『正蒙』, 「乾稱」, "不識所謂有無混一之常."

4) 유생어유(有生於有)

천지 만물은 보이는 세계와 보이지 않는 세계가 서로 동체이면을 이루고 있다. 보이지 않는 무형의 세계도 有이고, 보이는 유형의 세계도 有이다. 그래서 장재는 '有와 無는 하나로 혼융된 상태(有無混一之常)'이니 유생어무(有生於無)란 있을 수 없으며, 결국 모든 만물은 기(氣)에서 비롯된다는 유생어유(有生於有)를 주장했다.[1] 유형(有形)은 거시세계의 물(物)이 되고, 무형(無形)은 보이지 않는 미시세계의 기(氣)에 해당된다. 모든 만물은 하나(一)에 근본을 두고 있으며, 유형과 무형은 결국 유무일체(有無一體)를 이루어 유무상생(有無相生)의 이치로써 우주 삼라만상을 펼쳐내는 것이다.

프리초프 카프라(Fritjof Caora))라는 동양의 허(虛)와 같은 물리적 진공(眞空)은 아무것도 없는 공무(空無)의 상태가 아니라 소립자 세계의 모든 형태를 지닐 가능성을 갖고 있다고 하였다. 즉, 가상적 소립자들과 진공의 관계는 본질적으로 동적인 관계이며, 진공은 만물의 생성과 소멸의 끝없는 리듬으로 고동치는 '살아있는 허(虛)'라 정의하고 있다.[2] 양자장으로 가득한 우주는 텅 비어있어 아무것도 없고 보이지도 않으며 만져지지

---

1) 張載, 『正蒙』, 「乾稱」, "入老氏有生於無, 自然之論, 不識所謂有無混一之常."
2) 프리초프 카프라, 김용정 · 이성범 공역, 『현대물리학과 동양사상』, 범양사, 2017, pp.289-290.

도 느껴지지도 않지만 결코 절대 없음이 아닌 우주 삼라만상을 낳는 '원시스프(primeval soup)'와 비교할 수 있다.

생명체의 탄생을 말해주는 괜찮은 시나리오는 '원시 스프 (primeval soup)'에 관한 것이다. 물의 충분한 공급, 그리고 대기 속에서 화학반응에 의해 형성된 단순한 유기적 성분들이 풍부했던 초기 지구는 광범위한 화학 반응들이 일어날 수 있는 수없이 많은 연못과 호수를 갖고 있었을 것이다. 수백만 년의 세월 동안 더욱더 복잡한 분자들이 만들어져 마침내 (생명)의 '문지방'을 넘어섬과 동시에 생명체 그 자체가 순전히 이러한 복잡한 분자들의 자기조직을 통하여 탄생했을 것이다.[3]

이것은 "태허가 곧 氣라는 것을 알면 無라는 것은 없다(知太虛卽氣 則無無)"라는 장재(張載)의 말을 다시 확인해 준다. 즉, 진공즉묘유(眞空卽妙有)인 것이다. 태허는 기가 온 천하에 가득한 음양미분 혼일한 상태로서 어느 한 편으로 편재한 상태가 아니다. 그러나 어느 순간 기운이 극에 달하면서 상대성으로 분별된 음과 양이 강유상추 상호작용을 통해 만물을 낳는다. 이는 음양의 대소·장단·강약에 따른 미묘한 편재의 차이에 의해 밀고 당기는 역동적인 변화가 일어나는 것을 의미한다. 『주역』은 이것을 예측할 수 없는 음양의 신묘한 이치라 표현하고 있다(陰陽不測之謂神). 음양이 모두 일정하게 동량이라면 음양의 상호작용은 일어나지 않는다. 음양의 불균형과 불평(不平)

---

3) 폴 데이비스, 류시화 역, 『현대물리학이 발견한 창조주』, 정신세계사, 2020, p.115.

이 모순을 야기하면서 균형을 이루기 위한 역동적인 에너지의 이동을 불러일으킴으로써 만물을 키우는 변화가 일어나는 것이다(剛柔相推而生變化).

동양의 신비 중의 공(空)은 쉽게 아원자 물리학의 양자장과 비교된다. 양자장처럼 그것은 한없이 다양한 형상을 낳으며 그것을 보존하다가 결국엔 다시 거두어 드린다.[4] 그러므로 양자장과 비교되는 태허는 형태도 없고 움직임도 없지만 언제든 만물로 전화될 수 있는 잠재성을 갖추고 있는 것이다. 허(虛), 무(無), 공(空)은 묘유(妙有)의 의미로서 무한한 창조적 가능성을 지닌 동일한 개념으로 이해할 수 있다.

---

4) 프리초프 카프라, 김용정 · 이성범 공역, 『현대물리학과 동양사상』, 범양사, 2017, p.277.

5) 참여하는 우주

물질의 내면으로 깊이 들어가면 갈수록 물질은 점차 그 실체가 안개처럼 희뿌여지면서 독자적인 개체는 시나브로 사라지고 관계성만 남게 된다. 이것은 개별적 존재는 타자와의 연결을 통해 상호관계망 속에 존재하며, 개별적으로 분리되는 경우는 개체로서의 본질적 특성이 사라져 버리고 현대물리학의 양자장과 비교되는 기의 바다인 태허라는 전체 속으로 사라져 버린다는 것을 의미한다. 닐스 보어(Niels Bohr)의 말을 빌리면 "독립된 물질적 입자들이란 추상물로서 그들의 속성은 다른 체계들과의 상호작용을 통해서만 정의될 수 있고 관찰될 수 있는 것이다."[1]라고 할 수 있다.

현대물리학은 우주 삼라만상을 독존(獨存)하는 개체들의 쌓이고 쌓여 전체를 이루는 부분들의 집합이라기보다는 부분들이 '상호 연결된 우주적 망(網)'으로서 전체를 이루는 관계망으로 이해한다. 즉, 양자론은 입자는 독립된 실체일 수가 없고 전체의 통합된 부분으로 이해되어야 한다는 것을 말해준다.

> 만물은 서로 의존하는 데에서 그 존재와 본성을 얻는 것이지, 그 자체로서는 아무것도 아니다.[2]

---

1) 프리초프 카프라, 김용정 · 이성범 공역, 『현대물리학과 동양사상』, 범양사, 2017, p.184.
2) 프리초프 카프라, 김용정 · 이성범 공역, 『현대물리학과 동양사상』,

그러므로 사물 간의 상호관계를 맺고 있는 연결망을 끊어버리면 개체들은 사라진다. 개체들은 전일적 관계망 속에서 서로 의존하는 상호관계성으로 존재하기 때문에 만일 관계망이 사라진다면 개별적 존재는 그 존립의 근거가 사라지는 것이다. 개별적 존재는 타자와 고리(環, loop)로 연결되어 상감상통(相感相通)하면서 존립하는 상호의존적 관계에 있다. 나의 존재는 우주적 관계망 속에서 서로 연결된 타자의 존재를 전제로 성립된다. 그러므로 공존은 나의 생존을 위한 필수 불가결한 전제조건이라 할 수 있다. 홀로 고립되어 존재할 수 있는 이치를 가진 사물이란 없으며,3) 모든 사물과 사건들은 무한히 복잡한 방식으로 서로 작용을 주고받으며 존재한다. 그러므로 우주를 구성하고 있는 천지 만물은 상호의존적 시스템인 우주적 관계망 속에서 서로 연결이 됨으로써 공존을 통해 존재하는 것이니, 독립된 개체로서는 타자와의 연결 고리(環) 없이는 존립할 수가 없는 것이다.

미시세계의 원자가 '양성자(+) 중성자(0) 전자(-)'로 구성되어 있듯이, 거시세계도 '天(+), 人(0), 地(-)'로 구성되어 있다. 크게 보면 미시세계는 물질(+)과 반물질(-)로 초대칭을 이루고 있으며, 거시세계에서도 天(+)과 地(-)가 대칭을 이루며 人(0)

범양사, 2017, p.185.

3) 張載, 『正蒙』, 「動物」, "物無孤立之理, 非同異屈伸終始以發明之, 則雖物非物也."

을 구성한다. 모든 사물은 기본적으로 음양의 대칭을 이루고 있으며, 상반된 대립적 성질의 陰(-)과 陽(+)의 상호작용을 통해 中(0)을 생화하며 변화해간다. 中이란 대립자들이 균형과 조화를 이루어 가는 역동적인 상호작용의 산물이며, 모든 사물 내에서, 그리고 모든 사물 간에 우주적이며 동시다발적으로 일어나는 중화(中和) 작용을 통해 역동적인 균형을 유지하면서 우주적 통일성인 대화(大和)[4]를 지향해 나아가는 것이다.

미시영역에서 소립자는 입자이면서 동시에 파동의 성질로 나타난다. 양자물리학이 입자성과 파동성이라는 양면의 동시성을 말해주고 있듯이, 입자는 유형으로, 파동은 무형으로서 양면의 모습으로 나타난다. 우주란 동일체의 양면성인 미시세계(無)와 거시세계(有), 즉 무형의 미시세계와 유형의 거시세계가 하나의 체를 이루며 유무상생(有無相生)하는 모습을 보여준다. 그러므로 天人地(陽中陰)는 서로 역동적인 상호작용을 통해 관계망(環)을 이루면서 상호 동등한 자격으로 우주의 화육에 공동 참여할 때 비로소 존재하는 것이니, 天人地의 상호연결시스템인 '환존(環存)'의 의미는 곧 '참여적 우주네트워크'라 정의할 수 있다.

원자 물리학의 결정적인 특성은 어떤 대상의 속성을 관찰하기 위해서 관찰자는 반드시 있어야 할 뿐만 아니라 이러한 속성들을 정의하는 데에도 관찰자란 존재는 필요하다는 것이다.

---

4) 『周易』, 重天乾 「彖傳」, "保合大和, 乃利貞."

원자 물리학에서 우리는 대상 그 자체의 속성에 관해서는 말할 수 없다. 그것은 대상과 관찰자의 상호작용이라는 맥락에서만 의미가 있다.[5]

원자 물리학에서 대상을 정의하기 위해서는 관찰자라는 개념이 중요하다. 관찰자는 대상과 상대적으로 분리되어있는 타자로서의 관점이다. 원자 물리학에서는 관찰되는 대상의 속성에 관찰자가 영향을 미치기 때문에 영향을 미치는 정도만큼 그 세계에 개입하게 됨으로써 입자의 위치를 정확하게 측정하려고 하면 그 입자의 운동량이 정확하지 않게 되고 운동량을 측정하려고 하면 그 위치가 정확하지 않게 되는 상황이 벌어진다.

양자론의 중요한 법칙인 하이젠베르크의 불확정성의 원리가 이러한 두 양은 결코 동시에 측정될 수 없다고 하는 것을 보게 될 것이다. 우리는 그 입자의 위치에 관한 정확한 지식을 획득하고 그 운동량(따라서 속도)에 관해서는 완전히 모르는 상태에 있거나, 아니면 그 반대거나, 그렇지 않으면 그 두 가지 양에 관해 대략적이고 부정확한 지식만을 가질 수 있다. 여기서 중요한 것은 이러한 한계가 우리의 측정기술과는 아무런 관계가 없다는 것이다. 이것은 원자적 실재에 고유한 원리상의 한계다. 입자의 위치를 정확하게 측정하려고 하면 그 입자의 운동량이 정확하지 않게 되고 운동량을 측정하려고 하면 그 위치가 정확하지 않게 된다.[6]

---

5) 프리초프 카프라, 김용정·이성범 공역, 『현대물리학과 동양사상』, 범양사, 2017, pp.187.
6) 프리초프 카프라, 김용정·이성범 공역, 『현대물리학과 동양사상』,

그래서 원자 물리학은 분리된 대상이라는 개념을 버리고 관찰자의 개념을 참여자로 대치시키기 시작했으며, 역에서는 이미 '참여하는 우주'라는 양자 물리학적 개념을 '參贊天地之化育참찬천지지화육'이라는 고도의 개념으로 만물의 존재 원리를 정의하고 있다. 이것은 관찰자(참여자)가 타자인 관찰대상과 서로 연결된 우주적 관계망 속에서 '불가분의 일체'를 이루고 있다는 것을 전제한다.

현대물리학에서 우주란 본질적으로 항상 관찰자를 포함하는 '미분리된 전체성'이다. "예를 들어 모든 작용이 불연속한 양자로 이루어져 있다면, 여러 존재자들(예: 전자와 같은 것들) 사이의 상호작용은 분할하지 못하는 단일한 연결로 우주 또한 단절 없는 전체로 생각해야 한다."[7] 즉, 원자 물리학에서는 관찰대상에게 영향을 주지 않는 객관적인 관찰자의 역할은 할 수가 없다고 본다. "결국 전체 우주(그리고 그 모든 입자, 곧 인간, 실험실, 관측기구 따위를 구성하는 입자)는 미분리된 전체로 이해해야 하며, 독립된 부분으로 분석하는 일은 그다지 중요하지 않다."[8] 존 휠러(John Wheeler)는 '관찰자'라는 용어 대신 '참여자'라는 말로 대치할 것을 제안하고 있다.

범양사, 2017, p.188.

[7] 데이비드 봄, 이정민 역, 『전체와 접힌 질서』, 도서출판 마루벌, 2010. p.223.

[8] 데이비드 봄, 이정민 역, 『전체와 접힌 질서』, 도서출판 마루벌, 2010. p.221.

어느 하나를 측정하기 위한 장치를 설비한다는 것은 곧 다른 것에 대한 측정 장치를 가로막고 배제하는 일인 것이다. 더욱이 측정은 전자의 상태를 변화시킨다. 우주는 그 후 결코 동일하지가 않을 것이다. 이상과 같은 것을 기술하기 위해서는 '관찰자'라는 낡은 말을 지워 없애버리고 그 자리에 '참여자'라는 새로운 말을 집어넣어야 한다. 좀 이상한 의미이지만, 우주는 '참여하는 우주'다.[9]

"양자 이론은 '근본적으로 분리된 대상이라는 개념을 제거했으며, 관찰자라는 개념이 있던 자리에 참여자라는 개념을 도입했다. 결국 부분이 전체와의 관계를 통해서만 정의되는, 상호연결된 관계성의 네트워크로서의 우주를 보기에 이르렀다."[10]고 할 수 있다.

그러므로 天地가 상호교감을 통하여 人을 생하고, 陰陽이 상호작용으로 中을 생하는 것은 천지의 화육 작용에 人中이 함께 참여하여 서로 돕는 참여적 우주네트워크 시스템인 환존의 원리로써 天地人이 일체를 이루고 있음을 의미한다. 『중용』에서는 天地人이 서로 고리(環)를 이룬 관계망을 통해 존재하는 원리를 "천지의 화육을 도울 수 있게 되면 인간은 천지와 더불어 셋이 된다."[11]라고 하여 '천지인 삼신일체'라는 삼태극(三太極)의 원리로 설명하고 있다.

---

9) 프리초프 카프라, 김용정·이성범 공역, 『현대물리학과 동양사상』, 범양사, 2017, pp.188-189.
10) 켄 윌버, 김철수 역, 『무경계』, 정신세계사, 2022, p.83.
11) 『中庸』22章, "可以贊天地之化育, 則可以與天地參矣."

3. 환존(環存)의 철학적 모색

1) 관계망 속의 존재

장재(張載)가 『정몽』에서 '홀로 고립되어 존재할 수 있는 이치를 가진 사물이란 없다'고 말한 것처럼, 사물들은 상호 간에 고리(環)로 연결된 관계망 속에서 상호연결성으로 존재한다.

> "세계를 분리시켜 독존(獨存)하는 부분들로 분석할 수 있다는 고전적인 생각을 부정하는, 분해되지 않는 전체성이라는 새로운 개념에 이르게 되었다. (……) 오히려 전 우주의 불가분적 상호연결성이 근본적 실재이고, 상대적으로 독립하여 행동하는 부분들은 단지 이 전체 내의 특별한 우연적인 형태라고 할 것이다.[1]

즉, 만물의 존재 원리는 독존(獨存)이 아니라 서로가 연결되어 상호의존하며 공존하는 환존(環存)이라 정의할 수 있다. 환존이란 天(陽) · 人(中) · 地(陰)가 고리(環)를 이룬 관계망 속에서 서로 의존하며 상호공존함으로써 존재하는 '참여적 우주 네트워크시스템'을 의미한다.

우주 삼라만상이란 시공간에 따른 음양의 부분적인 대소 · 장단 · 강약이 복잡한 양상으로 발생하면서 이에 따른 상호작용이

---

1) 프리초프 카프라, 김용정 · 이성범 공역, 『현대물리학과 동양사상』, 범양사, 2017, p.184.

복잡다단한 형태를 띠며 지역적으로 다양한 중화들을 발현시킴
으로써 생겨나는 다양한 천지 만물을 의미한다.

> 우주 안에 존재하는 그 어떤 것도 사실 홀로만 존재하는 독
> 존(獨存)이란 없는 것이며, 표면상 상반된 양태나 성질을 가진
> 사물도 사실 모두 서로 부딪히고 교감하며 상호 영향을 주고
> 받으면서 새로운 형태의 변화를 이루어 가는데 협력함으로써
> 내부적으로는 상호의존적 관계를 형성하고 있는 것이다.[2]

中은 陰陽이 서로 교접하여 교감작용이 일어나는 교합의 영
역으로서 음양이 서로 고리(環, loop)를 이루어 상호작용하며
만물을 생화하는 자리이다. 음양은 각각 홀로 존재할 수 없으며
서로 고리를 이루어 中을 생할 때 비로소 존재한다. 그러므로
미시세계가 그렇듯 거시세계도 물리적 상호작용 없이 독존(獨
存)할 수 있는 사물이란 없는 것이며 상호의존하는 관계망 속
에서 서로 영향을 주고받을 때 비로소 존립 가능한 존재, 즉 환
존(環存)이라 할 수 있는 것이다. 그러므로 中은 陰陽의 끊임
없는 상호작용에 의한 피드백(feedback)을 통해 사물 간에 고
리(環)로 연결된 환존 상태를 유지함으로써 陽中陰이 일체를
이루어 존재하는 것이라 할 수 있다.

양자론은 우리로 하여금 우주를 물리적 대상들의 집합으로

---

2) 김학권, 「주역의 우주관」, 『공자학』 제25권, 한국공자학회, 2013,
   p.128.

서가 아니라 통일된 전체의 여러 가지 부분들 사이에 있는 복잡한 관계망(網)으로서 보게 한다.3)

그러므로 상호관계망을 의미하는 환존이란 만물이 공존하는 존재 원리이며 생멸지문(生滅之門)으로서 천지인이 공동 참여하여 서로 돕는 '자발적 우주 네트워크시스템'이라 할 수 있다.

우주 삼라만상은 天地人이 동등한 위상으로 참여하여 천지만물의 화육을 함께 함으로써 상호 존재한다. 홀로 고립되어 존재할 수 있는 이치를 가진 사물이라는 것은 있을 수가 없으며, 그러므로 나의 존재는 타자의 존재를 필수조건으로 하는 상호의존 관계에 있다고 할 수 있는 것이다.

---

3) 프리초프 카프라, 김용정·이성범 공역, 『현대물리학과 동양사상』, 범양사, 2017, p.185.

2) 만물만상(萬物萬象)의 전일성

음양은 대소 · 장단 · 강약이라는 미세한 편재의 차이에 따라 에너지(氣)의 이동이 발생하면서 상호작용을 시작한다. 그리고 음양의 미세한 편재에 따라 중화작용이 다양하게 발생하면서 서로 다른 양태의 다양한 中의 고리(環)가 생겨난다.

「음양태극도」는 대립적 성질의 음양이 상호작용을 통해 하나의 통일체로 귀일되는 과정을 보여준다. 즉, 태극도는 음이 약하면 양이 보완하고 양이 약하면 음이 보완하며, 음이 강해지면 양이 양보하고 양이 강해지면 음이 양보하는 대립적(對立的)이면서도 상보적(相補的)인 관계를 보여준다. 그러므로 음양이 만들어내는 태극도는 항상 모자람 없이 원(圓)의 상태를 유지하게 된다.

카를로 로벨리는 상호작용은 원자 간의 작용뿐만 아니라 원자들이 상호작용을 통해 결합한 원자들의 집합 사이의 상호작용에 대해서도 언급하고 있다.

세계는 단지 충돌하는 원자들의 네트워크만은 아닙니다. 세계는 원자들의 집합 사이의 상호관계 네트워크이기도 하며, 물리계들 사이의 상호적인 정보의 네트워크이기도 한 것입니다.[1]

---

1) 카를로 로벨리, 김정훈 역, 『보이는 세상은 실재가 아니다』, ㈜쌤앤파커스, 2018, p.238.

음양의 대소·장단·강약에 따른 상호작용은 부분적으로 복잡다단한 형태로 일어나 서로 간에 균형과 조화를 이루면서 다양한 중화를 형성한다. 그리고 생성된 中은 또 다른 中과의 지속적인 상호교감을 통해 궁극적으로 최고의 가치인 大和를 지향한다. 대화(大和)란 우주적인 대조화(大調和)로서 음양의 상호작용이 지향하는 궁극적 가치로서 완전한 균형과 조화를 의미한다.[2]

> 빛과 그림자, 긴 것과 짧은 것, 검은 것과 흰 것, 이와 같은 것들이 서로 별개로서 구별되어야 한다는 말은 그릇된 것이다. 그것들은 단독으로는 존재하지 못한다. 그것들은 다만 동일한 것들의 다른 측면일 뿐이며, 실재가 아니라 관계성을 말하는 단어들이다. 존재의 조건은 상호배타적이지 않다. 만물은 본질적으로 둘이 아니고 하나이다.[3]

양자물리학은 우주를 '분리된 대상'들의 집합체가 아닌 상호연결된 관계성의 네트워크라고 말한다. 우주 속의 모든 대상은 단일한 에너지가 만들어내는 다양한 형상에 지나지 않으며, 장재(張載)는 이를 '기(氣)의 일시적인 취산 활동'이라고 표현하고 있다.

천지인 만물은 생장수장의 이치로써 끝없이 순환하며 天과 地, 理와 氣, 有(有形)와 無(無形), 陽과 陰, 낮과 밤이 고리

---

2)『周易』, 重天乾「象傳」, "保合大和, 乃利貞."
3) 켄 윌버, 김철수 역,『무경계』, 정신세계사, 2022, p.66. :『능가경』재인용.

(環)를 이루며 동체양면의 하나(圓원)를 완성한다. 그 하나(一)는 묘리로써 만물만상을 펼쳐내고, 가고 오며 한없이 순환하지만 본디 하나(一)라는 본질은 변함이 없는 것이다.

'루프양자중력이론(Loop Quantum Gravity)'은 수학적 형식으로 이러한 공간원자와 원자들 간의 진화를 정의하는 방정식을 설명합니다. '루프(loop)', 즉 '고리(環)'라고 부르는 이유는 모든 원자가 고립되어있는 것이 아니라 다른 비슷한 것들과 고리로 연결되어 공간의 흐름을 이어주는 관계 네트워크를 형성하기 때문입니다.[4]

서로를 연결하는 원리인 환(環)은 우주에 존재하는 사물들을 그물 같은 관계망으로 구성하여 사물 간의 상호작용, 상호의존, 상호관계를 형성하는 공존시스템이라 할 수 있다. 사물 개체는 독존(獨存)이 아니라 관계망 속에서 상호연결되어 타자를 필수적인 구성요소로 인정하고 서로 의존하며, 끊임없는 상호작용을 통하여 자신의 존재를 보장받는다. 상대와의 공존(共存)을 통해 자신의 존재가 확인되는 것이다.

만물은 독존이 아니라 우주적 연결망 속에서 전일성으로 공존하며, 이는 타자를 필수 불가결한 존재로 인정하여 상호의존함으로써 존재할 수 있음을 의미한다. 그러므로 서로서로 고리(環, loop)를 이루어 연결됨으로써 공존하는 상호관계성의 원리

---

4) 카를로 로벨리, 김현주 역, 『모든 순간의 물리학』, ㈜쌤앤파커스, 2016, p.81-82

를 '환존(環存)'이라 정의하고자 한다.

소립자란 독립해서 존재하는 분석 가능한 실체가 아니다. 그
것은 본질적으로 외부의 다른 사물로 뻗어가는 일련의 관계성
이다.[5)]

만물은 우주적인 완전한 상호 그물망 속에서 관계성을 통해
일체로 존재한다. 이는 "세계를 분리된 부분들의 집합이라기보
다는 통합된 전체로 보는 전일적 세계관으로 볼 수 있으며, 또
한 그물망처럼 연결된 생태학적 세계관이라 부를 수도 있다. 부
분 부분이 모인 전체가 하나의 생명이라는 생태학적 인식은 모
든 현상이 근본적으로 상호의존하고 있으며, 개인과 사회도 자
연의 순환 과정에 깊이 관련되어 있음을 깨닫게 해준다."[6)] 우
주 삼라만상은 사물 상호 간에 서로 연결되어 관계망을 형성함
으로써 우주 전체가 하나의 생명이라는 전일성을 이루며 존재
하는 것이다.

---

5) 켄 윌버, 김철수 역, 『무경계』, 정신세계사, 2022, p.78.
6) 프리초프 카프라, 김용정·이성범 공역, 『현대물리학과 동양사상』,
   범양사, 2017, p.408.

4. 대조화(大調和)

1) 보합대화(保合大和)

완전한 균형과 조화의 영역에서는 만물의 창조는 일어나지 않는다. 완전한 조화(調和)란 최고의 지향점으로서 대화(大和)를 의미한다. 대화(大和)란 다양한 양태의 중화(中和)와 중화(中和)가 상호작용을 통해 더 크고 넓은 광역의 조화를 이루는 음양의 대조화(大調和)를 의미한다.[1]

음양의 편재와 불균형은 에너지의 이동을 발생시키며, 지역적으로 부분적인 중화를 이룬다. 그리고 부분적인 중화는 또다시 더 큰 영역에서의 불균형을 일으키며, 이러한 불균형은 전체적인 균형을 추구하는 과정에서 또 다른 에너지의 역동적인 이동을 불러일으키고, 이에 따른 중화 간의 상호작용은 만물의 생멸을 순환케 하는 원리가 된다. 대화(大和)는 상이한 성명(性命)을 가진 각종의 천지 만물이 상호 간에 대립하면서도 하나로 통합되어 전체적인 통일체를 이루고 있음을 지칭한다.

보합(保合)이란 이미 생겨난 뒤에 온전히 보전하는 것을 의미하는 것이니,[2] 보합(保合)의 합(合)은 음양의 상호작용으로 생한 교합(交合)의 영역인 중화(中和)를 가리킨다. 즉, 시공간

---

1) 朱熹,『周易本義』, 重天乾卦, "大和, 陰陽會合沖和之氣也."
2) 朱熹,『周易本義』, 重天乾卦, "保合者, 全於已生之後."

마다 서로 다른 다양한 교합의 영역인 중화를 보전(保全)하여 더 큰 하나를 이루는 대중화(大中和), 즉 대화(大和)를 의미한다. 그러므로 '保合大和'란 이미 생겨난 다양한 중화를 온전히 보전하여 최고의 지향점인 대화(大和)를 이루는 것이다.

무극은 음양미분의 상태에서 완전한 균형과 조화를 이루어 상호작용이 일어나지 않는 태허의 상태로서 음양으로 나뉘어 상호작용하는 태극과 비교되는 추상적 개념이다. 즉, 무극이란 추상적인 개념으로서 완전한 균형과 조화의 상태인 대조화를 상징하는 최고의 지향점인 대화(大和)와 비교할 수 있다. 사실상 완전한 균형이란 자연계에서는 있을 수 없으며, 단지 균형과 불균형, 조화와 부조화, 평(平)과 불평(不平)이라는 대칭적 의미를 설명하기 위하여 논리 전개상 필요한 개념으로 사용된다. 그러므로 태극과 무극, 유형과 무형, 입자와 파동, 질서(cosmos)와 무질서(chaos)는 천지 만물의 생성과 소멸이라는 창조원리의 기본적인 개념이라 할 수 있다.

자연은 무질서하고 불안정한 상태에서 쉼 없는 자발적 자기조직 시스템으로 혼돈 속에서 질서를 창조한다. 완전한 조화의 상태에서는 창조는 일어나지 않는다. "에너지 입자가 충만되어 있더라도 조화상태에서 만물만상은 없고, 그것의 유전도 운동도 없다. 인간도 우주도 있을 수 없다. 공간 속에서 조화가 깨트려짐으로써 생긴 우주 속의 무수한 파(派)의 소용돌이 속에서 에너지 입자의 집중이 특히 커진 중심에서 일월성신(日月星

辰)이 생겨나는 것"3)이다. 우주 창조의 시발점인 빅뱅(bigbang)이란 바로 최초의 조화가 깨진 사건으로 이해할 수 있다.

「태극음양도」에서 보듯이 음양의 불균형은 만물을 낳는 원리이다. 중화란 상반된 대립적 성정의 음과 양이 서로 밀고 당기는 상호작용을 통해 합일점을 찾아 교합의 영역을 만들어가는 과정이다. 완전한 균형과 조화란 있을 수 없으며, 완전무결한 균형을 상징하는 대화(大和)는 상호작용의 지고의 가치로서 중화(中和)가 지향하는 최고의 지향점이라 할 수 있으니, "保合大和 乃利貞"4)란 바로 이를 정의하는 것이다.

태극은 음양의 편재와 불균형을 표상한 것으로서 천지 만물을 낳은 원리를 설명한다. 음양으로 분별되기 전인 태극음양도의 중심점은 음양의 편재없이 완전한 균형을 이루는 균형점으로서 음양의 대립과 상호작용이 없는 무극을 상징한다. 중심점을 벗어나는 순간 음양의 대소·장단·강약이라는 미세한 균열이 발생함으로써 무극(0)에서 태극(1)으로 전환되는 상호작용이 일어난다. 이것이 현대물리학에서 말하는 빅뱅(bigbang), 즉 우주 창조의 순간이다.

"우주에 충만된 에너지 입자가 모두 크기에 차이가 없어 전체가 균일하게 팽창해 있다면 조화 때의 안정으로부터 만물이

---

3) 김상일, 『현대물리학과 한국철학』, 고려원, 1992, pp.314-315.
4) 『周易』, 重天乾 「彖傳」, "保合大和, 乃利貞."

라는 것은 있을 수 없다."5) 그러므로 음양의 치우침은 균형을 이루기 위한 상호작용을 불러일으키고 역동적인 에너지의 이동을 발생시킴으로써 만물이 생성되며, 생장수장의 이치로써 생로병사를 순환시키는 원리가 되는 것이다.

양자물리학은 사물과 사물이 그물망으로 상호연결되어 유기적 일체로써 존재하고 있음을 루프양자중력이론(Loop Quantum Gravity Theory)을 통해 설명하고 있다. '부분과 전체'의 관계에서 '부분'에 해당하는 개체 사물 간의 연결이 끊어지면 '전체'에 해당하는 우주는 아예 처음부터 없었던 것이 된다.

만물은 관계망으로 연결되어 상호작용함으로써 상호 균형과 조화를 이뤄가지만 균일한 크기의 완전한 균형이란 있을 수 없다. 큰 쪽은 작은 쪽으로 이동하고, 작은 쪽은 큰 쪽을 받아들이며 서로의 균형을 이루어가지만, 만일 완전한 균형을 이루게 된다면 에너지는 그 역동성이 사라져 버리고 시나브로 고요해지면서 만물은 생기를 잃어버리고 태허 속으로 사라지게 될 것이다. 그러므로 완전한 균형, 즉 완전한 중화란 사실상 존재하지 않는다. 중화는 또 다른 중화와 상호작용을 통해 더 큰 중화를 지향하며 변화를 창조해 나갈 뿐이다. 우주 삼라만상은 정적이기보다는 동적으로서 항상 역동적이고 시끄럽다. 왜냐하면, 그것이 바로 우주의 생존 원리이자 생존 방식이기 때문이다.

---

5) 김상일, 『현대물리학과 한국철학』, 고려원, 1992, p.314.

모든 대립적인 것이 양극적인 것이라는 개념, 즉 광명과 암흑, 득과 실, 선과 악 등이 동일한 현상의 다른 면에 불과하다는 생각은 동양인의 생활방식에 있어서 기본적인 원리 중 하나다. 따라서 일체의 대립적인 것은 상호의존적이기 때문에 그것들의 투쟁은 결코 어느 한쪽의 완전한 승리로 끝날 수 없고 항상 양자 간의 상호작용을 표출하는 것이다. 그러므로 동양에서 덕이 있는 사람이란 선을 위해 분투하고 악을 소멸시키는 불가능한 과업을 떠맡는 사람이 아니라, 오히려 선과 악 사이에 역동적인 균형을 유지할 수 있는 사람이다.6)

어느 한쪽으로 편재되고 편중된 기운이 완전한 균형을 이루게 되면 시소(seesaw)의 상하 운동이 멈춰버리듯 우주는 곧바로 상호작용을 멈추고 사라져 버릴 것이다. 혼돈에 눈과 귀를 달아주었더니 바로 죽어버리더라는 장자(莊子)의 설명은 바로 이러한 우주의 존재 원리를 설명한다. 선만이 최고의 가치가 아니듯, 또한 악만이 최악의 가치도 아니다. 선악의 분별은 한 영역에서의 사물 간의 상호작용을 통해 상호합의로써 이루어진 상호공존에 유리한 윤리적 장치로서의 가치일 뿐이니, 어느 지역에서나 공동으로 적용되는 지고의 가치는 될 수 없다. 다만 중화(中和)를 이룬 다양한 집합들 사이의 또 다른 상호작용을 통해 최고단계의 추상적 가치인 대화(大和)를 지향해 나갈 뿐이다.

---

6) 프리초프 카프라, 김용정·이성범 공역, 『현대물리학과 동양사상』, 범양사, 2017, p.195.

2) 시중(時中)

시간의 변화에 따른 음양의 상호작용은 어느 정도 한계에 도달하면 서로 교감하고 절충하며 교합을 이루면서 중화를 형성한다. 이러한 중화는 음양의 대소·장단·강약에 따른 상호작용이 미세한 불균형의 차이에 의해 다양해지면서 다양한 양태의 중화를 이루게 됨으로써 지역마다 서로 다른 문화와 성격을 갖게 한다. 당연히 지역적 환경과 주어진 조건에 따라 중화는 서로 다른 모습으로 나타난다. 역은 음양이 굴신(屈伸)하며 때를 따라 변역(變易)하는 것[1]으로서, 역이란 다만 한 음과 한 양이 허다한 종류의 모양을 만들어내는 것[2]에 불과하다. 『주역』은 이러한 영허성쇠의 이치를 "강과 유가 서로 밀고 당기며 변화를 만드는 것(剛柔相推而生變化)"이라 하여 자연계의 모든 변화와 양태를 음양의 대립과 상호작용으로 설명하고 있다.

> 천지의 시작부터 끝을 크게 밝히니 여섯 개의 효가 때를 이루며 육룡(六龍)을 타고 하늘에 오른다.[3]

공자는 성인이 만물을 앙관부찰(仰觀附察)하여 세운 '역이 천지의 시종(終始)를 밝히니, 만물을 이루는 여섯 개의 효가 때를 따라 변화하며 천하 만물을 이룬다'라고 하여 특히 시중(時

---

1) 『周易傳義』, 「易說綱領」, "易, 是陰陽屈伸, 隨時變易."
2) 『周易傳義』, 「易說綱領」, "易, 只是一陰一陽, 做出許多般樣."
3) 『周易』, 重天乾 「象傳」, "大明終始, 六位時成, 時乘六龍以御天."

中)을 중시하고 있다. 이는 음양의 상호작용이 중화를 이룸에 있어서 자연계의 때(時)를 따르는 것이 얼마나 중요한가를 말해준다.

괘상(卦象)이 전체적인 공간을 표상한다면, 효상(爻象)은 시간을 표상한다. 시간이 흐름에 따라 공간적 위상(位相)은 변해간다. 즉, 효위(爻位)는 시간의 흐름에 따른 변화의 단계를 표상하므로 괘의 아래에서 위로 시간이 흐름에 따라 효는 그 뜻을 달리하며 변해간다. 효가 변동하면 괘상도 모습을 달리하는 것이니 시(時)와 공(空)은 일체적 관계에 있다고 할 수 있다. 『주역』은 괘사가 전체적으로 길하면 효사에서는 흉으로써 경계사를 주고, 흉하면 길로써 의로움을 권장한다. 즉, 괘상에서 음기가 강하면 효상에서 양으로써 제어하고, 괘상에서 양기가 강하면 효상에서 음으로써 제어하면서 음양은 서로 조화를 향해 끊임없이 진퇴를 거듭하며 균형을 추구해 간다.

『주역』은 괘·효사를 통하여 길흉회린(吉凶悔吝)이라는 경계사를 부여함으로써 수시변역(隨時變易)하며 중화를 추구하도록 촉구한다. 시중(時中)은 수시변역의 과정을 의미한다. 즉, 수시변역이란 때를 따르고(隨時수시), 그때를 적절하게 이용하며(時用시용), 시의적절한 상호작용을 통하여 중도를 이루어 가는 과정(時中시중)을 의미한다. 시중(時中)이란 때를 따라 중도(中道)를 행하는 것이다.[4]

---

4) 『周易』, 山水蒙 「象傳」, "蒙亨, 以亨行, 時中也."

천지 만물은 상호관계성으로 연결되어 서로 통하며, 상호작용으로써 중화를 지향한다. 그러므로 곤음(坤陰)은 하향하고 건양(乾陽)은 상향하면서 음양이 서로 만나 상호작용하는 곤상건하(坤上乾下)의 상인 지천태(地天泰䷊)괘는 "천지가 사귀어 만물이 통태(通泰)하고, 上下가 사귀어 그 뜻이 같아진다."5)라고 함으로써 천지 만물의 시생 원리를 정의하고 있다. 천지가 사귀지 않으면 만물은 일어나지 않는다. 천지가 지속하는 원리는 바로 음과 양이 서로 만나 상호작용하며 만물을 생화함으로써 낳고 낳음이 끊임없이 이어지는 생생지도(生生之道)이기 때문이다. 만일 천지(天地)가 서로 끌리지 않아 만나지 못하고 상호교감하지 않으면 중화를 이루지 못하니 만물(人)은 일어나지 않는 것이다.6)

시중(時中)이란 춘하추동 사시의 때를 순리대로 따르고(隨時), 또한 그때를 적절하게 이용하며(時用), 시의적절하게 중화를 이뤄가는 과정(時中)이다. 채우고 비우며 때와 더불어 행하는 것이니,7) 해는 중천에 이르면 기울어지고 달은 가득 차면 이지러진다. 천지의 차고 빔도 때와 더불어 줄어들고 늘어나는 것이니 사람과 귀신일지라도 이러한 자연계의 물극필반의 이치

---

5) 『周易』, 地天泰 「象傳」, "泰小往大來吉亨, 則是天地交而萬物通也, 上下交而其志同也."
6) 『周易』, 雷澤歸妹 「象傳」, "歸妹, 天地之大義也, 天地不交而萬物不興."
7) 『周易』, 山澤損 「象傳」, "損益盈虛, 與時偕行."

를 벗어날 수 없다.8) 그러므로 천지는 비록 어긋나 있어 보여
도 하는 일은 서로 같으며, 남녀 역시 비록 서로 어긋나 있어도
그 뜻은 통하며, 또한 천하 만물이 서로 어긋나 있어 보여도 그 목
적하는 바는 같은 것이니『주역』은 때를 활용하는 시용(時用)의
가치가 참으로 크다고 말한다.9) 그래서『주역』은 우리에게 자
연계의 물극필반의 이치를 깨달아 치우침 없이 자연의 순환에
순응할 것을 주문하고 있다.

평평하기만 하고 비탈이 없는 것은 없고, 가서 돌아오지 않
는 것이 없으니 어려운 일에 처해서도 바름을 지키면 무탈하
리라. 천지 순환의 이치를 믿고 따르는 자는 무엇을 먹을까 근
심하지 마라. 복이 있으리라.10)

중화란 단순히 합의와 절충만을 의미하지 않는다. 중화를 이
루는 음양의 미묘한 작용은 교감하고 교합하면서 만물을 창조
하는 신묘한 이치를 말한다. 장재(張載)는 이러한 신묘한 창조
의 이치를 "만물을 묘리로써 운영하는 것을 신(神)"11)이라는

---

8)『周易』, 雷火豊「彖傳」, "日中則昃, 月盈則食, 天地盈虛, 與時消
息, 而況於人乎, 況於鬼神乎."

9)『周易』, 火澤睽「彖傳」, "天地睽而其事同也, 男女睽而其志通也,
萬物睽而其事類也, 睽之時用大矣哉."

10)『周易』, 地天泰 九三爻辭, "九三, 无平不陂, 无往不復, 艱貞无
咎, 勿恤, 其孚于食 有福."

11) 張載,『正蒙』,「乾稱」, "妙萬物而謂之神, 通萬物而謂之道, 體萬
物而謂之性."

- 424 -

말로 표현하고 있다.

음양이란 원형적인 양극(兩極)으로써 대립자의 상보성을 표상하는 것이며, 모든 자연현상과 모든 인간 생활의 본질이란 그것들의 역동적인 상호작용에 지나지 않는다.[12] 그러므로 사물간의 도덕적 원리는 음양이 관여할 바가 아니다. 다만 음양의 상호작용에 의한 중화로써 만물이 발현된 것이니 중화의 도덕률을 따르는 것은 만물이 생존하기 위한 최적의 방법이 될 수 있다. 인사적 측면에서도 중도가 인간의 생존을 위한 윤리적 장치로서 최선의 방책이라 할 수 있다.

중화는 환경적 조건에 따라 음양의 대소·장단·강약의 미세한 차이에 의해 시의적절한 방식으로 교감과 교합을 통해 이루어지는 것이므로 저마다 성격은 다르게 나타난다. 너와 나의 중화가 다르고, 무리와 무리의 중화가 다르며, 나라와 나라 간의 중화가 다르다. 그러므로 구성원들의 생존에 유리한 윤리적 장치로서의 도덕적 설정은 저마다 음양의 미묘한 상호작용에 따라 다양한 양태로 나타날 수밖에 없다. 즉, 음양의 미묘한 불균형의 차이가 발생시키는 상호작용은 저마다 다르게 일어날 것이고, 이에 따라 서로 교감하고 절충하며 교합하는 중화의 양태 또한 다르게 나타나는 것이다.

그러므로 구성원들 간에 중화, 즉 균형과 조화를 유지하기 위한 당위적 합의인 윤리적 장치, 예를 들어 종교, 문화, 사상,

---

12) 프리초프 카프라, 김용정·이성범 공역, 『현대물리학과 동양사상』, 범양사, 2017, p.211.

정치, 도덕, 경제, 교육 등등은 무리(群)마다 서로가 다를 수밖에 없고, 그러므로 선악의 절대적 가치는 존재하지 않는다. 세상의 모든 이치는 사물 간에 상충과 화해라는 합의 과정을 거치면서 다양한 상대적 방식으로 성립되는 것이기 때문이다.

조화로 이루어진 것은 하나라도 서로 닮은 것이 없으니, 이로써 만물은 비록 다양하나 실제로 한 사물이라도 음양이 없을 수 없음을 알 수 있고, 천지의 변화는 음과 양의 두 가지 단서일 뿐 것을 알 수 있다.13)

시간적 조건(때)에 따른 사물 발전의 합당한 한도로서 시중(時中)이란 단순한 합의가 아니라 상반된 성질의 대립적인 음양이 대소 · 장단 · 강약이라는 미묘한 불균형의 차이에 의해 발생하는 시의적절한 상호작용의 절충점으로서의 균형과 조화, 즉 중화를 의미한다. 다만 모든 천지 만물의 변화 근원에는 음양이기(陰陽二氣)라는 대립과 통일을 위한 대칭성이 있을 뿐이다.

---

13) 張載, 『正蒙』, 「太和」, "造化所成, 無一物相肖者, 以是知萬物雖多, 其實一物無無陰陽者, 以是知天地變化, 二端而已."

3) 불확정성(uncertainty)

원자의 세계는 관찰자의 시선(관찰 도구)에 따른 영향을 받을 정도로 극미세한 영역으로서, 음양의 미세한 차이가 중화의 불확실성을 만들어내는 영역이다. 음양의 신묘한 상호작용이 어떠한 양태의 중화를 만들어 가는지는 환경적 요인에 따라 달라지기 때문에 불확정성의 원리에 의한 확률적 예측만이 가능하다고 할 수 있다. 음양의 미세한 차이에 의한 상호작용은 서로 다른 양태의 다양한 중화를 무수히 만들어내기 때문이다.

뉴턴의 고전역학과 달리 현대 양자역학에서는 입자의 위치를 정확하게 측정하려고 하면 그 입자의 운동량이 정확하지 않게 되고 운동량을 측정하려고 하면 그 위치가 정확하지 않게 된다. 이렇듯 초미세 영역은 측정하고자 하는 관찰자의 시선에 따라 대상이 영향을 받을 수밖에 없는 불확정한 상태에 놓여 있다고 할 수 있다. 즉, 초미세 영역인 원자의 세계는 확률적으로 예측할 수밖에 없는 불확정성의 원리가 지배하는 영역이다.

> "불확정성(uncertainty)은 양자론의 근본적인 성분으로서 그것은 '예측할 수 없음(unpredictability)'으로 귀결된다."[1]

「계사전」은 음양의 상호작용이 어떤 양태의 중화를 낳는지에

---

1) 폴 데이비스, 류시화 역, 『현대물리학이 발견한 창조주』, 정신세계사, 2020, p.159.

대한 불확실성에 대하여 "음하고 양하여 측량할 수 없음을 신(神)"[2]이라고 정의하고 있으며, 사물이 어떤 양태로 나타날지에 대한 불확실성에 대한 예측은 괘를 이용한 주역점의 논리적 근거가 된다.

역은 천지 만물을 본떠 만든 것으로서 그 자체가 변화를 의미한다.[3] 그러므로 시초를 뽑거나 주사위를 던져 얻은 점괘는 자연이 변화해가는 과정 중에서 일정의 한 단면을 취상한 것이라 할 수 있다. 취상한 괘상을 분석함으로써 그 괘의 전후 변화 과정을 파악하여 시간의 흐름에 따른 조짐을 예측할 수가 있으니 「계사전」은 이것에 대해 "변화의 도를 아는 자는 신의 하는 바를 알 것"[4]이라고 말하고 있다.

장재(張載)는 "음양이란 동체양면으로서 하나의 기이며, 하나이기 때문에 신묘하며, 동시에 둘이기 때문에 대립하며 상호작용함으로써 만물을 생화한다."[5]라고 기의 신묘한 이치를 주석하고 있다. 극미의 세계에서는 "정확한 위치와 운동을 가진 원자의 개념 그 자체가 무의미"[6]할 뿐만 아니라 "원자 세계의 불확정성이 실제로 자연의 본질이라는 사실"[7]은 양자론의 창시자 중의 한 사람인 하이젠베르크

---

2) 『周易』, 「繫辭傳上」 第5章, "陰陽不測之謂神."
3) 『周易』, 「繫辭傳」 第4章 "易與天地準, 故能彌綸天地之道."
4) 『周易』, 「繫辭傳」 第9章 "知變化之道者, 其知神之所爲乎."
5) 張載, 『正蒙』, 「參兩」, "一物兩體氣也, 一故神兩故化."
6) 폴 데이비스, 류시화 역, 『현대물리학이 발견한 창조주』, 정신세계사, 2020, p.160.

(Werner Heisenberg)의 '불확정성의 원리'로서 이는 현대 과학자들도 받아드리는 사실이라 할 수 있다.

　　장자(張子)가 말하길 "두 가지가 있으므로 측량할 수 없다. 하나로 미루어 나간다."8)

　　양자물리학에서 입자와 파동은 동시적으로 존재한다고 말한다. 입자이면서 동시에 파동적 성질을 가지고 있다는 것이다. 즉, 입자는 유형(有形)의 물질로서 유(有)가 되고, 파동은 무형(無形)으로서 무(無)가 된다. 무형의 물질은 다만 보이지 않을 뿐 없는 것이 아니므로 유무(有無)는 유형과 무형의 개념으로 이해할 수 있다. 유형의 물질 속으로 깊이 들어가 미세의 영역에 도착하면 마침내 보이지 않는 무형의 양자장(Quantum Field)의 세계가 나타난다.

　　예를 들어 '나(我)'는 보이는 유형의 물질과 보이지 않는 무형의 물질로 구성되어 동체이면을 이루고 있다. 그러므로 유형과 무형이 하나로 존재하는 유무일체(有無一體)이며, 동시에 유무상생(有無相生)으로 존재한다고 정의할 수 있다. 무형과 유형, 음과 양, 선과 악, 낮과 밤, 추위와 더위 등등이 상호작용을 통해 균형과 조화를 이루는 과정에서 하나(一)를 지향해 가는 것이니, "兩在故不測 推行于一"이라는 장재의 논거는 양자

---

7) 폴 데이비스, 류시화 역, 『현대물리학이 발견한 창조주』, 정신세계사, 2020, p.159.
8) 朱熹, 『周易本義』, "張子曰, 兩在故不測, 推行于一."

역학에서 입자(有)와 파동(無) 2가지가 동시에 활동하기 때문에 위치와 운동량을 한 번에 측량할 수 없고 다만 확률적으로 하나(一)를 지향하며 나아간다고 하는 현대물리학의 이론과도 일맥상통한다고 할 수 있다. 이러한 현대물리학의 결과는 "태허는 무형으로서 기의 본원이며, 사물이란 기가 모이고 흩어지는 변화의 일시적인 형태일 따름"[9]이라는 장재(張載)의 말을 더욱 확증해준다.

장재(張載)는 "기의 취산이 태허에서 말미암음은 마치 얼음이 물에서 뭉쳤다가 풀어짐과 같으며, 따라서 태허가 곧 기임을 알면 무라는 세계는 없음을 알게 된다."[10]라고 하였는데, 유(有)와 무(無)는 관찰자의 시선에 따라 입자(有形)이기도 하고 동시에 파장(無形)이기도 한 극미의 양자장에 비교할 수 있다. 입자는 개별적인 부분을 의미하지만, 파동의 관점으로 보면 유기적 일체로서 전일성의 관계가 된다. 그러므로 입자(多)는 곧 파동(一)이라는 전체를 의미하고, 전체(一)는 다시 입자(多)와 같으니(一卽多 多卽一), 부분(多)과 전체(一)가 동시성(同時性)을 이루는 전일적 성격을 띠게 되는 것이다.

가상적 소립자들과 진공과의 관계는 본질적으로 동적 관계

---

9) 張載, 『正蒙』, 「太和」, "太虛無形, 氣之本體, 其聚其散, 變化之客形爾."

10) 張載, 『正蒙』, 「太和」, "氣之聚散於太虛, 猶氷凝釋於水, 知太虛卽氣, 則無無."

이다. 진공은 진실로 생성과 소멸의 끝없는 리듬으로 고동치는 '살아있는 허(虛)'이다. 진공의 동적인 성질에 대한 발견은 최고로 중요한 발견 중의 하나로 간주되고 있다.[11]

이처럼 장재(張載)는 『노자』의 유생어무(有生於無)[12]를 비판하면서 현대물리학의 관점과 같이 만물이란 절대 없음(空無)에서 나올 수가 없는 것이며, 그러므로 모든 것은 有에서 비롯된다는 유생어유(有生於有)를 주장하고 있다.

---

11) 프리초프 카프라, 김용정 · 이성범 공역, 『현대물리학과 동양사상』, 범양사, 2017, pp.289-290.
12) 『老子』 第40章, "天下萬物生於有, 有生於無."

4) 부분과 전체

무형의 개념인 음과 양은 상호작용을 통하여 중(中)의 영역에서 하나(一)가 되고, 유형의 개념인 천지는 상호작용을 통하여 인(人)의 영역에서 하나(一)가 된다. 그러므로 양중음(陽中陰)이 하나의 체를 이루고 천인지(天人地)가 하나의 체를 이루니, 무형과 유형은 서로 동체이면의 개념이라 할 수 있다. 장재는 무형의 有를 태허(太虛)라 부르고, 이 무형의 有가 유형의 有를 낳는 본원이 됨을 주장하였다.[1]

음양의 작용은 신묘하니 헤아릴 수가 없다. 상반된 대립적 성질의 음양이 교합하여 하나로써 중화를 이루니 천지 만물의 작용은 결국 하나(一)를 지향한다고 할 수 있다.

> 천지의 기는 비록 흩어지고 모이고 공격하고 빼앗음이 백 가지 길이나 (무수히 많은 양상을 가지고 있으나), 그 이치는 순하여 어긋나지 않는다.[2]

즉, 하나(一)에서 만물(多)이 비롯되고 만물(多)은 다시 하나(一)로 돌아가 합하는 것이니, 일즉다(一卽多)요 다즉일(多卽一)이며 만법귀일(萬法歸一)이라 할 수 있다. 홀로 고립되어

---

1) 황종원, 『張載의 太虛와 氣개념에 대한 고찰』, 『동서철학연구』 제 23호, 한국동서철학회, 2002, p.219.
2) 張載, 『正蒙』, 「太和」, "天地之氣, 雖聚散攻取百塗, 然其爲理也, 順而不妄."

존재하는 사물이란 있을 수 없으니 만물은 상호의존하며 관계 망으로 연결되어 일체로써 존재한다. 그러므로 우주 삼라만상은 전일성이라는 개념으로 통일된다.

천지의 움직임이란 천지 음양의 상호작용을 말한다. 모든 상호작용은 균형과 조화를 지향하며 하나(一)를 이루어간다. 이 것은 사물 간의 대립과 상호작용이 중화를 이루고, 중화들은 또 다른 서로 간의 상호작용을 통해 더 큰 中和를 지향하며 마침 내 최고의 가치인 大和(一)를 향해 나아가는 것을 의미한다. 즉, "천지의 모든 움직임은 항상 하나(一)로 귀일되는 것"[3]이 니, 음양의 상호작용으로 드러나는 원자 세계의 불확정성은 상 호작용을 통하여 중화에 참여함으로써 궁극적으로는 전체로서의 하나(一)인 대화(大和)를 지향해 가는 것이다. 한강백(韓康伯)은 "천하의 모든 변화(多)는 반드시 하나(一)로 귀결된다 ."[4]라고 하는 만법귀일의 이치를 말하였으니 바로 일즉다 다즉일(一卽多 多卽一)의 이치를 가리키는 것이다.

생명체의 일부분인 유전자에는 개체 전체의 정보가 내장되어 있다. 현대과학은 개체를 구성하는 하나의 유전자를 복제하여 똑같은 개체를 만들어낼 수 있다. 1996년 세계 최초의 포유동 물 복제로 태어난 새끼 양 돌리가 그 대표적이다. 이것은 생명 체의 부분과 전체는 정보가 서로 같다는 것을 의미하는 것으로

---

3) 『周易』, 「繫辭傳下」 第1章, "天下之動, 貞夫一也."
4) 韓康伯, 『周易集解』, 咸卦 九四, "天下之動, 必歸乎一."

서 '불확정성의 원리'를 주창한 하이젠베르크의 '부분과 전체'의 개념으로 이해할 수 있다. 유전자 개체 속에 전체의 정보가 들어있음을 말하는 것이니, 이는 천지의 상호작용으로 화생한 내(人)가 곧 천지의 정보를 품고 있는 것이라 할 수 있겠다.

그러므로 내가 곧 우주이고 우주가 곧 나이니, 내가 곧 하늘이라는 인즉천(人卽天) 사상과도 일맥상통한다. 즉, 부분인 하나하나에 전체의 모든 정보가 내장되어 있으며, 부분이 전체를 반영하고 부분과 부분은 상호작용하며 전체를 지향함으로써 부분과 전체의 관계는 동시적으로 전일성의 관계가 된다.

"점차적으로 물리학자들은 원자 수준에서의 자연은 기본적인 토막들로 구성된 역학적인 세계로서가 아니라 관계들이 그물로 나타나며, 결국 이런 상호 관련된 그물에서는 어떠한 '부분'도 존재하지 않는다는 것을 깨닫기 시작했다. (……) 동양적 세계관에서는 모든 사물을 상호의존적이고 분리될 수 없는 것으로 보며 동일한 궁극적 실재의 일시적인 양태들로 본다."[5] 즉, '부분과 전체'는 상호연관성이 있는 관계망의 그물(網)로 이해할 수 있는 것이다.

세계를 분리시켜 독존(獨存)하는 부분들로 분석할 수 있다는 고전적인 생각을 부정하는, 분해되지 않는 전체성이라는 새로운 개념이 이르게 되었다. (……) 세계의 독립적인 '기본적

5) 프리초프 카프라, 김용정 · 이성범 공역, 『현대물리학과 동양사상』, 범양사, 2017, pp.412-413.

인 부분들'이 근본적인 실재라고 하는, 그리고 다양한 체계들은 단지 이러한 부분들의 특별한 우연적인 형태와 배열이라고 하는 일반적인 고전적 개념을 우리는 뒤집었다. 오히려 전 우주의 불가분적 양자 상호연결이 근본적 실재이고, 상대적으로 독립하여 행동하는 부분들은 단지 이 전체내의 특별한 우연적인 형태라고 할 것이다.[6]

켄 윌버((Ken Wilber)는 『무경계』에서 "우리가 자연 속에서 발견한 모든 선은 단지 대극을 구분짓기만 하는 것이 아니라, 나눌 수 없는 일체로서 둘을 함께 묶는다는 것이다. 다시 말해 선은 경계가 아니라는 것이다. 정신적인 것이든 자연적인 것이든 또는 논리적인 것이든, 하나의 선은 그저 나누고 구분 짓기만 하는 것이 아니라 또한 묶고 결합시킨다.

반면에 경계는 순전히 환상에 지나지 않는다. 경계는 실은 나눌 수 없는 것을 나누는 척만 할 뿐이기 때문이다. 이런 점에서 볼 때, 현실 세계에서는 '선'은 있지만 실질적인 '경계'는 존재하지 않는다."[7]라고 하고 있다. 즉, 대극(對極)이란 그저 하나의 과정에 대한 두 개의 다른 이름일 뿐이니, 하나의 세계로부터 두 개의 세계를 만들어냈기 때문이라 하였다. 그러므로 천지, 음양, 장단, 대소, 강약, 명암, 전체와 부분, 너와 나 등등 대립적으로 구분된 모든 것은 언제나 치밀하게 서로를 포용하

---

6) 프리초프 카프라, 김용정·이성범 공역, 『현대물리학과 동양사상』, 범양사, 2017, p.184.
7) 켄 윌버, 김철수 역, 『무경계』, 정신세계사, 2022, pp.61-62.

도록 운명지어져 있는 것이라 할 수 있다.

천지가 사귀어 만물이 서로 통하니 음양은 상호작용으로써 天地人이라는 만물만상을 낳는다. 人은 天地와 동등한 자격으로 천지의 화육에 공동 참여하며 상호 일체를 이룬다. 人은 天地가 상호교감으로 생한 만물이며, 中이란 陰陽이 상호작용으로 생한 교합의 영역이니, 人中이란 균형과 조화로써 만물을 생하는 생멸의 자리라 할 수 있다.

人中은 天地人이라는 개별성이 차별 없는 하나(一)로 융해된 전일성으로서 삼태극을 의미하며, 天地人이 서로 고리(環)를 이룸으로써 공존하는 '환존'의 자리를 가리킨다. 환존은 천지인 만물(多)이 일체를 이룬 하나(一), 즉 명사적 개념인 '한(一)'으로 정의할 수 있다.

부분(多) 속에 전체(一)가 들어있고 전체(一)가 곧 부분(多)이니, '한'이란 일즉다 다즉일(一卽多 多卽一)의 의미를 포괄한다. 즉, '한'은 부분(多)과 전체(一)를 아울러 포괄하고 있는 전일성을 의미하며, 이것은 만법(多)이 하나로 귀일된 장재(張載)의 태허지기(太虛之氣)와도 일맥상통한다. 그러므로 一속에 多, 多속에 一을 포함하고 있는 일중다 다중일(一中多 多中一)의 개념으로 정리할 수 있겠다.[8]

장재(張載)는 "(음양이) 교감한 이후에 통(通)함이 있는 것이니 둘이 없으면 하나도 없다."[9]라고 했다. 통(通)이란 곧 중화의 자리로서 생멸지문(生滅之門)이다. 음양이 교감하여 통(通)하면 생이 되고 불통(不通)이면 멸이다. 즉, 상호관계망이

---

8) 義湘, 『華嚴一乘法界圖』, "一中一切多中一, 一卽一切多卽一."
9) 張載, 『正蒙』, 「太和」, "感而後有通, 不有兩則無一."

연결되어 통하면 환존(環存)으로 생이 되고, 상호관계망이 끊어지면 독존(獨存)이니 상호불통이 되어 멸이 되는 것이다. 『주역』은 천지가 사귀면 만물이 통하고[10], 천지가 사귀지 않으면 만물은 불통이라고 했다.[11] 천지가 사귐으로써 음양이기(陰陽二氣)가 상통하는 것이니,[12] 천지의 기운이 서로 사귀지 않으면 만물이 생성할 이치가 없는 것이다.[13]

장재(張載)가 말했듯이 만물이 홀로 존재할 수 있는 이치는 없다.[14] 음과 양은 서로 교감함으로써 상호 존재하는 것이니 상호교감이 없다면 음이든 양이든 홀로 존재할 수 있는 이치란 없는 것이다. 즉, 사물이란 상대성으로 존재하는 것이며, 상호공존은 상대방의 존재를 필수조건으로 하는 상보성이 적용된다. 모든 생물은 상호의존성이라는 연결망 구조 속에 한데 얽혀 있는 생태학적 공동체의 구성원인 것이다.[15] 그러므로 물리학적 독존(獨存)이란 성립될 수가 없다.

결론적으로 말하자면, 원자 수준의 초극미 영역의 자연에서는 부분 부분들이 상호관계망으로 연결되어 전체(一)를 이룸으

---

10) 『周易』, 地天泰 「象傳」, "天地交而萬物通也."
11) 『周易』, 天地否 「象傳」, "天地不交而萬物不通也."
12) 朱熹, 『周易本義』 地天泰, "天地交而二氣通."
13) 程頤, 『程傳』, 「泰象」, "夫天地之氣不交, 則萬物生成之理."
14) 張載, 『正蒙』, 「動物」, "物無孤立之理."
15) 프리초프 카프라, 김용정·김동광 역, 『생명의 그물』, 범양사, 2022, p.28.

로써 부분이라는 존재의 의미가 상실되듯이, "모든 사물과 사건들이 상호연결되어있는 불가분의 우주는 자체 조화가 아니라면 거의 의미를 갖지 못한다."16)라고 함으로써 현대물리학은 '부분과 전체'의 의미를 유기적 일체라는 우주적 관점으로 바라보고 있다.

---

16) 프리쵸프 카프라, 김용정 외 공역, 『현대물리학과 동양사상』, 범양사, 2017, p.362.

5) 생태학적 공동체

우주 삼라만상은 주체적 자아로서 상호 대립하면서도 상호의
존할 때 물리적·철학적 존재성을 획득한다. 만물만상은 상호관
계망으로 연결된 생태학적 동일체, 즉 하나하나의 존재가 상호
관계망으로 서로 연결될 때 비로소 존재할 수 있는 공동운명체
라 할 수 있다.

정이(程頤)가 "보이는 것과 보이지 않는 것은 간격이 없다
(顯微無間)."라고 했듯이, '보이는 나'와 '보이지 않는 나'는
우주라는 공동체를 구성하는 인자라는 사실은 변하지 않는다.
얼음이 녹아 물로 돌아간다고 해서 얼음이 사라졌다고 할 수
없듯이, 기의 일시적 응취 상태인 객형(客形)이 다시 보이지 않
는 기로 환원한다고 해서 기(氣)가 품고 있는 리(理)는 사라지
지 않는다. 객형이 품고 있는 자기동일성(自己同一性), 즉 소리
(小理)를 품고 있던 기물(器物)이 무너졌다고 해서 관계성으로
연결되어있는 우주적 大理, 즉 우주적 理가 사라지는 것이 아
닌 까닭이다.

中和와 中和가 모여 하나를 이루고 있는 大和는 에너지 불
변의 법칙이 작용한다. 부분과 부분은 에너지의 편재와 편중으
로써 역동적으로 움직이면서 변화하며 끝없이 모습을 달리 하
지만 전체라는 우주적 동일체는 변함이 없는 것이다.

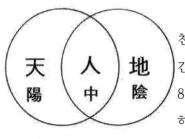

한민족의 정체성을 담고 있는 『천부경』1)은 우주 삼라만상과 인간의 존재에 대한 심오한 이치를 81자에 담고 있다. 본서에서 주장하는 생태학적 공동체를 구성하는 삼태극 天人地의 공존 원리인 '환

<그림 27> 환존의 원리

존(環存)'의 의미를 『천부경』을 통해 살펴보자.

一始無始一 析三極無盡本
일시무시일 석삼극무진본

하나(一)에서 비롯하다. 하나에서 비롯된 이 세상은 무형(0)을 바탕으로 시작하는 유형(一)의 세계이니, 곧 天(陽)·地(陰)·人(中) 三極이다. 하나에서 시작하지만 시작이 없는 무궁(無窮)이며, 그 하나(一)에서 天地人 삼재가 비롯되지만 근본인 하나(一)는 다함이 없다.

우주를 비롯한 만물의 시작과 끝은 종교와 과학이 추구하는 가장 중요한 목적 중의 하나이다. 『천부경』은 시작점을 하나(一)라고 명쾌하게 정의한다. 하나(一)는 하나님, 부처님, 알라, 빅뱅. 창조에너지 등 다양하게 표현될 수도 있지만, 『천부경』은

---

1) 『천부경』: 一始無始一로 시작하고 一終無終一로 마치는 『천부경』은 81자로 구성되어 있으며, 우주창조원리, 지구순환원리, 인간존재 원리와 목적 등을 상수적 이치로써 밝히고 있다. 단군시대의 통치 철학으로서 삼신일체라는 한민족의 정신이 담겨있다.

모든 이치를 단순하게 "하나에서 시작하다(一始)"라고 통칭함으로써 모든 종교와 사상과 과학을 함께 끌어 안는다.

유형(一)은 무형(0)을 바탕으로 시작하는 하나(一)다(一始無始一). 그 하나에서 천지인 삼재가 우주 삼라만상으로 펼쳐지지만 근본(一)인 우주적 자기동일성(大理)은 사라지지 않는다(析三極無盡本). 천강에 비친 천개의 달은 사라져도 하늘에 떠 있는 한 개의 달은 사라지지 않는 까닭이다.

天一一　地一二　人一三
천일일　지일이　인일삼

天은 하나(一)로서 一이 되고,
地는 하나(一)로서 二가 되며,
人은 하나(一)로서 三이 된다.

天이 만물의 씨앗을 품고 있는 음양미분의 추상적 태극(一)이라면, 地는 음양으로 분별되어 대립과 대대로써 상호작용하며 만물을 현상으로 드러내는 구체적 작용성, 즉 작용하는 태극(二)이다. 천과 지는 하나이면서 둘인 셈이다. 人은 천지 음양의 작용성이 드러낸 중화의 변화체로서 현상의 세계에 펼쳐진 만물이니 『천부경』은 이를 三으로 이름한다.

天은 一太極을 품은 하나(一)라 이름하고, 地는 一太極을 품은 둘(二)이라 이름하고, 人은 一太極을 품은 셋(三)이라 이름한다.

一積十鉅 無匱化三
일적십거 무궤화삼

하나(一)에서 시작하여 진화를 거듭함으로써 二·三·四·五·六·七·八·九·十, 완성(十)으로 나아간다. 이는 無(0)에서 궤匱(태극)가 열려 다함 없이 만물(三)로 화함이로다.

(상자(匸방)로 상징되는 태극에 담긴 귀(貴)는 만물을 품은 씨앗을 상징한다.)

天二三 地二三 人二三 大三合六生七八九
천이삼 지이삼   인이삼   대삼합육생칠팔구

天一은 음양(二)의 작용성으로 三에 참여하고
地一도 음양(二)의 작용성으로 三에 참여하며
人一도 음양(二)의 작용성으로 三에 참여하니,
天地人(三) 大三의 음양성(二)이 合六하여
天(一)은 하늘(七)을 이루고,
地(二)는 땅(八)을 이루고,
人(三)은 만물(九)를 이룬다.

『천부경』은 수다한 말보다 수리로써 단순명료하게 의미를 전달한다. 보이지 않는 세계(0, 무극)에서 발현된 하나(一, 태극)는 음양(二)으로 분별되어 상호작용하며 품고 있는 천지인 삼재(三)를 펼쳐낸다.

사시(四)가 순환하고 땅(五) 위에 만물이 펼쳐지니, 육(六)이다. 육(六)은 만물을 상징하며 이를 표상한 것이 『주역』의 육효(六爻)가 된다. 즉, 천지인(3)의 음양성(2)이 합하여 육효(6)로서 표상되는 것이니(二生三), 육효로 표상된 64괘는 현상의 세계에 모습을 드러낸 만물의 작용을 표현한다(六生七八九).

二生三은 『노자』에서 만물의 생화시스템을 수리적으로 표현한 말이다.

道生一 一生二 二生三 三生萬物
도생일 일생이 이생삼 삼생만물

도는 하나(一)를 낳고, 하나는 음양(二)으로 나뉘니, 음양은 상호작용을 통해 천지인 삼재(三)를 낳고, 삼재는 만물(六)을 낳는다.

道(0)는 만물의 本인 무형의 有가 되고, 하나(一)는 유형을 바탕으로 드러낸 유형의 有, 즉 태극(1)을 상징한다. 태극(1)은 음양성(2)으로 분별되어 상호작용함으로써 품고 있던 만물의 씨앗 천지인 삼재(3)를 낳는다.

눈에 보이지 않는 추상성으로서의 천지인 삼재(3)가 음양의 물리적 상호작용(2)으로 현상의 세계에 구체성(6)으로 모습을 드러내니, 이것이 육효(六爻)로 구성된 『주역』의 64괘가 되는 것이다.

<二生三의 창조원리>

태극은 천지인 삼재를 포태하고 있으니 天一地一人一로 표현한다. 그리고 천지인 삼재가 가지고 있는 음양성은 天二地二人二로 표현되고, 그 음양성의 합이 6이니 만물의 작용과 변화를 표상하는 육효의 원리가 된다. 즉, 태극(一)이 음양의 작용성(二)으로 천지인(三)을 펼쳐내듯이, 천지인(三)도 음양의 작용성(二)으로 만물(六)을 펼쳐내는 것이니, 二生三은 천지인이 공동 참여하는 '참여적 우주네트워크시스템' 즉 '환존의 원리'라 정의할 수 있다. 여기에서 生이란 음양의 작용성이 품고 있던 삼재를 토해내는 신묘한 이치를 의미한다.

『천부경』의 二三은 『노자』의 二生三으로 비유된다. 『노자』의 二生三은 『천부경』에서 天二三 地二三 人二三으로 구체적으로 표현하고 있다.

<미시영역>

태극이 품고 있는 씨앗은 각각 일태극을 품고 있는 天一地一人一로 표현된다. 즉, 태극은 天地人 三才를 품고 있고, 삼재는 각각 일태극(一太極)을 품고 있으니 天一地一人一은 만물을 생출하는 씨앗으로서 理가 된다. 이는 보이지 않는 미시영역에서 작용하는 삼재로서 체(體)라고 정의할 수 있다.

<거시영역>

天一地一人一이 체(體)라면 天二地二人二는 용(用)이 된다. 天二地二人二는 천지인이 품고 있는 음양성으로 눈에 보이는 현상세계에 강유상추 상호작용을 통해 만물(六)을 펼쳐낸다. 천지인의 음양성이 육(六)이니, 六은 씨앗(理)인 天一과 작용하여 天七을 이루고, 地二와 작용하여 地八을 이루고, 人三과 작용하여 人九를 이룬다(六生七八九). 『노자』의 三生萬物은 『천부경』의 六生七八九에 해당되며 거시의 현상세계를 표현하는 수가 된다. 거시적 현상세계의 만물을 표상한 팔괘를 구성하는 효의 수가 모두 24개이니 7+8+9를 합한 수이며, 1년을 구분한 24절기도 24수가 된다.

運三四成環五七一妙衍 萬往萬來用變不動本
운삼사성환오칠일묘연   만왕만래용변부동본

만물만상(天地人)이 생장수장(4) 무위운행하니(用, 12),
땅(五)과 하늘(七)이 고리(環)를 이루어
하나(一)를 이루고(體, 12),
그 하나(一)에서 묘리가 한없이 펼쳐진다.
하나(一)가 시작하여 묘리를 한없이 펼쳐내니,
삼라만상이 가고 오며 무수히 쓰임을 달리하지만,
본(本)이 되는 하나(一)는 변함이 없도다.

우주의 한 부분인 지구, 인간이 살아가는 바탕인 지구의 순환원리를 설명한다. 앞부분이 우주 생성이라는 추상성을 설명하는 부분이라면, 이 부분은 지구의 사시순환, 춘하추동을 설명하며. 지구 위에서 순환을 거듭하는 구체적 존재로서의 생로병사(生老病死), 생장수장(生長收藏) 그리고 원형이정(元亨利貞)이라는 물리적·철학적 이치를 밝히고 있다. 하나(1)에서 만물만상(10)이 비롯되고, 가고 오며 끝없이 변화하지만 본(本)이 되는 하나(1)라는 이치, 즉 태극은 변함이 없음을 정의하고 있다.

카를로 로벨리가 주창한 루프양자중력이론(Loop Quantum Gravity Theory)은 양자와 양자가 고리를 이루어 전체로서 유기적 일체를 이루는 우주를 설명한다. 자연은 기본적으로 상호연결이 되어 있으며, 서로 고리를 지어 공간의 흐름을 이어주는 관계네트워크를 형성하고 있다. "루프(loop), 즉 고리(環)이라고 부르는 이유는 모든 원자가 고립되어 있는 것이 아니라 서로 비슷한 것들과 '고리로 연결'되어 공간의 흐름을 이어주는 관계네트워크를 형성하고 있기 때문이다."[2]라고 하여 천지인이 서로 고리를 지어 관계성으로 존재한다고 하였다. 여기에서 루프(loop)는 하늘과 땅이 고리를 이루어 하나를 이룬다는 성환오칠일묘연(成環五七一妙衍)의 환(環)과 의미가 동일하다.

동양의 철인들은 이미 만물을 앙관부찰함으로써 천지인의 생

---

2) 카를로 로벨리, 김현주 역, 『모든 순간의 물리학』, ㈜쌤앤파커스, 2021, p.82.

존의 원리인 환(環)의 의미를 통찰하고 있다. 『중용』은 "천지의 화육에 참여하여 도우니 人은 天地와 더불어 삼신일체이다."[3]라고 하였으며, 『순자』는 이것이 "인간이 천지와 더불어 나란히 동등한 셋이 될 수 있는 까닭이다."[4]라고 하여 만물의 생존원리인 '환존(環存)'[5]의 이치를 선언하고 있다.

本心本太陽 昂明 人中天地一
본심본태양 앙명 인중천지일

마음은 본디 태양처럼 광명이니
마음(本心)을 밝혀 빛(本太陽)을 이루면
人은 中이니 天地가 하나(一)된 자리라.
천지상생의 도가 인간의 존재 속에 구현되도다.
빛에 오르라. 하늘과 땅이 내 안에서 하나(一)되리라.

---

3) 『中庸』 제22장, "可以贊天地之化育, 則可以與天地參矣."
4) 『荀子』, 「天論」, "天有其時, 地有其財, 人有其治, 夫是之謂能參."
5) 카를로 로벨리는 그의 저서 『모든 순간의 물리학』에서 '우주 공간은 원자핵 중에서 가장 작은 원자핵보다 수백, 수천억 배나 작은 아주 미세한 크기의 공간원자로 이루어져 있으며, 그러므로 우주는 곧 공간원자 그 자체'라고 말한다. 즉, 우주는 양자(공간원자)가 그 물망처럼 상호 연결된 전일적 하나(一)라 할 수 있다. 자연은 기본적으로 상호연결이 되어있으며 서로 고리를 지어 공간의 흐름을 이어주는 관계네트워크를 형성하고 있다(루프양자중력이론). "루프(loop), 즉 고리(環)라고 부르는 이유는 모든 원자가 고립되어있는 것이 아니라 서로 비슷한 것들과 '고리로 연결'되어 공간의 흐름을 이어주는 관계네트워크를 형성하고 있기 때문이다"라고 하여 천지인이 서로 고리지어 관계성으로 존재한다고 하였다. : 카를로 로벨리, 김현주 역, 『모든 순간의 물리학』, ㈜쌤앤파커스, 2021, p.82.

本心本太陽 昂明

인간은 본시 근본을 광명에 두고 있으니 내면의 빛을 밝히라 촉구한다. 광명을 깨달을 때 천지가 교감으로 생한 중화, 즉 '환존'을 이룰 수 있음을 밝히고 있다.

人中天地一

물리적 상호관계성이 없는 사물은 존재하지 않는다. 본서에서는 철학적 물리학적 상호관계성으로 연결되어있는 존재, 그리고 대립하면서도 대대하며 서로 의존적 관계로서 상호작용하며 조화를 이루는 관계를 '환존'이라 정의한다. 환존(環存)이란 물리적 존재, 철학적 존재로서 천지·음양과 상호교감하며 중화를 이룬 인중(人中)의 영역을 의미한다. 나는 天地·陰陽이 교감으로 생한 人中의 영역, 천하의 중심이다.

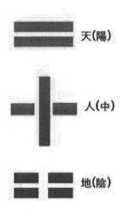
天(陽)
人(中)
地(陰)
<그림 28 人中>

천지·음양의 교합 지점인 人中의 영역은 음효와 양효가 교차하는 지점으로서 종교와 철학, 그리고 과학이 추구하는 지고의 가치이자 깨달음의 목적지를 상징한다. 人中의 영역은 종교와 철학이 추구하는 가치의 상징물이 나오는 발생지이기도 하다.

종만물(終萬物), 시만물(始萬物)

『천부경』에 나오는 문자를 가지고 담론을 해보자.

-종만물(終萬物)-

다음 문자는 "一終無終一"에 나오는 '하나(一)가 마치다'라는 종(終)의 뜻을 가진 고어다. 이것은 천지·음양이 서로 분리되어 상호작용이 일어나지 않고 있는 대립 상태로서 人中이라는 중화가 일어나지 않고 있음을 상징한다.

괘상으로 보면 천지가 등을 돌리고 있는 천지비(天地否)괘에 해당되는 문자로서 人이 天과 地를 연결하고 있는 모습이다. 人으로 인해 천과 지, 음과 양이 영원히 분리되지 않음을 의미한다.

<그림29> 종(終)

天(양)은 地(음)가 없으면 존재할 수 없고, 地 또한 天이 없으면 존재할 수 없는 상호의존관계에 있다. 人(中)이란 만물을 의미하기도 하지만 양자물리학적으로 볼 때 양자와 양자를 고리(環)지어 연결함으로써 우주삼라만상을 생태학적 동일체로서 전일성으로 일체가 되게 하는 묘리(妙理)를 의미한다. 天人地는 셋이면서 하나이고, 하나이면서 셋이 되는 삼신일체의 신묘한 이치가 작용하는 세계이다.

즉, 영원한 마침이란 없는 것이니 역학에서는 종말(終末)을 말하지 않는다. 종(終)이 있으면 곧 시(始)가 시작되는 까닭이다. 교감이 이루어지면, 즉 음양의 상호작용이 시작되면 두 개의 원은 교합의 영역, 人中의 영역인 중화를 만들어 낼 것이다. 『주역』에서 시종(始終)이라 하지 않고 종시(終始)라고 하는 까닭이다.

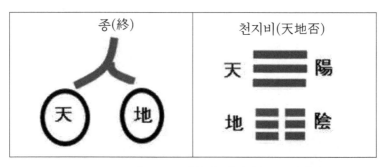

<그림 30> 종(終)과 천지비(天地否)괘

-시만물(始萬物)-

<그림 31> 시(始)

　다음 문자는 "一始無始一"에 나오는 '하나(一)가 시작하다'라는 시(始)의 뜻을 가진 고어다. 천과 지, 음과 양이 교감하며 상호작용을 일으킴으로써 교합의 영역, 즉 중화의 영역인 人中을 만들어내고 있음을 상징한다.

괘상으로 보면 지천태(地天泰)괘의 상으로서 천지와 음양이 크게 태통(泰通)하며 만물을 창조하는 모습이다. 두 개의 원이 고리를 이루어 중화의 영역인 人中을 생함으로써 만물이 펼쳐지는 '환존(環存)'의 이치가 이루어지는 자리이다. 인·중은 만물만상이 생멸하는 묘리(妙理)가 작용하는 신묘(神妙)의 영역이라 할 수 있다.

人中이란 천지·음양이 하나된 자리이니, 人中은 天地를 연결하는 자로서 人이 없다면 天地도 설 자리가 없다. 人中이란 만물만상이 생멸하는 신묘(神妙)의 자리로서 천지인 삼신일체(三神一體)의 완성을 상징한다.

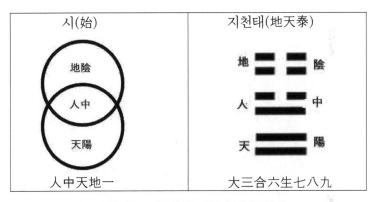

<그림 32> 시(始)와 지천태(地天泰)괘

<인간과 지구>

지구는 우주를 구성하는 일부분이며, 만물(人) 역시 지구를 구성하는 구성요소로서 우주(天)와 지구(地)와 인간(人)은 유기적 일체로서 전일성의 관계를 맺고 있다. 그러므로 인간은 지구가 죽으면 구성요소에 불과한 인간은 함께 멸종할 수밖에 없는 생태학적 동일체라고 할 수 있다. 인간에게 있어 지구와의

공존은 필수 불가결한 선택이다.

벌이 꽃으로부터 꿀을 탈취하는 것 같지만 땅에 고정되어있는 꽃은 꿀을 탈취하는 벌에 꽃가루를 묻혀 다른 꽃과의 수분작용을 함으로써 열매를 맺는다. 또한 열매는 짐승이나 새에게 먹힘으로써 멀리 이동하여 자신의 유전자를 퍼트린다. 꽃이나 열매는 땅으로부터 영양분을 탈취하고 태양으로부터 빛을 받아 광합성을 함으로써 생존한다. 이러한 생태학적 연결고리 중에 어느 한분분이 끊어진다면 만물만상 중에 홀로 독존할 수 있는 존재는 사실상 없다.

陰과 陽은 中을 만든다. 그리고 中은 陰과 陽을 상호 존재하게 하는 관계망을 구성한다. 역시 天과 地는 人을 만들고, 人은 天과 地를 존재하게 하는 관계망을 구성한다. 너와 나는 우리를 만들고, '우리'는 너와 나를 공존하게 하는 생태학적 그물망이 됨으로써 만물만상을 유기체(有機體)적으로 동기화하는 생존시스템이 된다. 우리는 온 우주적으로 서로 그물망이라는 상호관계성으로 연결된 유기체적 존재로서 상호작용을 통해 서로의 존재를 확인하는 전일적 존재인 것이다.

AI 인공지능 알고리즘으로 데이타를 공유함으로써 하나로 연결된 전일성이 극명하게 드러나는 미래 세상이 눈앞에 펼쳐지고 있다. 인간은 지금까지 사회적 가치로써 유지해오던 공동체를 탈피하여 점점 개인화되어 가고 있다. 그런데 세상이 개별화되고 파편화되어 나뉘어진다는 것은 태극이 끝없이 분화되어

나뉨으로써 오히려 궁극에는 파동으로 하나가 되는 이치와 다르지 않다. 천상천하유아독존(天上天下唯我獨尊)이라는 독존적 철학성에서 알고리즘이라는 관계망으로 연결되어 데이터를 공유함으로써 오히려 하나가 되는 AI 인류는 환존의 가치가 더욱 강화될 수밖에 없다고 할 수 있다.

물론 독존이라는 자기동일성(identiy)이 사라지는 두려움은 크다. 그러므로 서로 연결된 상호관계망 속에서 상호공존을 통해 생존하는 환존의 철학적 의미가 제대로 정립되지 않으면 개체는 전체 속에 묻혀버리게 되고, 연결망을 독점함으로써 데이터를 지배하는 독과점의 폐해가 나올 수밖에 없다.

天人地, 陽中陰이 서로 고리를 이루어 공존한다고 해서 나라는 독존성(獨存性)이 사라지는 것은 아니다. 오히려 天地·陰陽의 상호작용이 人中의 독존적 자기동일성을 강화시킴으로써 천지의 화육에 공동참여하는 주체적인 참여자의 위치에 서게 된다.

그러나 상호관계망으로 연결되어있다는 정체성이 무너지게 된다면, 서로를 연결하는 알고리즘이 끊어져 관계망에 혼돈이 오는 순간 데이터의 상실에서 오는 가치의 혼란은 쉽게 상호관계성을 무너뜨릴 수 있다. 유기적 일체라는 전일적 동질감으로서의 사회적 가치가 혼돈을 일으키는 것이다. 인간성은 단시일에 만들어지는 것이 아니라 수천년 수만년을 거쳐 삶의 경험이 축적됨으로써 유전자에 각인되어 전해진다. 그러나 과학이 만든 인간성은 과학에 의해 쉽게 흔들릴 수가 있다.

산업화 정보화를 넘어 새로운 문명에 마주 선 지금은 새로운 문화의 창출과 더불어 새로운 공존의 가치를 정립하지 않으면, 즉 자신의 정체성이 확립되지 않으면 낯선 문명의 파도에 휩쓸려 파편화됨으로써 스스로 난파선을 타고 전일성으로부터 떨어져나가 외딴 섬에 홀로 정착하는 우를 범하게 될 것이다.

一終無終一
일종무종일

하나(一)에서 우주만물(三)이 비롯되고
다시 하나(一)로 돌아가니
끝이 없는 영원한 하나(一)로다.

시작(始)과 마침(終)은 똑같은 하나(一)이니, 종시(終始)는 서로 같은 개념이다. 시작이 있으면 마침이 있고 마침이 있으면 곧 시작이다. 『천부경』에서 말하는 일시일종(一始一終)이란 시작과 끝을 말하고자 함이 아니라, 우주 삼라만상은 마침이 있으면 시작이 있다라는 끝없는 순환의 이치를 말하고자 함에 있다. 즉 역학에서는 마침이 있는 시종(始終)이 아니라, 마침은 곧 새로운 시작이라는 의미에서 종시(終始)라고 말하고 있는 것이다.

우주창조의 원리인 빅뱅은 시작이자 마침이고, 마침이자 시작이다. 물리적 엔트로피가 최고치에 이르러 열평형 상태가 됨으로써 음양은 상호 미분된 혼일 상태인 무극(0)이 되고 음양은 상호작용을 멈춘다. 즉 태허(太虛)로 비유되는 '텅 빔'이 된다. '텅 빔'이란 물리학적 진공이고, 상호작용은 없지만 모든 만물의 시원을 품고있는 묘유(妙有)가 된다.

그리고 어느 순간 음양은 다시 대소·장단·강약이라는 극미세한 어긋남이 시작됨으로써 에너지의 이동을 발생한다. 음양은 상호분별되어 대립함으로써 상호작용을 시작하며 만물만상을 토해내기 시작한다. 곧 물리학적 빅뱅(bigbang)이자 역학적 태극이다. 태극이란 엔트로피가 낮아짐으로써 무질서한 에너지가 질서를 세워가면서 응취함으로써 만물만상으로 펼쳐지는 빅뱅의 시작점이다.

물상의 대표격인 인간을 예로 들어보면, 어린 태아에서 아기 시기에는 엔트로피가 낮아지며 에너지가 응취하기 시작하며 질서를 세우려는 기운이 강하게 나타난다. 그러다 성장의 극에 다다른 성인이 되면 어느 순간 보름달이 기울어가듯 엔트로피는 최고치를 향하며 신체조직은 서서히 무질서를 향하며 응취된 에너지는 소산되기 시작한다. 결국 소산된 신체는 죽음이라는 꼭지점을 기준으로 입자이자 파동이라는 양자장의 세계로 귀일된다.

소산되어 하나로 귀일된 에너지는 어느 시점 어디에선가 다시 응집을 시작하는 기(氣)에 이끌려 누군가의 무엇인가의 소속으로 물질의 구성요소가 됨으로써 세상에 또다른 물상으로 다시 드러난다. 우리는 서로 연결되어 서로를 공유함으로써 함께 우주의 순환에 참여하는 생태학적 동일체라 할 수 있다.

이러한 논리는 소위 빅뱅이라고 하는 우주의 시원(始原)을 기준으로 순환하는 창조원리와 접목할 수 있다. 빅뱅이라는 창조의 시작점은 극소이면서 극대라는 상대적 개념으로서 3차원적인 시공간적 개념으로 설명하기는 어렵다. 우주의 시작점〔始原〕은 어디인가? 우리는 무수한 종시(終始)의 순환 속에서 함께 존재하고 취산(聚散)을 반복하면서 여행하고 있는 원자들이다. 생태학적으로 전일적 동일체인 우주의 종시 또한 물상의 종시와 다를 바 없다.

부분(입자)과 전체(파동)는 서로 동일하다. 부분이 전체를 포함하고 전체는 부분을 포함한다(一中多 多中一). 이는 하나(一) 속에 다(多), 다(多) 속에 하나(一)가 있는 것이니, 내가 곧 우주요 우주가 곧 나라는 인즉천(人卽天) 사상과도 통한다. 무극과 태극, 무질서(Caos)와 질서(Cosmos), 수렴〔終〕과 빅뱅〔始〕의 개념은 종시(終始)의 끝없는 순환을 의미하는 것으로서 "하나(一)에서 시작하지만 시작이 없는 무궁이며(一始無始一), 하나(一)로 마치지만 마침이 없는 하나이다(一終無終一)"라는 『천부경』의 선언은 바로 이를 뜻한다. 『천부경』은 우리가 사는 이 신묘(神妙)한 우주 삼라만상의 이치를 다음과 같이 명료하게 정의를 내리고 있다.

一妙衍萬往萬來用變不動本
일묘연만왕만래용변부동본

하나(一)가 시작하여 묘리(妙理)를 한없이 펼쳐내니,
삼라만상이 가고 오며 무수히 쓰임을 달리하지만,
본(本)이 되는 하나(一)는 변함이 없도다.

제VI장

맺음말

VI. 맺음말

본서는 理와 氣와 數의 통합체인 만물만상을 펼쳐내는 음양의 대립과 상호작용을 통해 상충과 화해의 논리로써 인문적 공존의 논리를 탐구하였다. 음양의 대립과 상호작용은 보이지 않는 양자장〔氣〕의 영역에서 작용하며 보이는 현상계를 펼쳐낸다. 사물이란 보이는 세계〔顯〕와 보이지 않는 세계〔微〕가 동체이면으로 존재하는 동일체, 즉 정이(程頤)가 정의한 '보이는 세계와 보이지 않는 세계는 간격이 없다(顯微無間현미무간)'라는 뜻이 된다. 그러므로 사물의 기저에서 만물을 펼쳐내는 음양이기의 대립과 상호작용은 보이는 세계의 존재 원리이기도 하다.

본서는 卦와 物과 數의 상관관계를 氣와 場(Quantum Field)이라는 현대물리학적 관점에서 살펴보고, 역학의 중화론적 관점에서 다양성 간의 상호공존 논리를 모색하였다.

우주의 한구석 지구라는 별의 한 모퉁이에서 광대무변한 공간을 가득 채운 별들을 바라보며 인간은 존재에 대한 까닭을 끊임없이 궁구해왔다. 하늘과 땅은 무엇이며 나는 왜 이곳에 있는지에 대한 탐구는 호기심 많은 이성적 인간으로서 마땅히 품을 수 있는 의심이고 또한 당연한 권리이기도 했다.

아우구스티누스는 하느님이 세상을 창조하기 전에 무엇을
하고 계셨을까 하는 물음에 대해서 그가 들었던 대답이라고
농담조로 보고한다. "깊은 신비를 조사하려는 너 같은 자들을
위해 지옥을 만들고 계셨다."[1]

에덴동산의 우화는 인간의 호기심을 원천적인 원죄의 틀에
씌워 단죄함으로써 인간의 지적 탐구를 무지의 울타리에 가두
는 우를 범하고 있다. 무지가 곧 선이 되고 지혜가 악이 되는
논리는 인간의 의식을 예속화시키는 결과를 가져온다. 카를로
로벨리는 "무지에 만족하고 이해하지 못하는 것을 무한이라 부
르면서 앎을 다른 곳에 위임해버리는 사람처럼 무지한 사람은
없다."[2]라고 말한다.

『주역』은 무한무량하고 복잡다단한 우주 삼라만상을 음효
(--)와 양효(—)라는 두 개의 부호를 수단으로 8개의 괘상으로
단순 개략하여 압축 범주화함으로써, 우리는 『주역』을 통하여
만물의 변화에 대한 통찰을 쉽게 할 수 있다. 성인(聖人)이 앙
관부찰하여 세운 음양이기로 구성된 괘상은 시공안의 한계에

---

1) 카를로 로벨리, 김정훈 역, 『보이는 세계는 실재가 아니다』, ㈜쌤앤
파커스, 2018, p.258.
2) 카를로 로벨리, 김정훈 역, 『보이는 세계는 실재가 아니다』, ㈜쌤앤
파커스, 2018, p.231.

갇혀있는 인간 스스로가 존재에 대한 쉼 없는 탐구로써 획득한 지혜의 보고라고 할 수 있다.

인간의 지각 능력이 미치지 못하는, 사물의 기저에서 작용하는 음양은 음효(--)와 양효(—)라는 두 개의 부호로 전화되어 괘상을 세움으로써, 우주 만물은 범주화를 거쳐 정형화된 형상으로 시각화된다. 이로써 괘상을 도구로 장착한 『주역』은 천지인 만물의 변화를 분석하는 수단을 얻게 됨으로써 동양철학의 정수로 갈래를 뻗어가게 된다.

음양은 서로 대립하면서도 상호의존하며 새로운 변화를 낳는 주체이다. 즉, 음양은 대립인자로서 서로를 의존하면서도 상충하며 균형과 조화라는 합일 과정을 겪으며 중화라는 제3의 변화를 창출한다. 그러므로 대립하는 상대가 없으면 나도 존재할 수가 없고, 그러므로 나의 존재는 곧 대립자의 존재를 필수적 전제조건으로 성립된다. 개체의 생존은 상대방의 생존을 전제로 하는 것이며, 무리의 생존은 대립하는 또 다른 무리의 생존을 전제로 성립되는 것이니, 그러므로 대립과 대대, 상충과 조화는 물리적으로도 인문적으로도 상호공존을 위한 우주의 근원적인 존재 원리라 할 수 있다.

문명과 문화는 음양이기의 상호작용이라는 변화 속에서 생성되는 중화가 시대적 상황에 맞는 시의적절한 생존방식을 통해 만들어지는 과정에서 도출된, 공존에 최적화된 삶의 형식의 총체라 할 수 있다. 즉, 음양이 서로를 밀어내고 당기며 상호작용함으로써 만들어내는 변

화, 즉 중화를 통한 결과물이라 할 수 있다(剛柔相推而生變化). 변화
란 대립자가 부딪히며 합일함으로써 생성되는 제3의 중화적 영역이
다.3)

그러므로 문명에 따라 일어나는 다양한 문화를 지탱하기 위한
온갖 '윤리적 장치'들은 시공(時空)에 따라 상호 합일되는 과정
이 서로 다를 수밖에 없다. 서로 부딪히는 다양한 환경적 조건들
은 시간과 공간에 따라 다를 수밖에 없고, 그럼으로써 상호작용
에 주어지는 조건들, 즉 다양한 명제들은 서로 다른 중화를 이루
어냄으로써 시공에 따른 다양한 문명이 창출될 수밖에 없다. 그
러므로 너와 내가 다르고 무리와 무리가 다른 것이니, 지역과 지
역, 나라와 나라, 행성과 행성 간의 선악, 정의, 도덕, 관습 등에
대한 의미는 서로 다를 수밖에 없고, 그러므로 그를 토대로 다양
한 상대적 문명이 나타날 수밖에 없는 것이다.

> 천지의 사이에 별도로 무슨 일이 있겠는가? 다만 음과 양
> 두 글자가 있을 뿐이니, 보건대 어떤 물건이든 모두 여기에서
> 떠날 수가 없다.4)

미시세계의 원자는 거시세계의 머나먼 우주 어느 행성과도 복
잡다단하게 연결된 관계망 속에서 유기적 일체를 이루며 존재한
다. 우주 문명에 절대적 기준을 제시해주고 통어하는 절대적인

---

3) 『管子』, 「樞言」, "凡萬物陰陽, 兩生而參視."
4) 『周易傳義』, 「易說綱領」, "天地之間, 別有甚事. 只是陰與陽兩箇字, 看
是甚麼物事都離不得."

신적 존재가 존재하지 않는 이상 절대적 기준이란 있을 수 없으며, 그러므로 종교적인 그 신(神)조차도 음양의 상대적 대립과 상호작용에 따라 합일되어 생화되는 중화적 존재일 수밖에 없는 것이다.

> 인간의 본질은 신체의 물리적 구조가 아니라 그가 속한 개인적, 가족적, 사회적 상호작용의 연결망에 의해서 주어집니다. (……) 우리는 상호적 정보의 풍부한 연결망 속의 복합적 매듭입니다.[5]

우리는, 모든 사물 개체들은 '원자가 아니라 원자들이 배열된 순서'라는 의미는 근원적으로 미시의 영역에서부터 홀로 존재할 수 없는 존재이며, 거시영역에서의 개체 사물로서도 조직화한 시스템 속에서 상호 연결되어 존재할 수밖에 없는 존재, 즉 '복잡다단한 연결망 속의 복합적 매듭'이라는 것을 의미한다.

「계사전」의 "一陰一陽之謂道"는 양이나 음 홀로는 도에 이룰 수 없음을 규정하는 선언적 의미를 함유하고 있다. 모든 사물의 존재와 변화는 반드시 한번은 음하고 한번은 양하며 상호작용하는 상호관계성으로 이루어진다.

변역(變易)의 형식에 관하여 경방(京房)은 『역전』의 관점을 발전적으로 해석하여 상교(相交), 상탕(相蕩), 상쟁(相爭), 상합(相合), 승강(昇降), 소장(消長), 교호(交互) 등을 제시하고

---

5) 카를로 로벨리, 김정훈 역, 『보이는 세상은 실재가 아니다』, ㈜쌤앤파커스, 2018, p.252.

있는데, 음양이기의 상호작용이라는 변화형식에 근거하고 있다.6) "일음일양(一陰一陽)이 서로 강유상추(剛柔相推)하며 변화를 만들어가는 과정은 혼돈 속에서 질서를 찾아가는 우주의 생성과정이며, 모순과 조화가 공존하는 세상의 이치이며, 균형과 불균형이 불가분의 일체로서 만물을 창조하는 원리를 의미한다. 그러므로 우주의 모든 변화는 근본적으로 상반된 양면의 속성을 지닌 대립자로서 음양이기의 상호작용이 내재적 원인이 되어 표출한 것이라 할 수 있다."7)

음양의 상호작용에 있어서 대응과 타협을 통한 시의적절한 맞작용은 중화를 형성하는 기본적인 요소이다. 중화란 음양의 대소 · 장단 · 강약의 미묘한 편재의 차이가 만들어내는 신묘한 작용으로서, 저마다 다양한 균형점을 만들어내는 적정한 교감과 상호작용이 없다면 조화로운 중화는 기대하기 어렵다. 나(我)라는 존재는 물론, 더 나아가 나와 같은 무리로 형성된 단체, 사회, 국가 등도 상호작용을 통해 저마다 다른 중화를 형성해 나가는 것이니, 나 자신의 적극적인 교감을 통한 상호작용이 없다면 상호조화를 이뤄나갈 수가 없다.

중화란 음양의 조화로운 균형점이지만, 중화로써 생화한 개체로서의 人(物)은 자신이 속한 중화의 유형에 따라 어쩔 수

---

6) 주백곤, 김학권 외4 공역, 『역학철학사1』 소명출판, 2016, p.322.
7) 박규선 · 최정준, 「음양의 대립과 통일에 관한 인문학적 고찰」, 『동양문화연구』 제36집, 동양문화연구원, 2022. p.119.

없이 그 환경적 조건이 만들어내는 길흉을 운명적으로 경험할 수밖에 없다. 그러므로 시의적절한 맞작용을 통해 음양의 상호 작용에 공동 참여함으로써 길흉의 향방은 달라질 수 있다. 중화를 이루어나가는 과정에서 나에게 득이 되면 길이요, 실이 되면 흉이 되는 것이니, 그러므로 길흉이란 숙명적인 것이 아니라 천지와의 상호작용에 공동 참여함으로써 얼마든지 변화시킬 수가 있는 것이다.

천지 만물은 태극이 품고 있는 天地人의 씨앗이 발현된 현상으로서, 天地人의 상호작용에 있어 한 축인 나(人) 자신의 적극적인 참여는 제3의 새로운 변화를 이루는 데 있어서 필수 불가결한 기본요소라 할 수 있다.

우주는 하나(一)에서 비롯된 384개의 효로 정의된다. 나(人)는 우주 64괘를 구성하는 384개 구성요소 중의 하나로서 천지창조와 운행에 주체로서 직접 참여한다. 구성요소 중에 하나라도 없다면 우주는 존재할 수 없다. 내(人)가 사라지면 우주(天地)도 사라진다. 내가 있으므로 우주가 존재하는 것이니 이 어찌 가슴 벅차지 않으랴. 인생의 존재 목적은 '환존(環存)'의 주체로서 천지의 작용에 함께 참여하여 서로 돕는 것이다.

음양이기(陰陽二氣)의 상호작용을 통해 天地人이 발현된다. 음양의 상호작용에는 리(理)가 내장되어 있으며, 기(氣)의 작용에 따라 기물(器物)을 통해 발현된다. 음양의 작용은 외부에서 통어(統御)하는 별도의 규범이 있는 것이 아니니 무목적, 무작위 작용을 통해 자연스럽게 강유상추하면서 질서를 잡아가며 상호합일의 과정을 거쳐 중화를 생성한다.

그러므로 자연스럽게 생성되는 질서가 곧 생명의 이치가 되는 것이며, 자연스럽게 생성되는 이치의 순리를 따르는 것이 모이고 모여 질서가 되고 문화가 되며, 생존을 위한 '윤리적 장치'가 되고 무리(사회집단)가 형성되는 것이다. 규범의 원천이 되는 문화는 생존을 위한 윤리적 장치의 집합체라 할 수 있다. 생명의 이치는 음양의 상호작용을 통해 자연스럽게 발현되어 물(物)이 되고, 물(物)의 규범이 되고, 문화가 되어 가족, 종족, 사회, 국가 등으로 그물망처럼 연결되어 유유상종의 이치에 따라 상호의존하며 공존하게 된다. 태극이 음양을 낳고 음양은 사상, 팔괘, 64괘로 연결되어 유기적 일체로써 전체가 전일성으로 하나(一)가 되는 것이다.

음양의 상호작용을 통한 중화의 형성은 사회법칙의 질서에도 적용된다. 즉, 상반적 성질의 대립자인 음양이기의 상호작용은 만물이라는 변화를 일구어내고, 만물의 변화를 본떠 만든 64괘의 상호작용은 국가의 통치행위와 사회질서에 철학적 기틀을 세워주며, 인간의 행위에 도덕적 규범을 제시한다. 『주역』은 성인이 만물을 앙관부찰하고 천지를 준거하여 세운 것으로서 천지의 도를 두루 다스릴 수 있다고 보았다.[8]

카린라이(Karyn Lai)는 만물을 표상한 64개의 괘상과 인간

---

8) 『周易』,「繫辭傳上」4章, "易與天地準, 故能彌綸天地之道."

계와의 통섭을 다음처럼 설명하고 있다.

하늘과 땅과 인간이 통합되어 그들의 상호작용이 64괘의 효에 완전히 담긴다. (……) 하늘의 도는 더 크고 우주적인 유리한 위치에 있음에도 인간계로부터 분리되어 있지 않다. 실제로 『易經』의 지혜는 '평범한 사람'을 위한 자원이다. 소우주가 대우주에 의해 통제되는 권력 위계질서를 강조하기보다는 대우주(예를 들어 별과 행성의 움직임)와 소우주(예를 들어 국가) 사이의 공명(共鳴)을 강조한다.9)

여기에서 공명(共鳴)이란 음과 양이 서로 의존하며 상호작용하듯이, 너와 나, 지구와 우리, 우주와 지구 등이 서로 떼려야 뗄 수 없는 상호관계망으로 연결된 전일적 관계로서 서로 영향을 주고받으며 일체를 이루고 있음을 의미한다.10)

태극은 음양으로 나뉘어 분별될 때 비로소 상호작용을 시작하면서 변화를 일군다. 음양이 미분된 혼륜 상태에서는 대립과 화해의 반복이라는 상호작용은 일어나지 않는다. 상호작용은 기본적으로 상반된 성질의 대립인자의 대비가 필수적으로 전제되기 때문이다. 그러므로 음이든 양이든 하나만 있다면 새로움〔변화〕은 창출되지 못하고 우주는 시나브로 소멸하고 말 것이다. 인간이든 동식물이든 번식의 지속을 위해서 근친교배는 본능적으

---

9) 카린라이, 심의용 역, 『케임브리지 중국철학입문』, 도서출판유유, 2018, p.385.

10) 박규선 · 최정준, 「음양의 대립과 통일에 관한 인문학적 고찰」, 『동양문화연구』 제36집, 동양문화연구원, 2022. p.105.

로 피하게 마련이다. 그러므로 우주가 존재하기 위해서는 음과 양이라는 대립인자는 필수적 전제조건이며(一陰一陽之謂道), 또한 밀고 당기며 상충과 화해를 반복하는 강유상추 작용은 우주 만물의 존속을 위한 기본 원리라 할 수 있다(剛柔相推而生變化).

세상이란 항상 시끄럽고 우당탕 소리를 내며 흘러가는 것이니, 바로 우리 자신을 구성하고 있는 근원적인 원리가 그렇게 되어있기 때문이다.

칸트가 우주는 조화를 이루고 있다고 말한 것은 잘못된 것이다. 사람의 마음은 조화를 이룰 때에 평안하지만, 자연과 우주에 있어서 만물만상이 조화를 이룰 그때는 존재하지 않는다. 끊임없이 바다는 육지가 되고 육지는 바다가 된다. 만 번 가고 만 번 오는 과정 그 자체가 있을 뿐이다. 이렇게 거듭 운동하는 '혼돈'이라는 왕에게 좌우에 귀와 눈을, 그리고 코를 붙여주니 그 '혼돈'이 죽어버리더라는 장자의 말은 의미심장하다. 우주 자연은 안정을 원치 않는다. 끊임없는 자기조직을 하면서 혼돈 속에서 질서(order out of chaos)를 창조하기를 원한다. 조화 때의 안정상태에 있는 에너지 입자의 집중 상태에서 만물만상은 없으며 창조는 일어나지 않는다. 에너지 입자가 충만되어 있더라도 조화상태에서 만물만상은 없고, 그것의 유전도 운동도 없다. 인간도 우주도 있을 수 없다. 공간 속에 조화가 깨뜨려짐으로써 생긴 우주 속의 무수한 파의 소용돌이 속에서 에너지 입자의 집중이 특히 커진 중심에서 일월성신이 생겨났다. (……) 조화 때의 안정으로부터 우연한 일로 그 조화가 깨트려 지면서 만물만상이 생겨나 변화를 되풀이한다.[11]

---

11) 김상일, 『현대물리학과 한국철학』, 고려원, 1991, pp.314-315.

"현대물리학적 관점에서 보면 이것은 에너지가 평형상태를 이루기 위하여 끝없이 엔트로피가 증가하는 것으로 보며, 그 과정에서 생명은 균형과 불균형, 질서와 무질서, 즉 생멸을 무한 반복한다. 우주 자연은 안정을 원하지 않으며 오히려 에너지의 '불균형과 혼돈'이 생명 창조의 원동력이 된다. 그러므로 '혼돈'에게 귀와 눈을 그리고 코를 붙여 주어 혼돈을 벗어나게 하면 오히려 혼돈은 창조 능력을 잃어버리게 된다는 것이다."[12]

음이 강한 쪽으로 균형을 이룬 중화, 양이 강한 쪽으로 균형을 이룬 중화는 「태극음양도」처럼 전체적으로는 완전한 원(圓), 즉 조화를 이루면서도 내부적으로는 음양이 S라인의 접점을 따라 다양한 편재와 편중으로 이루어진, 즉 불균형의 양태를 띤 중화라고 할 수 있다. 이렇듯 다양한 양태의 중화는 또다시 서로 다른 중화 간에 강유상추(剛柔相推), 굴신(屈伸)·왕래(往來)·소식(消息)하면서 균형과 조화를 지향하며 더 큰 범주의 중화인 새로운 변화를 일구어내면서 궁극적으로 대화(大和)를 지향한다. 『주역』은 이를 "중화(中和)를 보호함으로써 더 큰 대화(大和)를 지향하는 것이 이롭고 바른 것"[13]이라고 정의하고 있다. 주희(朱熹)는 大和란 음양이 모인 충화지기(沖和之氣)이며, 보합(保合)이란 이미 생겨난 지기(至氣)를 온전

---

12) 박규선·최정준, 「음양의 대립과 통일에 관한 인문학적 고찰」, 『동양문화연구』 제36집, 동양문화연구원, 2022. p.113-114.
13) 『周易』, 重天乾 『象傳』, "保合大和, 乃利貞."

하게 보전하는 것이라 주석한다.[14) 대화(大和)는 음양의 상호
작용으로 이루어내는 균형과 조화의 최고단계로서 수많은 중화
(中和)가 상호작용을 통해 최고의 가치로써 지향하는 목적지점
이라 할 수 있다.

음양의 대립과 대대는 「태극음양도」처럼 표면상 경계선을 드
러낸다. 즉, 대립과 대대가 물리학적으로 드러난 물상의 세계에
서는 현실적인 경계선으로 나타난다. "단순한 사실은, 우리가
역시 경계선의 세계 속에서 살고 있기 때문에 자연히 갈등과
대립의 세계 속에서 산다는 것이다. 모든 경계선은 또한 전선이
기도 하기 때문에, 경계를 확고하게 다질수록 전쟁터 역시 점점
더 확고하게 된다는 사실이야말로 인간이 처해있는 곤경이기도
하다."[15)

그러나 또한 「태극음양도」가 의미하는 것처럼 음양이 대소
·장단·강약으로 대립하면서도 서로 상호작용을 통하여 태극
원(太極圓)이라는 하나의 통일체를 이룬다는 사실이다. 그러므
로 궁극적인 실재란 대극(對極)이 통일된 상태이며, 우주 속의
모든 대상은 단지 단일한 에너지의 다양한 형상에 지나지 않는
다는 것을 의미한다. 모든 대극이란 만물의 기저에서는 단일한
실재의 두 측면에 불과하므로, 에너지의 바다에서 장(場)의 일

---

14) 朱熹, 『周易本義』, "大和陰陽會合沖和之氣也. (……) 保合者 全
　　於已生之後."
15) 켄 윌버, 김철수 역, 『무경계』, 정신세계사, 2022, p.52.

시적인 응결(凝結)로 일어났다가 소산(消散)되어 다시 에너지의 바다로 귀일하는 만물은 본래 모두가 하나(一)라는 것이다.

음양의 상호작용은 대립과 대대를 통해 균형과 조화를 찾아가며 중화를 지향한다. 중화는 음양의 미묘한 차이가 만들어내는 다양한 접점을 의미하며, 이것은 중화와 중화가 모여 더 큰 중화를 이루며 생태학적으로 유기체적 전일성을 이루는 우주적 대조화를 지향한다. 각각 사물의 개체변화는 부분적으로 불균형과 불안정을 야기할지 몰라도 우주 총체적으로는 균형을 이루고 있어 근원적으로는 음양의 합을 이루고 있는 태극(一)처럼 조화를 이룬다. 『주역』은 이것을 "천하의 모든 변화는 항상 하나로 귀일된다"[16]라고 정의하고 있다.

人中은 천지·음양이 하나(一)된 자리이다. 천지지합(天地之合)의 중심축으로서, 시소(seesaw)작용으로 균형을 잡아가며 상호작용하는 중화의 자리로서 보합대화(保合大和)를 지향하는 영역이다. 음양지합(陰陽之合)을 이룬 중화(中和)를 보전하여 조화의 관계망을 이루는 궁극의 통일체인 대화(大和)를 지향한다는 의미이다.[17]

켄 윌버는 "양극(兩極)이 실은 하나(一)였다는 사실을 알게 될 때, 불화(不和)는 조화(調和)로 녹아들고, 투쟁은 춤이 되며,

---

16) 『周易』, 「繫辭傳下」, 第1章 "天下之動, 貞夫一也."
17) 박규선·최정준, 「음양의 대립과 통일에 관한 인문학적 고찰」, 『동양문화연구』 제36집, 동양문화연구원, 2022. p.119-120.

오랜 숙적은 연인이 된다. 그렇게 되면 우리는 우주의 절반이 아니라 우주의 모든 것과 친구가 된 자리에 있게 된다."[18]라고 함으로써 대립과 화해의 논리를 인문적 관점으로 표현하고 있다.

『장자』가 "천지는 나와 함께 나란히 태어났고 만물도 나와 하나가 된다."[19]라고 했듯이, 우주 삼라만상이 하나(一)에서 비롯된 형제라는 사실을 아는 것, 너와 나는 상호작용을 통해 서로 그물망처럼 연결된 관계망 속에 존재하는 생태학적 공동체의 구성원이면서 외양은 서로 다른 양면의 모습일 뿐이라는 사실을 자각하는 것, 그것이 곧 조화로운 공존의 첫걸음이라 할 수 있는 것이다.

하늘을 아버지로 칭하고, 땅을 어머니로 칭하니, (……) 모든 백성은 나의 형제요, 모든 만물은 나와 함께 한다.[20]

장재(張載)가 좌우명으로 걸어놓은 「서명」의 문구로 논자의 맺음말을 대신한다.

---

18) 켄 윌버, 김철수 역, 『무경계』, 정신세계사, 2022, p.67.
19) 『莊子』, 「齊物論」 第1章, "天地與我竝生, 萬物與我爲一."
20) 張載, 『正蒙』, 「西銘」, "乾稱父, 坤稱母. (……) 民吾同胞, 物吾與也."

<참고문헌>

1. 원전

『周易』, 『京氏易傳』, 『程氏易傳』, 『皇極經世書』, 『周易本義』, 『朱子語類』, 『正蒙』, 『春秋左傳』, 『國語』, 『中庸』, 『管子』, 『荀子』, 『老子』, 『莊子』, 『華嚴一乘法界圖』, 『周易內傳』, 『周易外傳』, 『易圖明辨』, 『晉書』, 『河南程氏文集』, 『華嚴經』, 『易數鉤隱圖』, 『周易集解』, 『老子注』, 『繫辭注』, 『橫渠易說』, 『宋元學案』, 『洪範皇極』, 『二程集(上·下)』, 『張子正蒙注』, 『易學啟蒙』『淮南子』,

2. 단행본

김석진, 홍역학회 정리, 『대산 주역강의』 1-3권, 한길사, 1999.

김상일, 『현대물리학과 한국철학』, 고려원, 1991.

김승호, 『주역원론』 1-6권, 선영사, 2009.

김진희, 『알기 쉬운 상수역학』, 보고사, 2013.

김진희, 『주역 읽기의 첫걸음』, 보고사, 2012.

고회민, 곽신환 역, 『소강절의 선천역학』, 예문서원, 2011.

고형 외2 공저, 김상섭 역, 『주역점의 이해』, 지호출판사, 2009.

박규선, 『주역원리강해』상·하, 부크크, 2024.

박규선, 『간지역학원론』, 부크크, 2024.

박규선, 『간지역학 비결강의』, 부크크, 2024.

윤무학, 『中國哲學方法論』, 도서출판 한울, 1999.

의 상, 선지 역, 『大華嚴一乘法界圖註』, 도서출판 문현, 2010.

최정준, 『주역개설』, 비움과 소통, 2014.

최정준 외3 공역, 『周易傳義』 元·亨·利·貞, 전통문화연구
　　　　회, 2021.

한동석, 『우주 변화의 원리』, 대원출판, 2013.

데이비드 봄, 이정민 역, 『전체와 접힌 질서』, 시스테마, 2010.

베르너 하이젠베르크, 조호근 역, 『물리와 철학』, 서커스출판상
　　　　회, 2018.

베르너 하이젠베르크, 유영미 역, 『부분과 전체』, 서커스출판상
　　　　회, 2016.

앤 드루얀, 김명남 역, 『코스모스, 가능한 세계들』, ㈜사이언스
　　　　북스, 2020.

카를로 로벨리, 김정훈 역, 『보이는 세상은 실재가 아니다』, ㈜
　　　　쌤앤파커스, 2018.

카를로 로벨리, 김현주 역, 『모든 순간의 물리학』, ㈜쌤앤파커
　　　　스, 2016.

카를로 로벨리, 이중원 역, 『시간은 흐르지 않는다』, ㈜쌤앤파
　　　　커스, 2019.

켄 윌버, 김철수 역, 『무경계』, 정신세계사, 2012.

카린라이, 심의용 역, 『케임브리지 중국철학입문』, 도서출판 유
　　　　유, 2018.

프리초프 카프라, 김용정·김성범 공역, 『현대물리학과 동양사상』, 범양사, 2017.

프리초프 카프라, 김용정·김동광 공역, 『생명의 그물』, 범양사, 2022

폴 데이비스, 류시화 역, 『현대물리학이 발견한 창조주』, 정신세계사, 2020.

京 房, 최정준 역, 『京氏易傳』, 비움과 소통, 2016.

廖名春 외2 공저, 심경호 역, 『주역철학사』, 예문서원, 1994.

邵 雍, 노영균 역, 『皇極經世書』, 대원출판, 단기4335.

張 載, 황종원 역, 『張載集 1』, 「正蒙」, 세창출판사, 2023.

張 載, 황종원 역, 『張載集 3』, 「繫辭傳」, 세창출판사, 2023.

朱伯崑, 김학권 외4 공역, 『역학철학사』 1-8권, 소명출판, 2012.

馮友蘭, 박성규 역, 『중국철학사』 상·하, 까치글방, 1999.

3. 논문

1) 학위논문

곽신환, 「주역의 자연과 인간에 관한 연구」, 성균관대학교대학원 박사학위논문, 1987.

신명종, 「주역의 점서법과 현대적 함의에 관한 연구」, 성균관대학교대학원 박사학위논문, 2017.

신철순, 「周易의 陰陽思想 研究」-선진양한 시기를 중심으로-,

원광대학교대학원 박사학위논문, 2012.

심귀득, 「周易의 生命觀에 관한 연구」, 성균관대학교대학원 박사학위논문, 1996.

요시무라 미카, 「C.G융의 동시성에 관한 연구」, 동국대학교대학원 석사학위논문, 2012.

조우진, 「王夫之 器중심의 역학체계」, 전남대학교대학원 박사학위논문, 2010.

최영진, 「易學思想의 哲學的 硏究:『주역』의 음양 對待的 구조와 中正思想을 중심으로」, 성균관대학교대학원 박사학위논문, 1989.

최정준, 「여헌 장현광 역학사상의 철학적 탐구」, 성균관대학교대학원 박사학위논문, 2006.

하재춘, 「동양철학과 현대물리학의 연관성 고찰」, 경기대학교문화예술대학원 석사학위논문, 2012.

2) 학술논문

김학권, 「주역의 우주관」, 『공자학』 제25권, 한국공자학회, 2013,

김학권, 「주역에 있어서의 生生과 太和」, 『유교사상문화연구』 제20집, 한국유교학회, 2004,

김학권, 「주역의 우주변화에 관한 고찰」, 중국학보34(0), 한국중국학회, 1994.

김학권, 「장재의 우주론과 인간론」, 『철학연구』제77권, 대한철
    학회, 2001.

김학권, 「주자 역학의 우주론 고찰」, 『역사와 사회』제19권, 국
    제문화학회 1997.

김학권, 「소옹의 역철학」-진리의 문제를 중심으로-, 『철학연구
    』72, 대한철학회, 1999.

김대수, 「장재의 有的 세계관에 입각한 氣―元論」, 『철학논총』
    제73집, 새한철학회, 2013.

박규선 · 최정준, 「괘효의 수리화에 따른 역의 과학적 해석연구
    」, 『동방문화와 사상』제10집, 동양학연구소, 2021.

박규선 · 최정준, 「음양의 대립과 통일에 관한 인문학적 고찰」,
    『동양문화연구』, 동양문화연구원, 2022.

방   인, 「주역과 인공지능」, 『철학연구』제145집, 대한철학회,
    2018.

신정원, 「현대시스템 이론에서 본 주역의 6효 구조 연구」, 『인
    문학연구』제36집, 경희대학교 인문학연구원, 2018.

심귀득, 「주역의 음양의 조화에 관한 연구」-오위를 중심으로-, 『동
    양철학연구』제35집, 동양철학연구회 2003.

임정기, 「인간연구에 있어서 음양과 사상과 오행의 관계」, 『철
    학연구』제151집, 대한철학회, 2019.

안종수, 「라이프니츠와 역경」, 『철학논집』제10호, 서강대학교
    철학연구소, 2005.

오태석, 「0과 1의 해석학」 -수학, 디지털 및 양자정보, 그리고 주역과 노장-, 『중국문학』 제97권, 한국중국어문학회, 2018.

장윤수, 「장재의 우주론」 -『正蒙』을 중심으로-, 『철학연구』 제77집, 대한철학회, 2001.

조희영, 「소강절 역수론은 어떻게 구성되었나?」, 『철학논총』 제81집, 새한철학회, 2015.

조희영, 「주역에 내재된 理數의 함의: 송대 선천역학자의 관점에서」, 『한국사상과 문화』 제77호, 한국사상문화학회, 2015.

정병석, 「소옹의 선천역학」, 『지식의 지평』 제11호, 대우재단, 2011.

정병석, 「八卦취상설과 주역 성격의 전환」, 『동양철학연구』 제79집, 동양철학연구회, 2014.

최영진, 「주역에 있어서의 數의 문제」 -역학계몽과 관련하여-, 『유교사상문화연구』 제1권, 경학과 사상, 1986.

최정준, 「여헌철학의 역학적 근거」 -易의 二義와 관련하여, 『동양고전연구』 제45집, 동양고전학회, 2011.

황종원, 「張載의 太虛와 氣개념에 대한 고찰」, 『동서철학연구』 제23호, 한국동서철학회, 2002.